JN082882

問題で学ぶ
材料力学

堀辺 忠志
Tadashi HORIBE

Mechanics of Materials
-Learning through Problems-

三恵社

ま え が き

本書は，大学および高専の機械工学系学科で開講されている材料力学の演習用の教科書もしくは材料力学の参考書として執筆したものである．各章においては，はじめに基本事項を簡単に説明し，続いて章末に多くの問題を配置し，最後に本書の後半部分に詳しい解答を示している．ここに収録した多くの問題は，著者が新たに問題を作成したり，適切と思われる問題を集め，材料力学の講義内容に沿うようにまとめたものである．

材料力学は，いうまでもなく機械工学の中心をなす基礎科目の一つであるが，近年，有限要素法（FEM，Finite Element Method ）などの汎用ソフトよる構造強度解析が容易になり，その必要性は益々高まってきている．現在は，データを入力してFEMなどを用いてコンピュータによる構造計算を行うと即座に答えが得られる便利な時代になっている．しかし，FEMでは，適切な境界条件を設定しないと現実を反映しない解が生じ得るが，この誤った解は見過ごしやすい．このとき，材料力学の知識があればFEMの結果の奇妙さに気づき，適切に対処することが可能である．このため，IT(Information Technology)が社会の中核を占める現代においても，材料力学は従前にも増して重要な位置を占めることは論をまたない．

著者の学部学生のときの経験によれば，材料力学の授業だけでは理解できない部分を演習問題を解くことによって理解できたことが何度かあった．読者諸氏も，楽しみながら多くの問題に接し，知らず知らずのうちに力学的な素養が高まるように本書を活用してくれることを期待する．

本書には，材料力学の基本事項の説明が含まれてはいるが，紙面の制約もあって，はり断面におけるせん断力の分布，衝撃応力，弾性係数間の関係式の導出などは省略せざるを得なかった．手持ちの材料力学の教科書でこれらの内容を補っていただければ，バランスよく材料力学を理解できる．一方，本書は，自学自習を促すためにほかの演習書に比べてかなり詳しい解答を付している．また，式の導出についても丁寧な記述を心がけた．これらは冗長に思われるかも知れないが，納得するまで理解して欲しいという著者の希望の現れと理解していただけるとありがたい．なお，解答において式や記号などを断りなく使用している場合には，読者諸氏に戸惑いが生じないよう標準的な表記法を用いた．

問題の解答にあたっては，できるだけ自力で問題を解くことを勧める．すべての学習法に通底することであろうが，どうしても解決の糸口が見つからない場合にのみ解答を参照するよう習慣づけると，いっそう学習効果が上がる．**はじめから解答に頼ってしまうと，却って逆効果となる**ことを注意されたい．計算の便宜のため，簡単な数学公式やはりのたわみ公式などを付録に示しておいた．

なお，本書の作成には，元茨城大学機械工学科 宮崎康美 技官の多大な協力があった．また，茨城大学名誉教授 鴻巣 眞二先生，同学機械システム工学科 森 孝太郎 講師，元日立製作所 木本 寛氏からは貴重なコメントをいただいた．ここに記してそれぞれに謝意を表します．

2021年3月

堀辺 忠志

目次

第1章　引張りと圧縮－1

1.1　応力とひずみ

物体に荷重 P を加えると，物体内部にはそれに抗した力が働く．この力を単位面積当たりで考えたものを**応力**（stress）σ という．(σ は，シグマと読む．なお，付表 2 に各種ギリシャ文字の読み方を示す.）応力は，本来は作用する面と力の方向を指示する必要がある（第 16 章参照）が，ここでは図 1.1(a) のように，荷重に垂直な断面を考え，その面に垂直な方向に力が作用しているものとしよう．したがって，断面積を A とすると，応力は

$$\sigma = \frac{P}{A} \tag{1.1}$$

と表される．応力の単位は，$\mathrm{N/m^2}$(=Pa，パスカル) である．一方，変形を表す尺度として，以下のような**ひずみ**（strain）ε を導入する．すなわち，図 1.1(b) のように，l を棒の元の長さ，l_1 を変形後の棒の長さ，λ を伸びとして ε を

$$\varepsilon = \frac{l_1 - l}{l} = \frac{\lambda}{l} \tag{1.2}$$

と定義する．

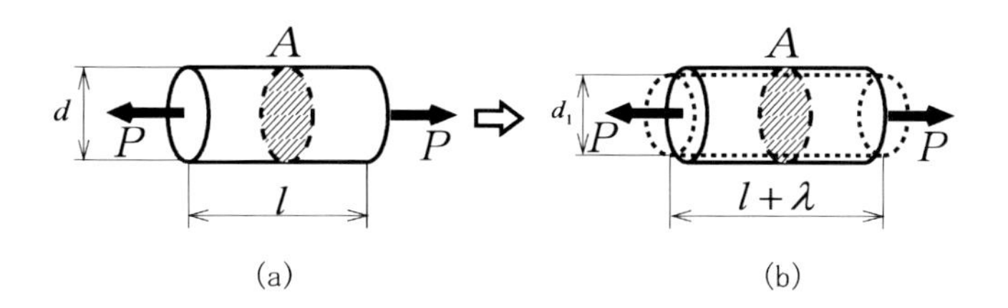

図 1.1 物体の変形（伸縮）

さて，鋼棒などでは，変形が小さければ変形の大きさと外力は比例する．これに応じて，応力 σ とひずみ ε も比例関係にあるものと考えると

$$\sigma = E\varepsilon, \quad \text{または}\ \frac{P}{A} = E\frac{\lambda}{l} \tag{1.3}$$

となる．この関係を**フックの法則**（Hooke's law）と呼ぶ[1]．ここで，E は比例定数であり，一般には，**縦弾性係数**（modulus of longitudinal elasticity）または**ヤング率**（Young's modulus）とよばれている．E は材料によって一定値をとり，軟鋼では E=206GPa(=$206\times10^9\mathrm{N/m^2}$) 前後である．

[1]R. Hooke（1635-1703，イギリスの科学者）は，1676 年にフックの法則をアナグラム（ある語を構成している文字の入替えによって異なる意味をもつ語をつくる言葉遊びのこと．たとえば orange(オレンジ) を organe(器官) とするなど.）を用いて発表した．これは当時の科学界では珍しいことではなく，ホイヘンスやガリレオ・ガリレイらもアナグラムを使っていた．アナグラムは詳細を明かさずに先に発見したことを示す手段だったようである．

棒の引張り方向とは垂直方向の寸法変化を考えると，丸棒の直径 d は，図 1.1(b) のように d_1 の大きさに縮む．したがって，この方向のひずみ ε' を考えると

$$\varepsilon' = \frac{d_1 - d}{d} = -\frac{d - d_1}{d} \tag{1.4}$$

このとき，縦方向（引張り）方向のひずみ ε と横方向のひずみ ε' の比の絶対値を**ポアソン比**（Poisson's ratio）ν とよび，$\varepsilon' < 0$ を考慮して

$$\nu = \left|\frac{\varepsilon'}{\varepsilon}\right| = -\frac{\varepsilon'}{\varepsilon} = \frac{(d - d_1)/d}{\lambda/l} \tag{1.5}$$

である．ν は材料によって一定値をとり，通常の金属材料では $\nu = 0.25 \sim 0.35$ である．

物体への負荷様式としては，図 1.2(a) のように，面をずらす方向へ作用する場合もある．この負荷様式を**せん断**（shear）とよび，面に生じる単位面積当たりの力を**せん断応力**（shear stress）τ と呼ぶ．このせん断応力は，図 1.2(b) から，せん断力を F，せん断面の面積を A とおくと

$$\tau = \frac{F}{A} \tag{1.6}$$

と表される．さらに，図 1.2(c) に示すように，せん断の大きさを表すせん断ひずみ γ を導入すると

$$\gamma = \frac{\delta}{l} \tag{1.7}$$

となる．

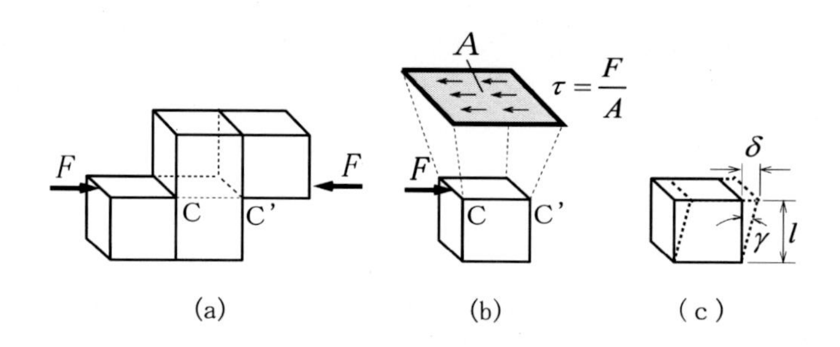

図 1.2 物体の変形（せん断）

このせん断応力 τ とせん断ひずみ γ も比例関係にあり

$$\tau = G\gamma \tag{1.8}$$

と表される．ここに比例定数 G は，**横弾性係数**（modulus of transverse elasticity）または**せん断弾性係数**（shear modulus）とよばれる．一般の軟鋼では，$G = 80$GPa 程度であり，付表 1 に各種工業材料の E, G および ν の値を示す．

なお，以上の弾性係数とポアソン比との間には

$$E = 2G(1 + \nu) \tag{1.9}$$

の関係がある．

【Example 1.1】

A steel wire l=9m long, hanging vertically, supports a load of P=2.2kN as shown in Fig.1.3. Neglecting the weight of the wire, determine the required diameter d if the stress is not to exceed 140MPa and the total elongation λ is not to exceed 5mm. Assume E=206GPa.

【解】 直径 d の鋼線に生じる応力 $\sigma(=140\text{MPa}=140\times10^6\text{N/m}^2)$ は，$\sigma=\dfrac{P}{A}=\dfrac{4P}{\pi d^2}$ となる．これより，直径 d は

$$d=\sqrt{\frac{4P}{\pi\sigma}}=\sqrt{\frac{4\times2200}{\pi\times140\times10^6}}=4.473\times10^{-3}\text{m}\approx4.47\text{mm}$$

と求められる．一方，鋼線の伸び $\lambda(=5\text{mm})$ は，式（1.3）より

$$\lambda=\frac{Pl}{AE}=\frac{4Pl}{\pi d^2E}$$

である．これより，直径 d を求めると

$$d=\sqrt{\frac{4Pl}{\pi E\lambda}}=\sqrt{\frac{4\times2200\times9}{\pi\times206\times10^9\times0.005}}=4.947\times10^{-3}\text{m}\approx4.95\text{mm}$$

図 1.3

と得られる．したがって，応力が 140MPa 以下であり，また，伸びが 5mm 以下であるためには，鋼線の直径は $d>4.95$mm でなければならない．

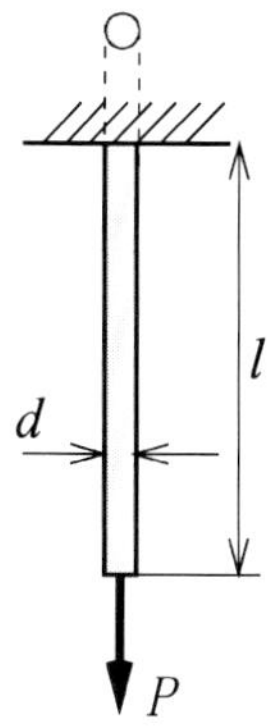

1.2 応力ーひずみ曲線

前節では，ひずみが小さければ応力とひずみが比例関係にあることを示したが，ひずみがさらに大きい場合の材料の変形や力学的特性を知っておくことは，強度を適切に評価するうえで重要なことである．

この材料の力学的特性を知るには各種の材料試験があるが，その中で最も基本的な材料試験として**引張り試験**（tensile test）がある．この引張り試験では，JIS（日本産業規格，旧称 日本工業規格）によって規定された試験片を一定の速度で引張り，そのときの伸びと負荷した荷重とを試験片が破断するまで記録するものである．図 1.4 に引張試験機の概要を示す．また，図 1.5(a) は，軟鋼（炭素含有量が 0.2%未満）の引張り試験結果であり，横軸は試験片の標点間距離に基づいて求めたひずみ，縦軸は荷重を元の断面積で割って得られた応力である．このようにして得た図を**応力ーひずみ線図**（stress-strain diagram）と呼ぶ．

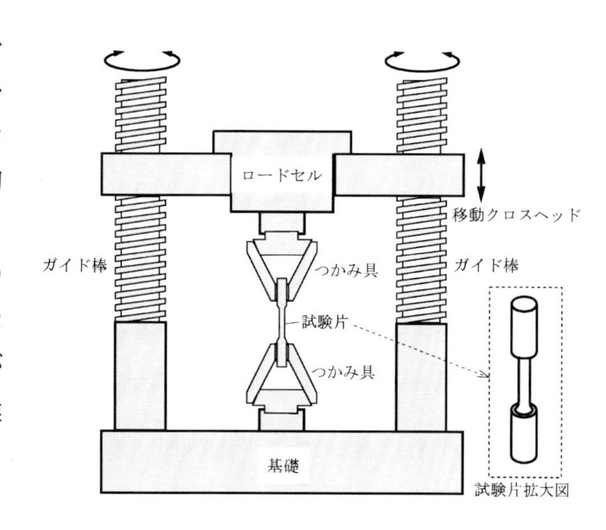

図 1.4 引張試験機

図 1.5(a) の点 O は材料が変形していない無負荷状態を表し，材料に荷重が加えられると，応力とひずみの両方が増加し，点 O から点 P に変形が進む．点 P に達するまで応力とひずみは直線関係（フックの法則）を示す．点 E は，**弾性限**（elastic limit）とよばれ，荷重を取り去っても点 O に戻るという限界点である．さらに応力を増加させると，降伏点 A（上降伏点という）に至る．また，これ以降荷重がやや減少して，ほぼ一定の応力（下降伏点という）で変形が進行する．JIS では，上降伏点を単に降伏点と呼んでいるが，下降伏点を降伏点とする場合もある．降伏点を過ぎると，荷重を取り去ってもひずみが残り元の長さに戻らない．このひずみを**永久ひずみ**（permanent set）と呼び，永久ひずみを生ずる変形を**塑性変形**（plastic deformation）という．

点 B 以降は，応力とひずみが共に増加するがその傾きは弾性域に比べてかなり小さい．点 C で応力の最大値（σ_B：**引張り強さ** (tensile strength) または**極限強さ**（ultimate strength）という）を示し，その後は材料の最も弱い部分に局所的な収縮（くびれ）を生じて点 D で破断する．下降伏点と引張り強さは材料の強さの基準となる値であるが，一般に降伏応力 σ_y という場合は，下降伏応力を指すものと考えてよい．

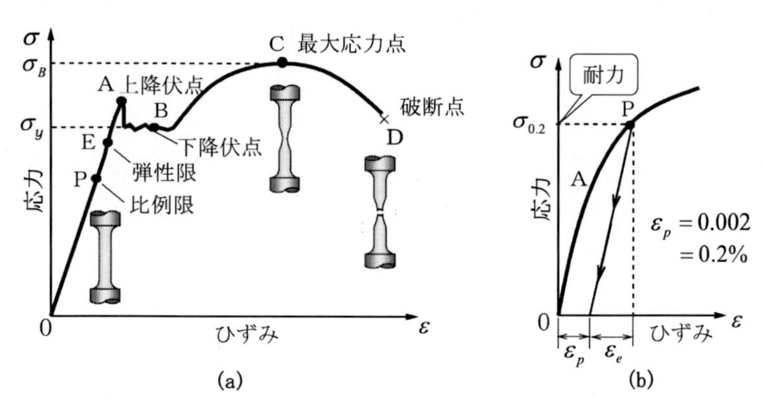

図 1.5 応力－ひずみ曲線

銅やアルミニウムの場合は，はっきりとした降伏点が現れない．この場合には，図 1.5(b) のように，0.2%の永久ひずみを生じる応力 $\sigma_{0.2}$ の値をとり，これを便宜的に降伏点としている．このようにして求めた降伏点を**耐力**（proof stress）という．

1.3　許容応力と安全率

設計上，許容できる最大応力を**許容応力** σ_a（allowable stress）という．すなわち，実際の部材に作用する荷重から生じる応力は常に許容応力よりも小さくなければならない．この σ_a は，機械や機器に用いる材料の安全さを保証する応力であり，材料や荷重の種類によって定まる**基準の強さ** σ_S を**安全率** S（safety factor）で割った値，すなわち

$$\sigma_a = \frac{\sigma_S}{S} \tag{1.10}$$

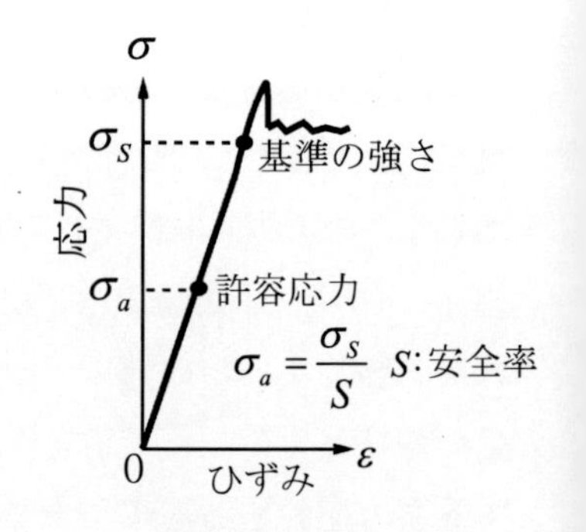

図 1.6 安全率の考え方

で表され，その考え方を図 1.6 に示す．ここで，基準の強さとは破損の限界を表す応力であり，表 1.1 に示す使用条件や材料に応じて用いる[2].

表 1.1 基準の強さの選択

使用条件，材料など		基準の強さ
静荷重	延性材料	降伏応力
		0.2% 耐力
	脆性材料	引張り強さ
繰り返し荷重		疲労限度
高温での機器の使用		クリープ限度

表 1.2 アンウィンの安全率

材料	静荷重	繰り返し荷重	衝撃荷重
鋼・軟鋼	3	5 ～ 8	12
鋳鉄	4	6 ～ 10	15
銅	5	6 ～ 9	15
木材	7	10 ～ 15	20
石材・レンガ	20	30 ～	

一方，安全率は，材料強度のばらつきや荷重の見積もりの推定の不確実性などを考慮して設定するものである．この安全率は，一般には工業製品ごとに長い経験を経て決められている．ここでは，極限強さ σ_B を基準の強さとし，アンウィン（W. C. Unwin，1838-1933）の提唱した安全率を表 1.2 に示す．設計部位で異なるが，一般に圧力容器の安全率はおおよそ 3~5 程度，航空機は 1.5 程度といわれている．航空機の低い安全率は，徹底した品質管理や機体整備に支えられている．

1.4　不静定問題

外力が与えられたとき，静力学における力やモーメントのつり合いだけでは部材力を決定することのできない問題がある．このような問題を**不静定問題**（statically indeterminate problem）といい，つり合い条件のほかに部材の変形を考慮して解を得ることができる．以下，例題を通して不静定問題の解法を示す．

【例題 1.2】

図 1.7(a) のように，長さ l，断面積 A_1 および縦弾性係数 E_1 の丸棒が同じ長さ l で断面積 A_2 および縦弾性係数 E_2 の円筒内に配置されている．圧縮力 P が剛性板に加えられたとき，それぞれの部材の圧縮力 P_1, P_2 および変位 δ を求めよ．

[2]表 1.1 の**延性材料**（ductile material）とは，軟鋼のように大きく塑性変形して破断する材料であり，**脆性材料**（brittle material）とは鋳鉄のようにほとんど塑性変形せずに破断する材料をいう．

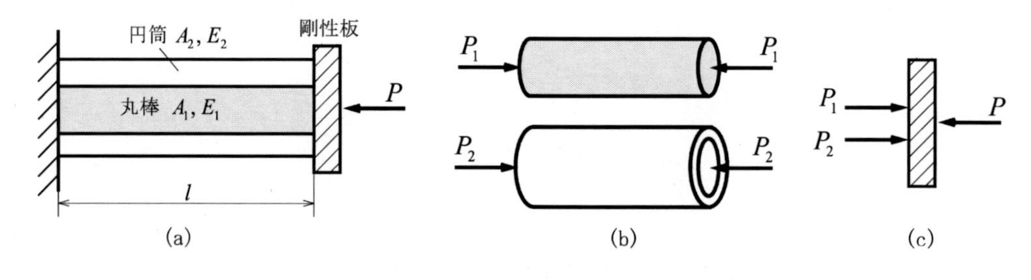

図 1.7

【解】 図 1.7(b), (c) に示すように圧縮力 P は丸棒および円筒に分配される．したがって，丸棒および円筒に及ぼされる圧縮力を P_1, P_2 とすると

$$P = P_1 + P_2 \tag{1.11}$$

と得られる．これは図 1.7(c) に示すように，剛性板に作用している力のつり合い式でもあるが，これだけでは，P_1, P_2 を求めることはできない．そこで，丸棒および円筒の圧縮量 λ_i（$i = 1, 2$）に注目すると，両者は等しくなければならない．フックの法則より

$$\lambda_1 = \frac{P_1 l}{A_1 E_1}, \quad \lambda_2 = \frac{P_2 l}{A_2 E_2} \tag{1.12}$$

となるから

$$\frac{P_1}{A_1 E_1} = \frac{P_2}{A_2 E_2} \tag{1.13}$$

となる．したがって，式（1.11）,（1.13）より

$$P_1 = \frac{A_1 E_1}{A_1 E_1 + A_2 E_2} P, \quad P_2 = \frac{A_2 E_2}{A_1 E_1 + A_2 E_2} P \tag{1.14}$$

となる．変位 $\delta (= \lambda_1 = \lambda_2)$ は，式（1.14）を式（1.12）に代入して

$$\delta = \frac{Pl}{A_1 E_1 + A_2 E_2} \tag{1.15}$$

を得る．これは，ばね定数 $A_1 E_1 / l$，$A_2 E_2 / l$ の 2 つの並列ばねを圧縮したときの縮み量にも等しい．

第1章の問題

1.1　直径 d=10mm，長さ l=500mm の軟鋼棒を荷重 P=4.9kN で引張ったとき，棒に生ずる引張り応力の値 σ はいくらか．(σ=62.4×10^6N/m^2=62.4MPa)

1.2　問題 1.1 において軟鋼棒の縦弾性係数を E=206GPa とすると，伸び λ はいくらか．(λ=0.151mm)

1.3　問題 1.1 で直径の減少量 δ はいくらか．ただし，ポアソン比を ν=0.3 とする．(δ=9.08×10^{-4}mm)

1.4　両端を固定した図 1.8 のような一様断面を有する棒の点 C に荷重 P が作用したとき，両端 A，B に生ずる反力 R_A, R_B はいくらか．ただし，棒の断面積を A，縦弾性係数を E とする．また P=9800N, a=200mm, b=100mm として数値計算せよ．

（ヒント：a 部分の伸びと b 部分の縮みがともに等しいことおよび棒の力のつり合いを考えよ．R_A=3267N, R_B=6533N）

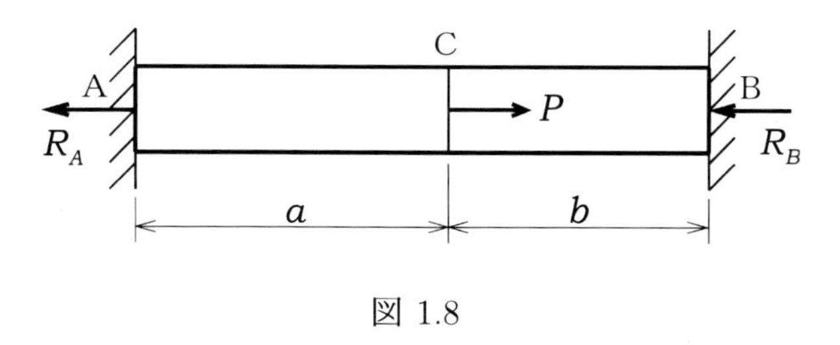

図 1.8

1.5　A prismatic steel bar having cross-sectional area A=0.5cm^2 is subjected to axial loading as shown in Fig.1.9. Neglecting irregularities in stress distribution near the points of application of the loads, find the increase δ [mm] in the length of the bar. Assume E=206GPa. (prismatic, 角柱状の) ($\delta = -0.0583$mm)

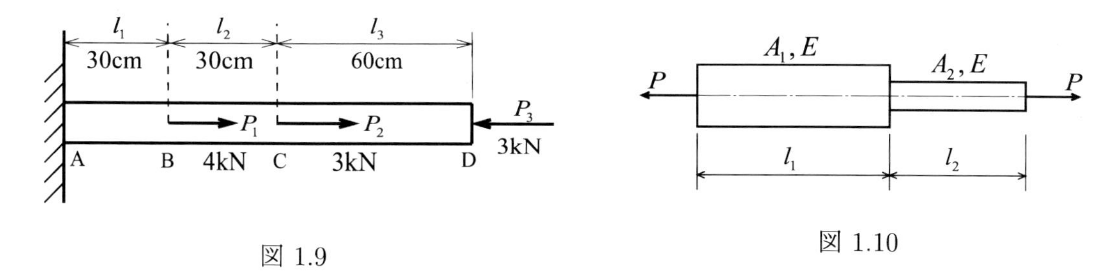

図 1.9　　図 1.10

1.6　長さ，断面積がそれぞれ図 1.10 のような段付棒が引張り力 P を受けるときの全体の伸びを求めよ．ただし，縦弾性係数（ヤング率）を E とする．($\lambda = \dfrac{P}{E}\left(\dfrac{l_1}{A_1} + \dfrac{l_2}{A_2}\right)$)

1.7　図 1.11 に示すように両端が剛体壁に固定された長さ l の棒 AB が，断面 C と D にそれぞれ軸力 P_1 と P_2 を受ける．このとき，両端に生ずる反力 R_A および R_B を求めよ．ただし，棒の断面積を A，縦弾性係数を E とする．(ヒント：**問題 1.4** の 1 個の荷重の場合を重ね合わせるとよい.)
($R_A = \dfrac{b+c}{l}P_1 + \dfrac{c}{l}P_2$,　$R_B = \dfrac{a}{l}P_1 + \dfrac{a+b}{l}P_2$)

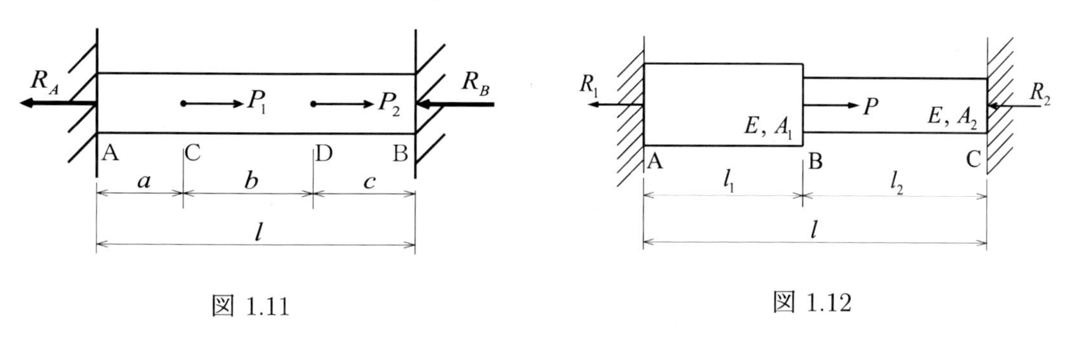

図 1.11　　図 1.12

1.8　A stepped steel bar (Young's modulus : E) having the dimensions as shown in Fig.1.12 is built-in at its ends and is subjected to an axial load P at the halfway point B. Find the reactions R_1 and R_2 acting upon the rigid walls. (A_1, A_2 and l_1, l_2 denote the cross-sectional area and the length of the bar, respectively.)

$$(R_1 = \frac{P}{1+\dfrac{l_1}{l_2}\dfrac{A_2E_2}{A_1E_1}},\ \ R_2 = P - R_1)$$

1.9　長さ l_0, 直径 d_0 の丸棒が長さ方向に引張られて縦ひずみ ε を生じたとき，丸棒の体積変化率（体積ひずみ）$\varepsilon_v = \Delta V/V_0$ はいくらになるか．ここで，ΔV：体積増加分，V_0：元の体積，ν：ポアソン比とする．($\varepsilon_v = \varepsilon(1-2\nu)$)

1.10　図 1.13 のピン継手において，引張り荷重 P=45kN が作用するとき，ピンの横断面 AB および CD に生じる平均せん断応力を 46MPa にするには，ピンの直径 d をいくらにすればよいか．また，ピンの直径を 30mm，ピンの許容せん断応力 τ_a=80MPa としたときには，どれくらいの荷重 P まで許容できるか．（ヒント：ピンのせん断面の数が 2 つあることに留意する.）(d=25.0mm, P=113kN)

1.11　The rigid bar AC, attached to two vertical rods as shown in the Fig.1.14, is horizontal before the load P is applied. Determine the vertical movement of P if its magnitude is 50kN. (δ_B=1.88mm)

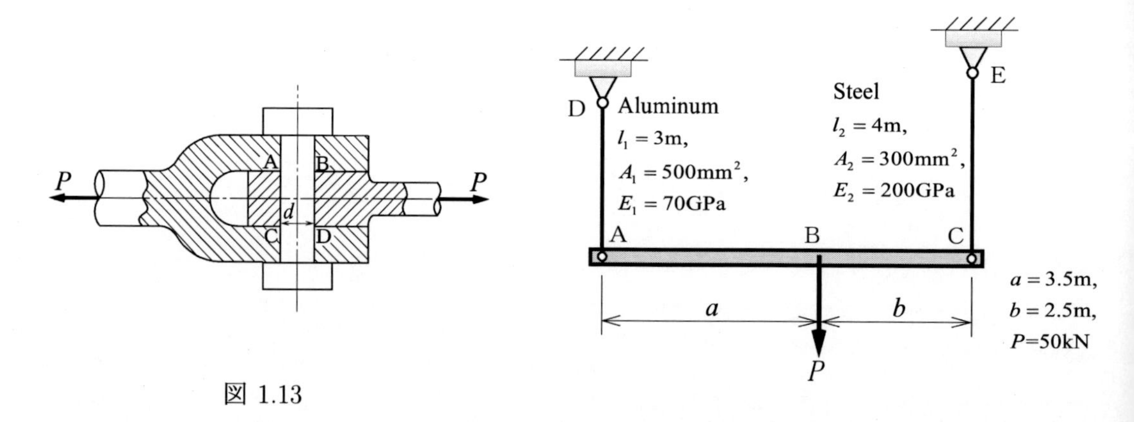

図 1.13

図 1.14

第2章　引張りと圧縮ー2

2.1　トラス

直線棒を連結して組み合わせたものを骨組構造と呼ぶ．このとき，個々の棒を部材とよび，連結した点を節という．節が回転自由な場合を**滑節**（hinged joint），溶接された場合のように回転できない場合を**剛節**（rigid joint）という．骨組構造が滑節のみで構成されているものを**トラス**（truss）といい，各部材は，引張りまたは圧縮力だけを受ける． トラスの軸力の正負について図 2.1 を例に説明する．

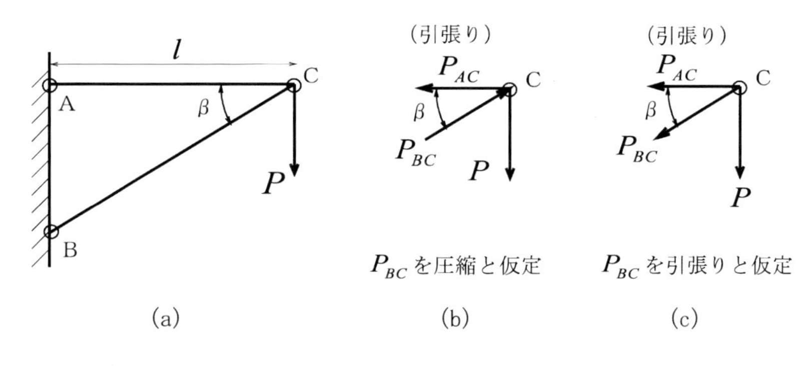

図 2.1 トラスの軸力

この例では，部材 AC には引張り，部材 BC には圧縮力が作用していることは直感的にわかる（たとえば，部材 BC は,「つっかえ棒」の役割を果たしているから圧縮力が作用）．したがって，図 2.1(b) のような節点 C の力のベクトル図を考えることができる．これより $P_{BC} = P/\sin\beta$ を得る．しかし，部材力が引張りか圧縮かの判断がつかない場合には，さしあたって部材力を引張りと考えれば，図 2.1(c) のようになる．このときには，$P_{BC} = -P/\sin\beta$ となる．圧縮力が作用するのが明かな場合を除き，一般には，部材力を引張りと仮定してトラス軸力を計算すると混乱なく計算が進められる．

2.2　熱膨張，熱応力

線膨張係数（coefficient of thermal expansion）α とは，温度上昇によって物体の長さが膨張する割合を単位温度あたりで示したもので，熱膨張係数ともよばれている．α の単位は，[1/K]，または [1/°C] である．固体の線膨張係数 α は以下のように定義される．

$$\alpha = \frac{1}{l}\frac{\Delta l}{\Delta t} \tag{2.1}$$

ここで，l：物体の長さ，Δl：長さの変化量，t：物体の温度，Δt：温度の変化量である．これより，温度上昇による伸びは，$\Delta l = \alpha l \Delta t$ と計算される．主な工業材料の室温のもとでの線膨張係数の値を表 2.1 に示す[1]．

表 2.1 主な工業材料の線膨張係数（室温）

材料	線膨張係数 [1/ °C]	材料	線膨張係数 [1/ °C]
軟鋼	11.6×10^{-6}	アルミニウム合金	23×10^{-6}
鋳鉄	$10\sim12\times10^{-6}$	ゴム	$22\sim23\times10^{-6}$
ステンレス鋼	13.6×10^{-6}	セラミックス	$7\sim11\times10^{-6}$
銅	18×10^{-6}	-	-

次に，図 2.2 に示すように，長さ l_0，断面積 A の両端 A, B が固定された棒が，t_0°C から t_1°C に加熱された場合を考える．

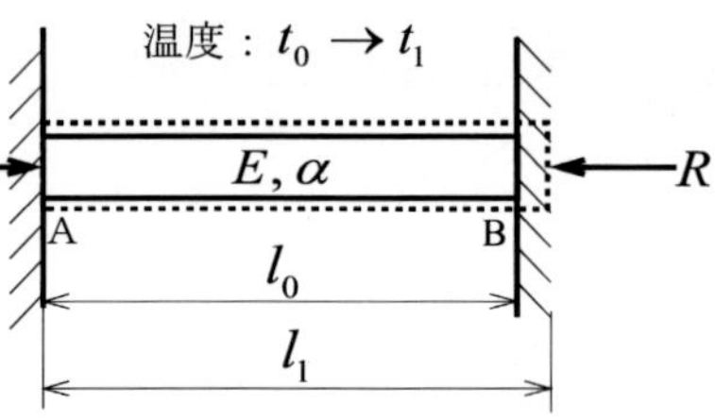

もし，棒端 B が自由なら，棒の長さは，$l_0(1+\alpha(t_1-t_0))$ となる．しかし，棒は実際は固定されているから，両固定端からの力 R によって，l_0 に圧縮されていると考えればよい．したがって，棒のヤング率を E とすると

図 2.2 両端固定棒に生じる熱応力

$$-l_0\alpha(t_1-t_0) = \frac{Rl_1}{AE} \tag{2.2}$$

を得る．これより，熱応力 σ は，$l_0 \approx l_1$ と考えて

$$\sigma = \frac{R}{A} = -\frac{E\alpha l_0(t_1-t_0)}{l_1} = -E\alpha(t_1-t_0) \tag{2.3}$$

となり，圧縮応力であることがわかる．また，固定壁からの力 R は，式（2.3）に断面積 A を掛けて得られる．

2.3　遠心力

質量 m の物体が加速度 $\boldsymbol{a}$ で運動するとき，$-m\boldsymbol{a}$ の慣性力が働く．これが**遠心力**（centrifugal force）である．材料力学では，遠心力に基づく応力や変形も考える必要がある．ここでは，円運動の加速度 $\boldsymbol{a}$ や遠心力 $\boldsymbol{F}$ を計算しよう．

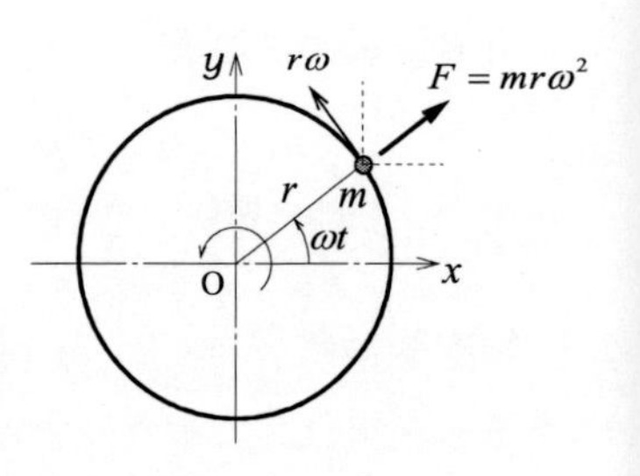

図 2.3 遠心力

図 2.3 のように円運動の中心を原点とする座標平面を考えると，角速度 ω で半径 r の円運動をしている物体の時刻 t における位置は $(r\cos\omega t, r\sin\omega t)$ と表すことができる．速度は位置を時刻で微分すると速度が得られ，$\boldsymbol{v} = (-r\omega\sin\omega t, r\omega\cos\omega t)$ となる．さらに，

[1]参考書：材料力学，日本機械学会，丸善 (2018).

加速度は速度の微分であるから，$\boldsymbol{a} = (-r\omega^2\cos\omega t, -r\omega^2\sin\omega t)$ となる．したがって，遠心力は $-m\boldsymbol{a} = (mr\omega^2\cos\omega t, mr\omega^2\sin\omega t)$ となる．この遠心力の大きさ F は

$$F = \sqrt{(mr\omega^2\cos\omega t)^2 + (mr\omega^2\sin\omega t)^2} = mr\omega^2 \tag{2.4}$$

であり，外向きの法線方向を向いている．

【例題 2.1】

図 2.4 に示すように，断面積 A, 長さ $2l$, 密度 ρ, ヤング率 E の棒が垂直軸 XX のまわりに ω の角速度で回転するとき，棒に生じる最大応力 $\sigma_{\max}$ および伸び λ を求めよ．

【解】　回転軸 XX から x だけ離れた位置の微小要素 dx に作用する遠心力を考える．この遠心力は，断面 mn より右方にある棒に生じる遠心力の総和と考えればよい．すると，x より右方の ξ（$x \leq \xi \leq l$）の位置にある微小要素 $d\xi$ に作用する遠心力は $dP = dm\xi\omega^2 = (\rho A d\xi)\xi\omega^2$ となるので，この積分値，すなわち

$$P = \int dP = \int_x^l (\rho A d\xi)\xi\omega^2 = \rho A\omega^2 \int_x^l \xi d\xi = \frac{\rho A\omega^2}{2}(l^2 - x^2)$$

が断面 mn より右方の棒に生じる遠心力となる．したがって，断面 mn に生じる応力 σ，ひずみ ε は

$$\sigma = \frac{P}{A} = \frac{\rho\omega^2}{2}(l^2 - x^2), \quad \varepsilon = \frac{\sigma}{E} = \frac{\rho\omega^2}{2E}(l^2 - x^2)$$

となる．これより，σ は断面積の大きさには無関係であることがわかり，断面積を大きくしても応力は小さくならないことに注意しよう．

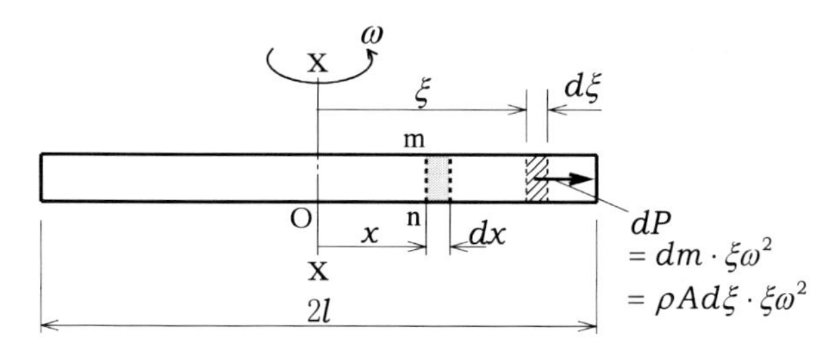

図 2.4 回転する棒

$\sigma_{\max}$ は，棒の中心（$x = 0$）で生じ

$$\sigma_{\max} = (\sigma)_{x=0} = \frac{\rho\omega^2 l^2}{2}$$

となる．微小要素 dx の伸び $d\lambda$ は $d\lambda = \varepsilon dx$ であるから，棒の伸び λ は，棒の左側の伸びも考慮して

$$\lambda = 2\int \varepsilon dx = 2\int_0^l \frac{\rho\omega^2}{2E}(l^2 - x^2)dx = \frac{2\rho\omega^2 l^3}{3E}$$

となる．

第2章の問題

2.1 図2.5のように組合わされた棒の点AにW=9800Nが作用したとき，各棒に作用する力Q_{AB}, Q_{AC}および点Aの変位δ_x, δ_yを求めよ．ただし，棒ABの長さl=1m, 断面積A_{AB}=400mm^2，棒ACとの角度θ=30°, 棒ACの断面積A_{AC}=200mm^{2}とし，各棒の縦弾性係数Eは等しくE=206GPaとする．(Q_{AB}=19.60kN, Q_{AC}=16.97kN, δ_x=0.357mm, δ_y=1.09mm)

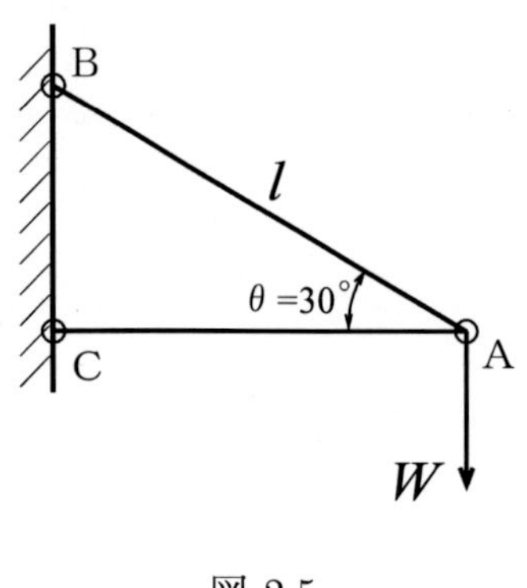

図 2.5

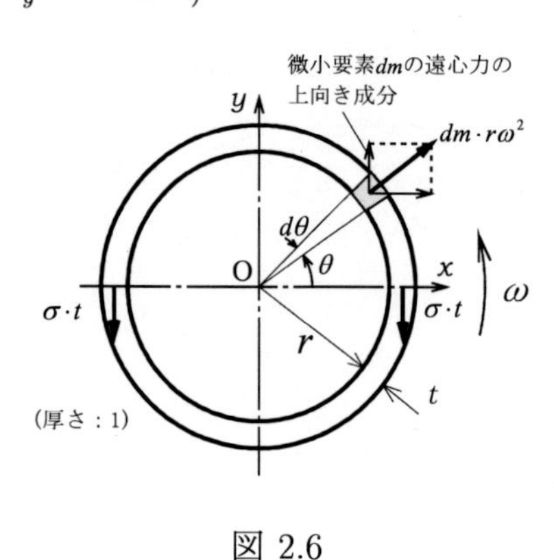

図 2.6

2.2 図2.6のような薄肉円輪が点Oのまわりを角速度ω[rad/s]で回転する．円輪の平均半径r=0.15m，円輪材料の許容応力をσ_a=190MPa，円輪に生じる応力をσ，密度をρ=7.85×10^{3}kg/m^{3}とするとき (1) $\sigma = \rho r^2\omega^2$を導き，次に (2) 許容できる毎分の回転数$n$[rpm]を求めよ．ただし，円輪の幅を$t$, 厚さを1とする.（ヒント：図に示した微小質量$dm = \rho r d\theta \cdot t$の遠心力$dm \cdot r\omega^2$の$y$方向成分$dmr\omega^2 \sin\theta$を考える．この$y$方向成分の上半分の総和が，図に示した応力による力$2\sigma t$（この力で遠心力による$y$方向力を支える）に等しいと考えればよい.）($n$=9904[rpm])

2.3 図2.7のように中空円筒Cを中央のボルトで締め付けるとき，両端面が接してからナットをさらに1/4回転増し締めを行ったときボルトおよび円筒に生ずる応力を求めよ．

ただし，ボルトの断面積およびヤング率A_B=6cm^2, E_B=196GPa, 円筒の断面積およびヤング率A_C=15cm^2, E_C=98GPaとし，ボルトのねじのピッチはp=1mmとする．なお，長さlはボルト，円筒ともにl=50cmとする．(σ_B=54.4MPa, σ_C=21.8MPa)

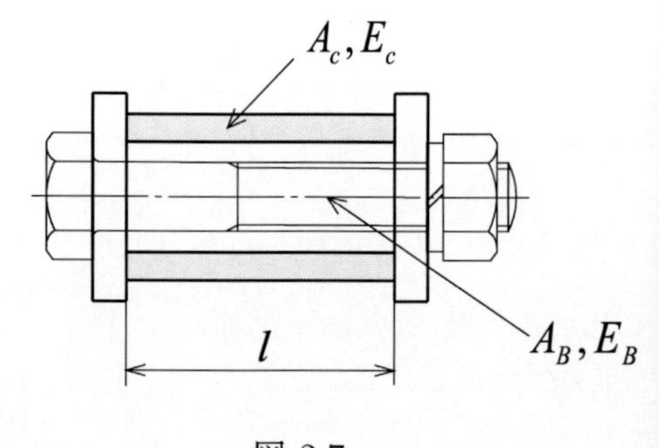

図 2.7

2.4 図2.8に示すように，長さlの棒AB, BC（断面積$A_1, A_2(=2A_1)$）からなる，剛体壁に固定した棒ACがあり，棒の縦弾性係数，線膨張係数はE, αである．棒全体がΔTだけ温度上昇するとき，壁からの反力Rおよび棒AB, BCの圧縮応力σ_{AB}, σ_{BC}を求めよ．($R = \frac{4}{3}\alpha\Delta T A_1 E$, $\sigma_{AB} = \frac{4}{3}\alpha\Delta T E$, $\sigma_{BC} = \frac{2}{3}\alpha\Delta T E$)

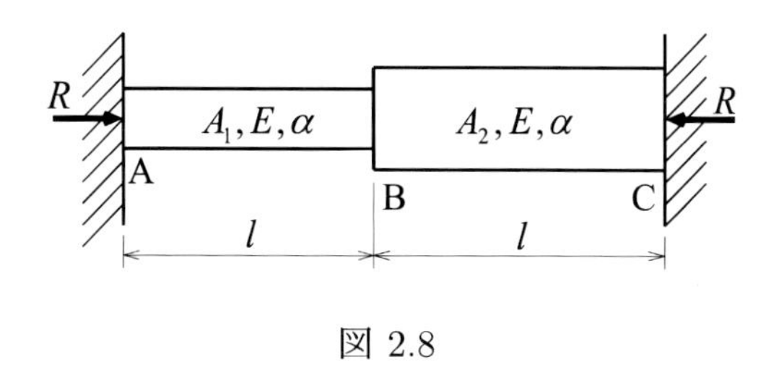

図 2.8

2.5　図 2.9 に示すように，断面積 A_1，長さ l_1 の棒 1 と断面積 A_2，長さ l_2 の棒 2 をすきま δ をあけて剛体壁に固定した．棒 1 と棒 2 のヤング率，線膨張係数は同一で，E, α とする．このとき，棒 1，2 が接触するまでの温度上昇分 T_0 を求めよ．また，接触後にさらに T_1 だけ温度上昇させたときに生ずる棒 1，棒 2 の応力 σ_1, σ_2 を求めよ．($T_0 = \dfrac{\delta}{\alpha(l_1 + l_2)}$, $\sigma_1 = \dfrac{A_2 E T_1 \alpha(l_1 + l_2)}{A_2 l_1 + A_1 l_2}$, $\sigma_2 = \dfrac{A_1 E T_1 \alpha(l_1 + l_2)}{A_2 l_1 + A_1 l_2}$)

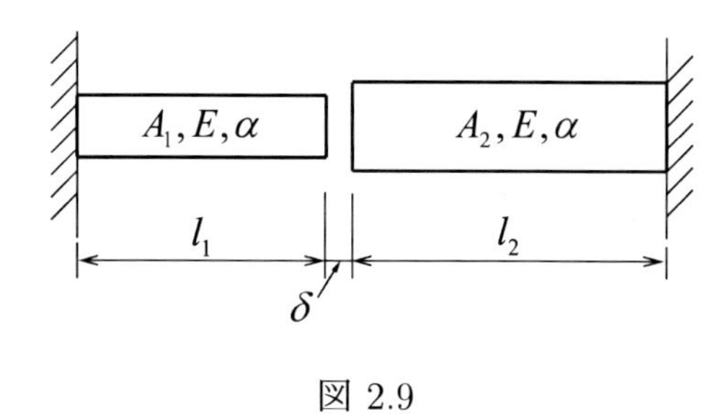

図 2.9

2.6　図 2.10 のように，軟鋼製（E=206GPa）の段付き丸棒（断面積比 $A_1/A_2 = 1/2$）を作って l=900mm（l_1=600mm, l_2=300mm）の剛性壁の間に無理なくはめ込むべきところを誤って棒の長さを 900.75mm に仕上げて無理に取り付けた．以下の問いに答えよ．

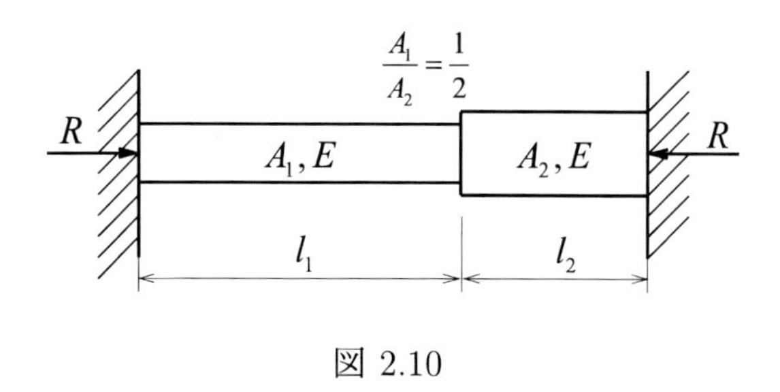

図 2.10

(1) 寸法誤差を $\Delta l(= 0.75\text{mm})$ とし，無理に取り付けたときに棒が壁から受ける圧縮力 R を求めよ．($R = E\Delta l(l_1/A_1 + l_2/A_2)$)

(2) 棒に生じる圧縮応力 σ_1, σ_2 を求めよ．また，実際に数値を代入してその値を求めよ．(σ_1=206MPa, σ_2=103MPa)

2.7　図 2.11(a) のように，半径 a の回転円板の外周に，長さ l で一様な断面積 A の羽根が取りつけられている．この円板が ω の角速度で回転するとき，羽根の任意位置 x に生じる応力 σ を求めよ．また，羽根の伸び λ はいくらか．ただし，羽根の縦弾性係数を E，密度を ρ とする．

（ヒント：図2.11(b)の任意位置xより右方の部分CBに作用する遠心力の総和を断面積Aで割れば，位置Cの応力が得られる．また位置Cの微小部dxの微小な伸びは$d\lambda = \sigma dx/E$であるから，この積分により羽根の伸びが得られる．）（$\sigma = \dfrac{1}{2}\rho\omega^2\left\{(a+l)^2 - x^2\right\}$，$\lambda = \dfrac{\rho\omega^2 l^2}{6E}(3a+2l)$）

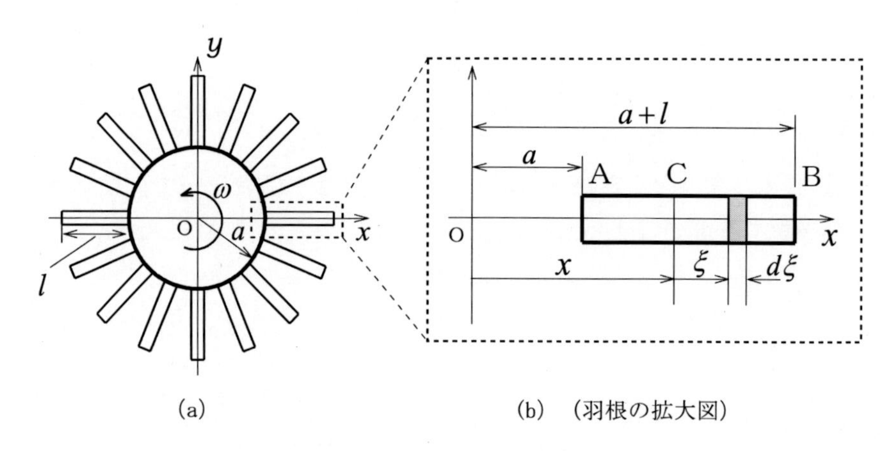

(a)　　　(b)（羽根の拡大図）

図2.11

第3章　複雑な棒の問題，軸のねじり－1

3.1　自重による伸び

通常，材料力学では物体に作用する外力に対する変形や応力を考えればよいが，物体が長くなるとその自重の影響も考慮しなければならない．ここでは，図3.1のように，長さl，断面積A，密度ρの棒が鉛直方向に吊り下げられている場合を考えよう．

棒の下端からxの位置の応力σ_xは，その位置より下側の自重を断面積で割って得られ

$$\sigma_x = \frac{\rho A x g}{A} = \rho g x \tag{3.1}$$

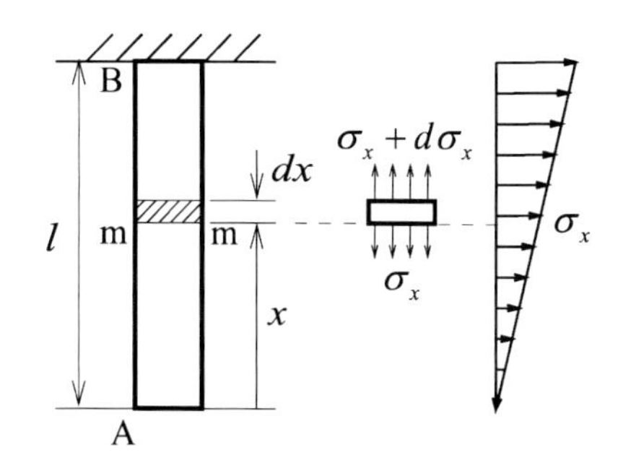

図 3.1 自重を受ける棒

となる．ここで，gは重力加速度である．これより，吊り下げ位置（$x = l$）で最大応力$\rho g l$となることがわかる．一方，任意位置xにおける微小要素dxの微小な伸び$d\lambda$は，式（1.3）より$d\lambda = \sigma_x dx/E$である．したがって，この棒全体の伸びは

$$\lambda = \int d\lambda = \int_0^l \frac{\rho g x}{E} dx = \frac{\rho g l^2}{2E} \tag{3.2}$$

となる．この伸びの大きさは，断面積には関係しないことに注意しよう．また，棒の自重$\rho A g l$相当の荷重が$l/2$の位置に作用したときの伸びにも等しい．

たとえば，ピアノ線を考えると，破断するまでに吊り下げられる長さl（破断長という）は，式（3.1）より，破断強さσ_B=2GPa，密度$\rho=7.85\times10^3$kg/m^3，重力加速度g=9.8m/s^{2}として

$$l = \frac{\sigma_B}{\rho g} = \frac{2\times10^9}{7.85\times10^3\times9.8} = 25.998\times10^3\text{m} \approx 26.0\text{km}$$

となる．このときの伸びλは，式（3.2）より，E=206GPaとして

$$\lambda = \frac{7.85\times10^3\times9.8\times25998^2}{2\times206\times10^9} = 126.2\text{m}$$

となる．さて，近年，宇宙エレベーターが検討されている．宇宙エレベーターは，赤道上から約3万6000kmの宇宙空間の静止軌道に配置する必要があるので，以上のようなピアノ線では，エレベーターを支える以前に自重による破断が先立ってしまう．そこで，カーボンナノチューブ（CNT）のような先進材料が注目されている[1]．

[1]宇宙エレベーター（軌道エレベーター）とは，赤道上から約3万6000キロの静止衛星軌道上からケーブルを上

3.2　平等強さの棒

前節では自重の影響を考慮した棒を取り上げたが，棒に生じる最大応力が許容応力を超えないようにすると，棒の下方では必要以上に断面積が大きく，無駄な部分がでてくる．したがって，どこでも棒内の応力が一様な場合を考えると材料が節約できる．

そこで，図3.2(a)のように下端に荷重Wが作用し，また自重を考慮したとき，断面積が変化して応力が一定値σ_0となるような棒を考える．

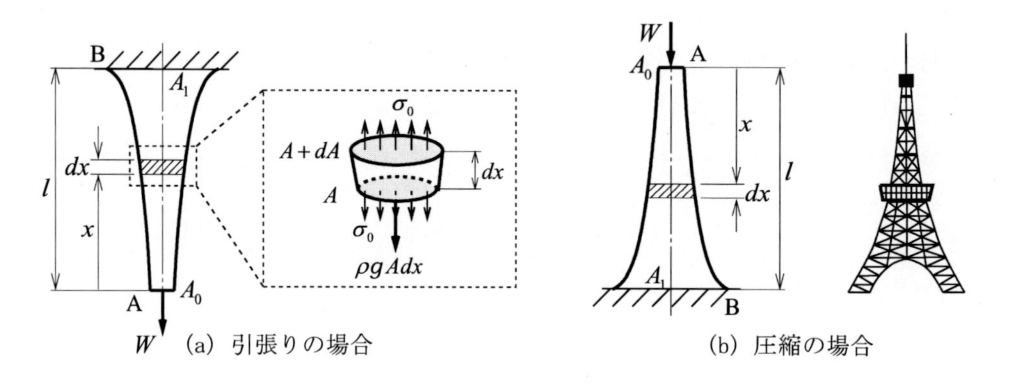

図 3.2 平等強さの棒

棒の下端からxの位置の断面積をA，それより微小距離dxだけ離れた位置の断面積を$A+dA$とすると，微小部分dxの力のつり合いより

$$\sigma_0(A+dA)=\sigma_0 A+\rho gAdx$$

となる．これを整理して変数分離形にまとめると

$$\frac{dA}{A}=\frac{\rho g}{\sigma_0}dx$$

を得る．この式は1階の変数分離形の微分方程式なので，両辺を積分して解が得られ，C, C_0を定数として

$$\log A=\frac{\rho g}{\sigma_0}x+C \quad \therefore A=C_0e^{\rho gx/\sigma_0} \ \ (C_0=e^C)$$

となる．棒の下端（$x=0$）の断面積をA_0とすると$A_0=C_0$となるから，結局，断面積は

$$A=A_0e^{\rho gx/\sigma_0} \tag{3.3}$$

下に延伸し，地球まで到達した下向きのケーブルに昇降機をつけ，人や物資の輸送手段にしようという仕組みである．ツィオルコフスキー（K. E. Tsiolkovsky, 1857-1935）が1895年にその着想を自著の中で述べ，これまではSFの世界で語られていた．しかし，ケーブル素材の強度に著しい進展が見られ，実現への期待も少しずつ高まってきている．なお，ツィオルコフスキーは，ロシアの物理学者，数学者，SF作家であり，彼の名を冠した公式「ツィオルコフスキーの公式」$v_f=u\log(m_0/m_f)$で有名である．ここで，u：ロケットの噴射ガスの速度，m_0/m_f：ロケット点火時と燃焼終了時の質量比，v_f：ロケットの速度である．なお，この公式は，運動量保存の法則から導かれる．

と表され，指数関数状に変化するようにすればよい．このような棒を，**平等強さの棒**（bar of uniform strength）という．圧縮の場合も同様に考えればよく，図 3.2(b) のようになる．タワー状の建築構造物はこの考え方に基づいて設計されている．

なお，各断面の応力が等しいから棒の伸びは

$$\lambda = \frac{\sigma_0}{E} l \tag{3.4}$$

により計算される．

3.3 丸棒のねじり

図 3.3(a) のように，直径 d，長さ l の一様な丸棒が一端でねじりモーメント T を受ける場合を考える．このとき，表面の線分 mn は mn′ にらせん状に移動し，端面の回転角を ϕ とすると，せん断ひずみ γ_0 は $\gamma_0 = \dfrac{nn'}{mn} = \dfrac{d}{2} \cdot \dfrac{\phi}{l}$ となる．このせん断ひずみから断面周辺にはせん断応力 τ_0 が生じ

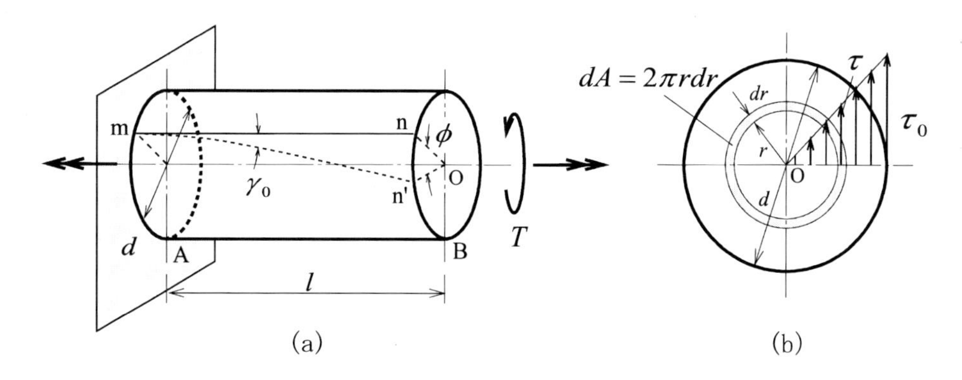

図 3.3 丸棒のねじり

$$\tau_0 = G\gamma_0 = \frac{Gd}{2}\frac{\phi}{l} = \frac{Gd}{2}\theta, \quad \theta = \frac{\phi}{l} \tag{3.5}$$

と表される．ここで，θ は，単位長さあたりの断面の回転角であり，**比ねじれ角**（specific angle of torsion）という．次に，断面中心 O から r の位置におけるせん断ひずみ γ およびせん断応力 τ は，図 3.3(b) のように比例的な変化をすると考えて

$$\gamma = r\theta, \quad \tau = Gr\theta \tag{3.6}$$

となる．また，ねじりモーメント T は，せん断応力に基づくねじりモーメントとつり合うので，$dA = 2\pi r dr$ として

$$T = \int_A (\tau dA) \cdot r = G\theta \int_A r^2 dA = 2\pi G\theta \int_0^{d/2} r^3 dr = \frac{\pi d^4}{32} G\theta, \quad \therefore \ \theta = \frac{32}{\pi d^4}\frac{T}{G} \tag{3.7}$$

となる．ここで，$\int_A r^2 dA$ を**断面2次極モーメント**（polar moment of inertia of area）という．これを I_p とおくと（円断面では $I_p = \pi d^4/32$），比ねじれ角および断面の回転角は

$$\theta = \frac{T}{GI_p}, \quad \phi = \frac{Tl}{GI_p} \tag{3.8}$$

と表される．ここで，GI_p はねじりにくさを表す量であり，**ねじり剛性**（torsional rigidty）という．表面のせん断応力 τ_0 は，式（3.5）および式（3.8）より

$$\tau_0 = \frac{T}{I_p} \cdot \frac{d}{2} = \frac{T}{(\pi d^3/16)} = \frac{T}{I_p/(d/2)} = \frac{T}{Z_p} \tag{3.9}$$

と表される．ここで，$Z_p = I_p/(d/2)$ は，**極断面係数**（polar modulus of section）である．したがって，半径 r の位置の応力は

$$\tau = \frac{T}{I_p} r \tag{3.10}$$

により得られる．

【例題 3.1】

直径 d=20mm の軟鋼丸棒に T=245Nm のねじりモーメントが作用するときに生じるせん断応力 τ を計算しよう．

【解】 式（3.9）に基づいて計算すると

$$\tau = \frac{16T}{\pi d^3} = \frac{16 \times 245}{\pi \times 0.02^3} = 155.97 \times 10^6 \mathrm{N/m^2} \approx 156\mathrm{MPa}$$

【例題 3.2】

長さ l=1m の軟鋼丸棒がねじりモーメント T=8000Nm を受けるとき，その直径 d をいくらにすればよいか．ただし，材料の許容ねじり応力を τ_a=60MPa とする．また，丸棒の許容比ねじれ角を θ_a=3°/m，横弾性係数を G=80GPa とすれば，直径はいくらか．

【解】 式（3.9）に基づいて計算すると

$$\tau_a = \frac{16T}{\pi d^3} \quad \therefore d = \left(\frac{16T}{\pi \tau_a}\right)^{1/3} = \left(\frac{16 \times 8000}{\pi \times 60 \times 10^6}\right)^{1/3} = 0.08790\mathrm{m} \approx 87.9\mathrm{mm}$$

また，式（3.8）に基づいて計算すると（角度は rad で計算する）

$$\theta = \frac{T}{GI_p} = \frac{32T}{\pi d^4 G} \text{ より } d = \left(\frac{32T}{\pi G \theta_a}\right)^{1/4} = \left(\frac{32 \times 8000}{\pi \times 80 \times 10^9 \times (3 \times \pi/180)}\right)^{1/4}$$
$$= 0.06641\mathrm{m} \approx 66.4\mathrm{mm}$$

第3章の問題

3.1 A rigid bar AB is hinged at A and supported as shown in Fig.3.4 by two steel wire CD and EF. CD is 50mm long and 10mm diameter and EF is 20mm long and 3mm diameter. If a load W=1960N is applied at B and $E_1 = E_2$, find the stresses in each wire. (σ_{CD}=49.5MPa, σ_{EF}=372MPa)

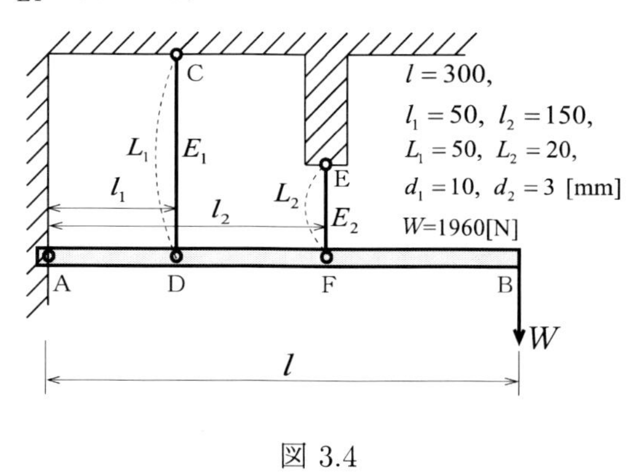

図 3.4

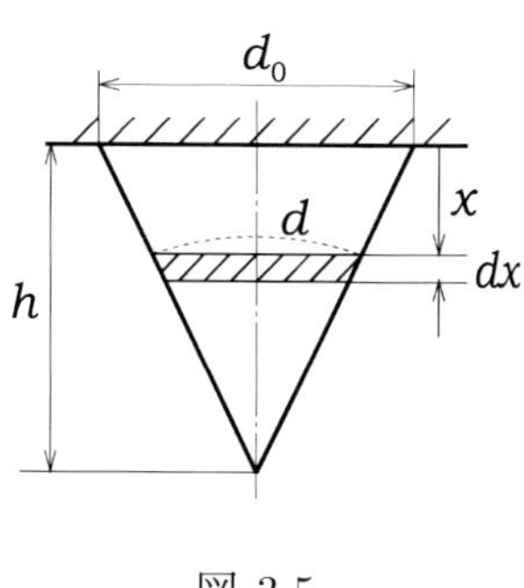

図 3.5

3.2 底面直径 d_0，高さ h，密度 ρ，縦弾性係数 E である円錐が図3.5のように置かれたとき，最大引張り応力 $\sigma_{\max}$ および自重による伸び λ を求めよ.（ヒント：図の dx 部分より下方の重量を位置 x の断面積で割れば応力 σ_x を得る．図の dx 部分の微小な伸びは $d\lambda = \sigma_x dx/E$ ．全体の伸び λ は $d\lambda$ の積分により求められる.）($\sigma_{\max} = \rho gh/3,\ \lambda = \dfrac{\rho g h^2}{6E}$)

3.3 図3.6に示すような，縦弾性係数 E，高さ $h = 5$m のコンクリート製の柱がある．上面は一辺が a=0.5m の正方形，底面は一辺が b=1m の正方形断面を持っている．この柱の最上部に P=2400kN の圧縮力が作用するとき，以下の問いに答えよ．

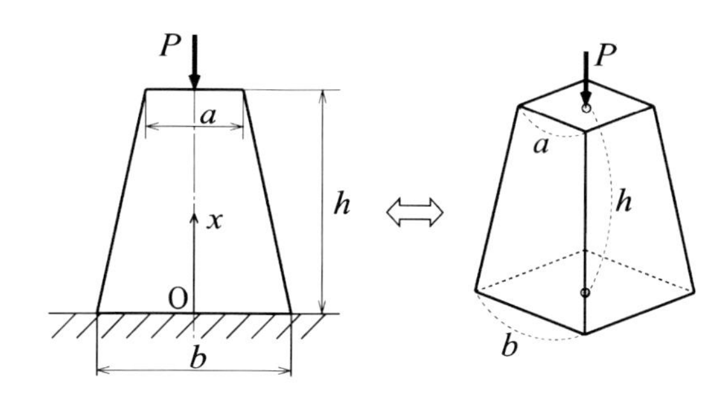

図 3.6

(1) 底面から x の位置の断面積 $A(x)$ を，a, b, h, x を用いて示せ．(x の位置の辺の長さを求め，それを2乗すればよい．)

(2) 積分 $\lambda = \dfrac{P}{E}\displaystyle\int_0^h \dfrac{dx}{A(x)}$ を行うことにより，コンクリートの圧縮量 λ を表す式を求めよ．($\lambda = Ph/(Eab)$)

(3)（2）で得られた式に数値を代入して，λ を求めよ．ただし，E=24GPa とする．(λ=1mm)

3.4 ねじりモーメント T=980Nm を受ける棒の直径を求めよ．ただし，材料の許容せん断応力 τ_a=39.2N/mm^2 とする．(d=50.3mm)

3.5 長さ l=3m，直径 d=80mm の軸にねじりモーメント T が作用して 1.9° のねじり角が生じた．最大せん断応力を求めよ．また，軸に作用したねじりモーメントはいくらか．ただし，G=80GPa とする．(τ=35.4MPa, T=3.55kNm)

3.6 図 3.7 のように両端固定された直径 d の丸棒の左端から a の位置にねじりモーメント T を作用させたとき，棒の最大ねじり応力 $\tau_{\max}$ とモーメント作用点のねじれ角 ϕ を求めよ．ただし，$a > b$，ねじり剛性を GI_p とする．ここで，I_p（$= \pi d^4/32$）は断面 2 次極モーメントである．なお，この問題は不静定問題に分類される[2]．($\tau_{\max} = \dfrac{16Ta}{\pi d^3(a+b)}$, $\phi = \dfrac{T}{GI_p}\dfrac{ab}{(a+b)}$)

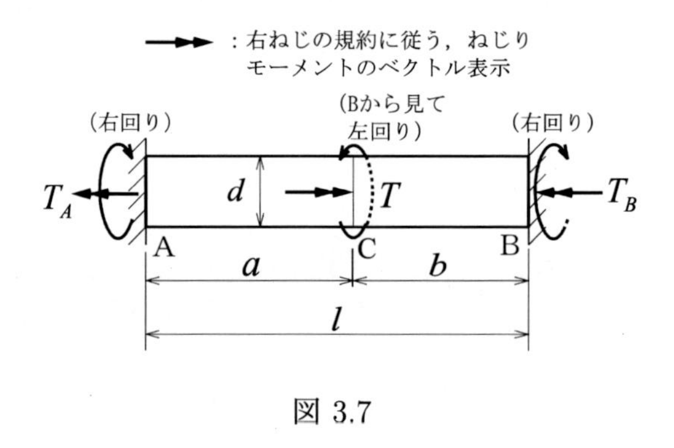

図 3.7

[2]図 3.7 には，ねじりモーメント T を，回転とともに右ねじの進む方向のベクトル（これを，軸性ベクトルという）で表した 2 重矢印を示している．このような表示法を用いると，力のつり合いをベクトルで表す方法と同じように，ねじりモーメントのつり合いを考えることができる．すなわち，固定端からの反ねじりモーメントを T_A, T_B とすると，$T = T_A + T_B$ が直ちに求められる．

第4章　軸のねじり－2

4.1　伝動軸

伝動軸はトルク（ねじりモーメント）の作用によって軸が回転を受け，その結果，動力を伝達している．この軸にトルク T[Nm] が作用し，毎分 n[rpm] で回転し，また P[W] の動力を伝達する場合を考える．このとき，1回転あたりの仕事は $2\pi T$ であり，1秒あたりの仕事は $2\pi Tn/60$ となり，これが伝達動力 P に等しいと考えて

$$P = \frac{2\pi nT}{60} \tag{4.1}$$

となる．

ここで，SI単位について整理しておこう．仕事量は1[Nm]=1[J]（ジュール）であり，仕事率1[W]（ワット）は，1[W]=1[Nm/s]=1[J/s] である．

4.2　中空丸軸

図4.1のような外径 d_0，内径 d_i の中空丸棒をねじる場合についても，3章と同じ手順で以下のように解析できる．

中空断面の丸軸の断面2次極モーメントは

$$I_p = \int_A r^2 dA = 2\pi \int_{d_i/2}^{d_0/2} r^3 dr = \frac{\pi}{32}(d_0^4 - d_i^4) \tag{4.2}$$

したがって，半径 r の位置のせん断応力は，式（3.10）より

$$\tau = \frac{T}{I_p}r = \frac{32T}{\pi(d_0^4 - d_i^4)}r \tag{4.3}$$

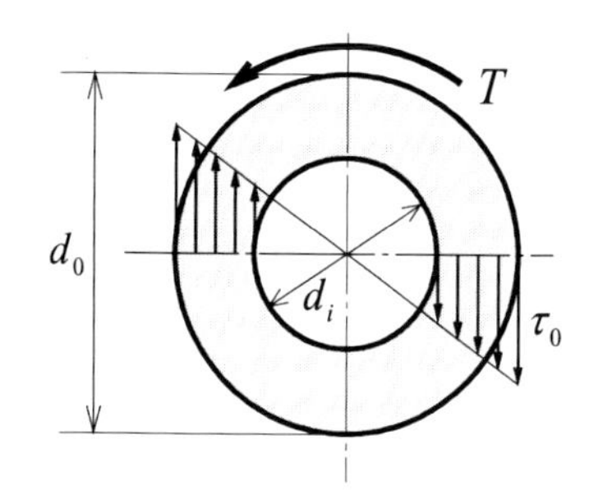

図 4.1 中空丸軸

で表され，表面（$r = d_0/2$）での最大せん断応力は

$$\tau_{\max} = \frac{32T}{\pi(d_0^4 - d_i^4)}\frac{d_0}{2} = \frac{16}{\pi}\frac{d_0}{d_0^4 - d_i^4}T = \frac{T}{Z_p}, \quad Z_p = \frac{I_p}{d_0/2} = \frac{\pi(1-(d_i/d_0)^4)}{16}d_0^3 \tag{4.4}$$

となる．比ねじれ角は，式（3.8）より

$$\theta = \frac{T}{GI_p} = \frac{32}{\pi(d_0^4 - d_i^4)}\frac{T}{G} \tag{4.5}$$

と得られる．

【例題 4.1】

外径 d_0=250mm，内径 d_i=180mm の中空軸の許容ねじり応力を τ_a=12MPa とすれば，許容できるねじりモーメントはいくらか．

【解】 式（4.4）に基づいて計算すると

$$T=\frac{\pi}{16}\frac{d_0^4-d_i^4}{d_0}\tau_a=\frac{\pi}{16}\times\frac{0.25^4-0.18^4}{0.25}\times 12\times 10^6=26922\mathrm{Nm}\approx 26.9\mathrm{kNm}$$

第4章の問題

4.1 回転数 n=1800[rpm] で動力 P=2.2[kW] を伝達する軸径 d を求めよ．ただし，許容せん断応力を τ_a=19.6MPa とする．(d=14.5mm)

4.2 問題 4.1 において，図 4.2 に示すような内外径比 d_i/d_0 が 0.65 となる中空軸を用いたとき，軸径はいくらか．(d_i=10.05mm, d_0=15.46mm)

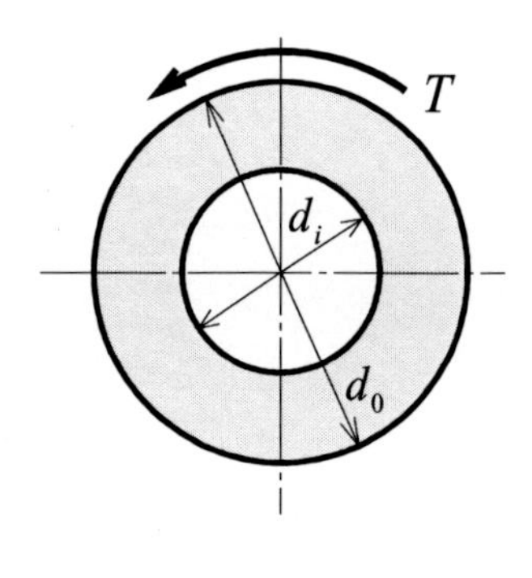

図 4.2

4.3 図 4.3 のように，両端固定した棒の中間にそれぞれ図示のねじりモーメントを逆向きに作用させたときのねじりモーメントの分布とねじれ角 ϕ_C, ϕ_D を求めよ．ただし，ねじり剛性を GI_p とする．($T_{AC}=T/3,\ T_{CD}=-2T/3,\ T_{DB}=T/3,\ \phi_C=32Tl/(9\pi Gd^4)=-\phi_D$)

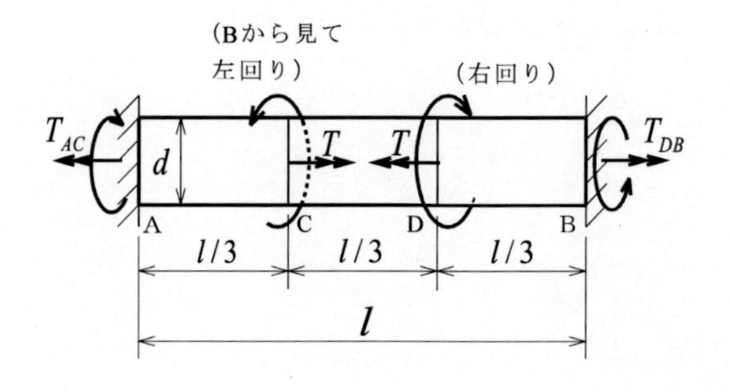

図 4.3

4.4　図 4.4 のような楕円断面棒（長軸の長さ $2a$，短軸の長さ $2b$）と長軸の長さ $2a$ を直径とする円形断面と短軸の長さ $2b$ を直径とする円形断面との 3 本について，同一トルク T が作用したときの最大応力比とねじれこわさ（T/θ）比を求めよ．ここで，θ は比ねじれ角である．$a/b = \alpha$ とし α=1.5，2.0 について数値計算せよ.（**サンブナン（Saint-Venant）のねじり理論**によると，図に示したせん断力が生じる．詳細は参考文献 13) または式（5.1）を参照）（$\tau_1 : \tau_2 : \tau_3 = 1/\alpha : 1/\alpha^3 : 1$，$\theta_1 : \theta_2 : \theta_3 = \dfrac{1}{\alpha(1+\alpha^2)} : \dfrac{1}{\alpha^4} : 1$）

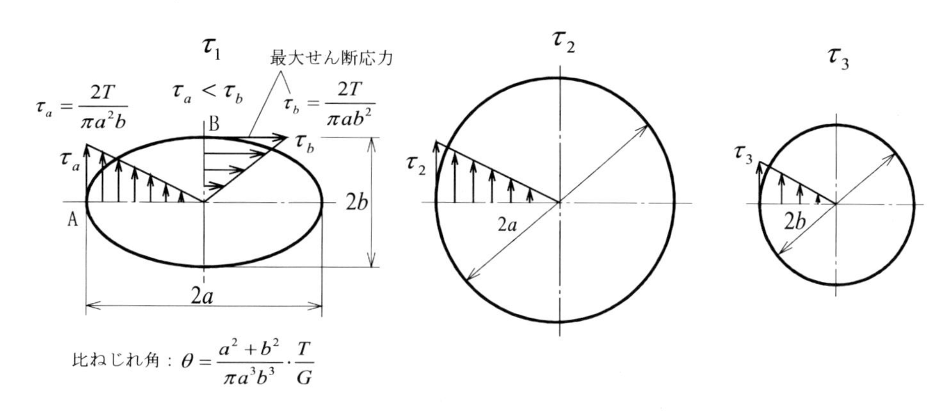

図 4.4

4.5　図 4.5 に示すように，同一材料でできた長さが等しい中実丸棒（直径：d，重量：W_S）と中空丸棒 (外径：d_0, 内径：d_i, $m = d_i/d_0$，重量：W_H) が等しいねじりモーメントを受けている．両軸の許容せん断応力を同一にとったとき，両軸の重量比 W_H/W_S を求めよ．また，$m = 1/2$ としたときの重量比を求めよ．($\dfrac{W_H}{W_S} = \dfrac{(1-m^2)^{1/3}}{(1+m^2)^{2/3}} = \dfrac{(1-0.5^2)^{1/3}}{(1+0.5^2)^{2/3}}$=0.783)

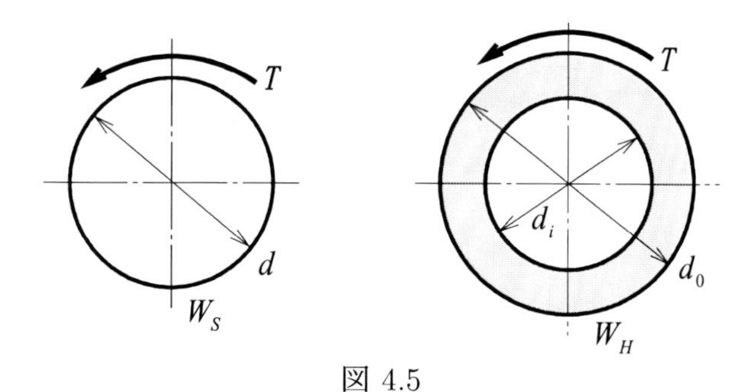

図 4.5

4.6　A solid aluminum shaft 30mm in diameter is subjected to two torques as shown in Fig.4.6. Determine the maximum shearing stress in each segment and the angle of rotation of the free end. Use G=27GPa.　(τ_{AC}=11.3MPa, τ_{CB}=15.1MPa, θ=2.88°)

4.7　図 4.7 のような長さ l の円錐棒について，トルク T を受けるときにねじれ角 ϕ を求めたい．以下の問いに答えよ．

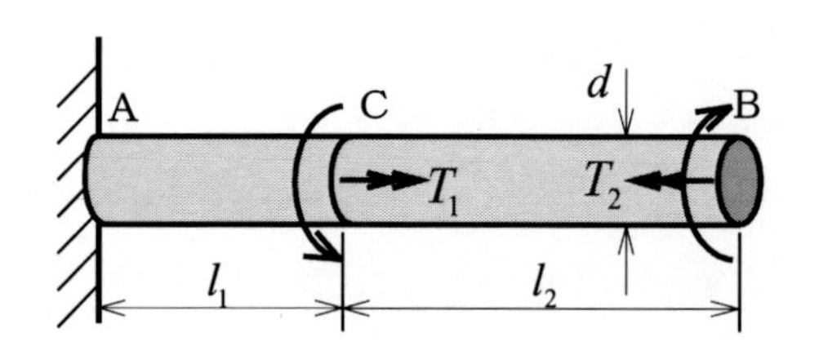

$T_1 = 20$Nm,　$T_2 = 80$Nm,
$l_1 = 0.6$m,　$l_2 = 0.9$m,
$d = 30$mm

図 4.6

(1) 左端より x の位置の直径を d とおいたときに，$d = d_1 - (d_1 - d_2)x/l$ となることを導け．

(2) dx 部に生じる微小なねじれ角 $d\phi$ は

$$d\phi = \frac{T dx}{GI_{px}}, \quad I_{px} = \frac{\pi d^4}{32}$$

となるが，これを積分して円錐棒のねじれ角 ϕ を求めよ．ただし，G を横弾性係数とする．

$\left(\phi = \frac{32Tl}{3\pi G} \cdot \frac{d_1^2 + d_1 d_2 + d_2^2}{d_1^3 d_2^3}\right)$

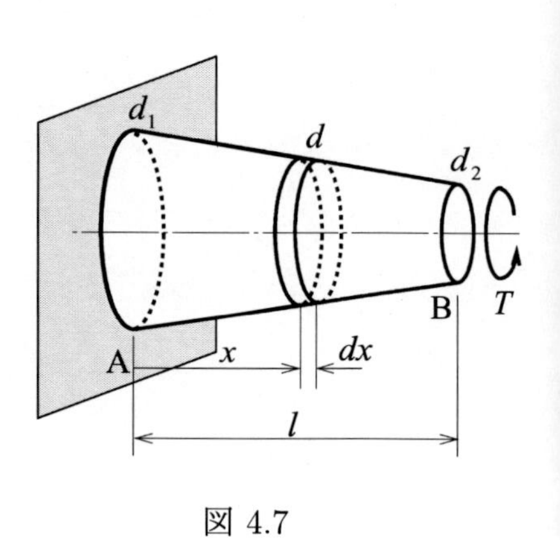

図 4.7

4.8　図 4.8 の伝動軸において，モーターからの動力 P=60kW が，ギア B で P_1=45kW，ギア C で P_2=15kW と分配されている．軸の回転数は n=300rpm，左側の軸径は d_1=50mm である．この軸に生じる最大せん断応力を左右両部分で等しくするには，右側の軸径 d_2 をいくらにすればよいか．また，そのときの全ねじれ角 ϕ を求めよ．ただし，軸の長さ $l_1 = l_2$ =0.6m, G=82GPa とする．(ヒント：図のように，AB 部には $T(= T_1 + T_2)$，BC 部には T_2 のトルクが作用するものと考えるとよい．)（d_2=31.5mm, ϕ=3.38°）

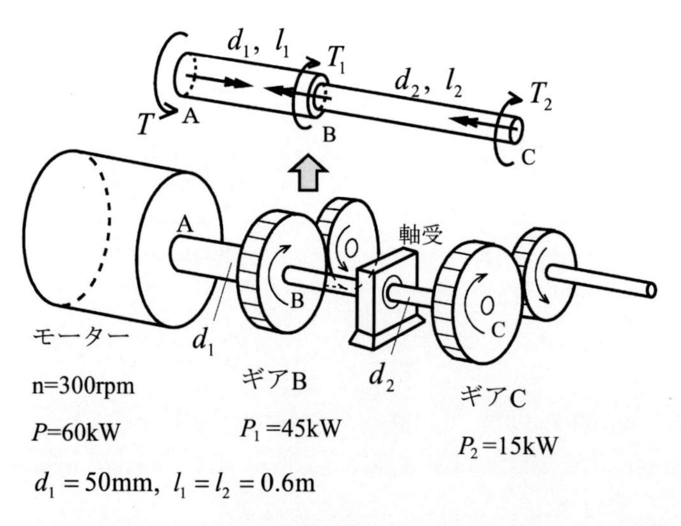

図 4.8

第5章　軸のねじり－3

5.1　非円形断面棒のねじり

第 3 章と第 4 章では，主に円形断面棒のねじりを扱っている．そこでは，ねじりモーメントを受けた後も断面は平面のままであるとして解析している（この平面保持の仮定を**クーロン（Coulomb）の仮定**という）．しかし，断面が円形でない場合にねじりモーメントを受けると，図 5.1 に示すような断面の**反り**（断面に垂直な方向の変位，warping）が生じ，初等的な解析では取り扱うことができない．ここでは，主要な断面について，弾性学にもとづく結果だけを示しておく．

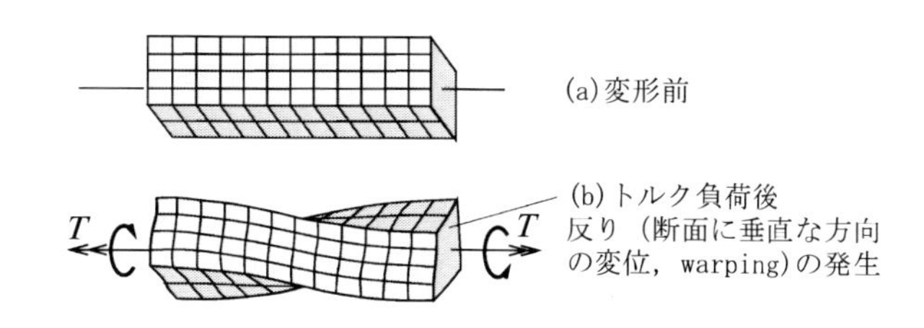

図 5.1 長方形断面棒の反り

はじめに，図 5.2(a) に示す楕円断面棒（$a > b$）の応力および比ねじれ角は

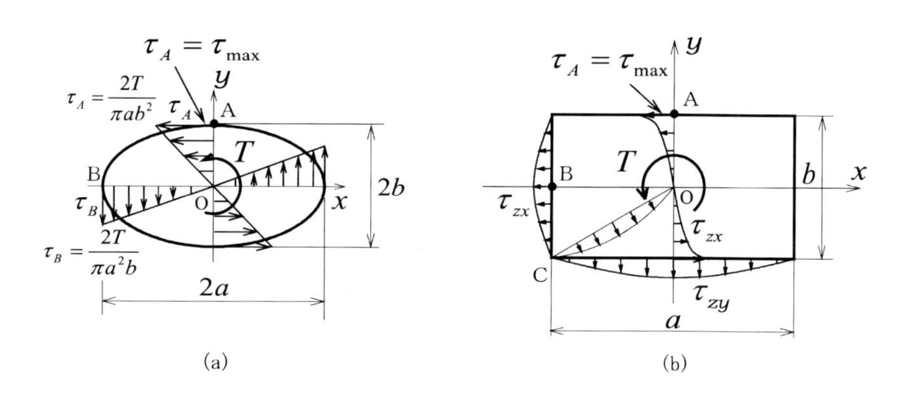

図 5.2 楕円断面棒，長方形断面棒のねじり

$$\tau_A = \tau_{\max} = \frac{2T}{\pi ab^2}, \quad \tau_B = \frac{2T}{\pi a^2 b}, \quad \theta = \frac{a^2 + b^2}{\pi a^3 b^3}\frac{T}{G} \tag{5.1}$$

となる．ここで，最大せん断応力は短径の両端に生じる．

次に，図 5.2(b) に示す長方形断面棒（$a>b$）の応力および比ねじれ角は，近似的に

$$\left.\begin{aligned}&\tau_A=\tau_{\max}=k_1\frac{T}{ab^2},\quad \tau_B=k_2\frac{T}{ab^2},\quad \tau_C=0,\quad \theta=\frac{1}{k_3}\frac{T}{ab^3G},\\&k_1\approx 3+1.8\frac{b}{a},\quad k_2\approx 1.8+3\frac{b}{a},\quad k_3\approx\frac{1}{3}-0.21\frac{b}{a}+0.0175\left(\frac{b}{a}\right)^5\end{aligned}\right\}\tag{5.2}$$

となる．

図 5.3 は，楕円（$b/a=1/2$）および正方形断面（$b/a=1$）の棒をねじったときの断面の反り（＋が紙面手前への変位を示す）を計算した例である．

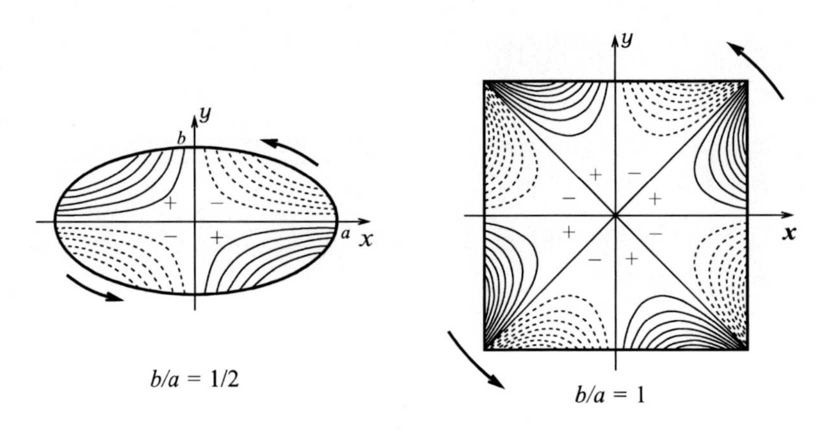

図 5.3 楕円および正方形断面の反り（面外方向への変位）

5.2 コイルばね

図 5.4(a) のようなコイルばねに圧縮荷重 W が負荷されたとき，材料の直径を d，コイルの平均半径を R とし，ピッチ角 α が小さいとすると，材料（素線）に作用するねじりモーメントは $T=WR$ となる．したがって，ねじりに基づくせん断応力は

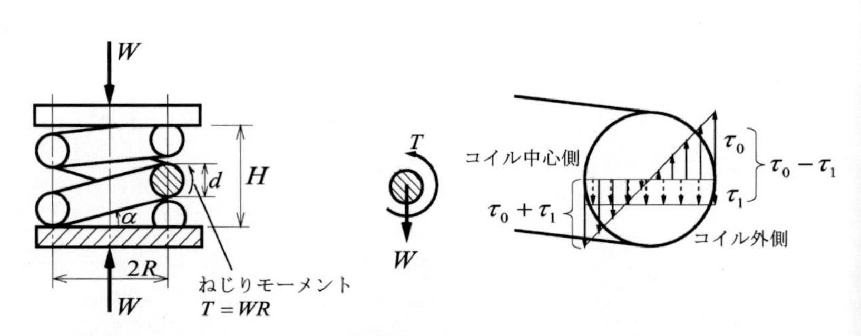

図 5.4 圧縮コイルばね

$$\tau_0=\frac{16WR}{\pi d^3}\tag{5.3}$$

となる．一方で，素線断面には，W による平均せん断力 $\tau_1=4W/(\pi d^2)$ も作用するから，素線外周のコイル中心側では，図 5.4(c) のように以上のせん断力の和，すなわち

$$\tau_{\max}=\frac{16WR}{\pi d^3}+\frac{4W}{\pi d^2}=\frac{16WR}{\pi d^3}\left(1+\frac{d}{4R}\right)\tag{5.4}$$

が生じる．さらに，コイルが湾曲していることを考慮し，その影響を取り入れた精密な計算を行うと

$$\tau_{\max} = \frac{16WR}{\pi d^3}\left(\frac{4c-1}{4c-4} + \frac{0.615}{c}\right), \quad c = \frac{2R}{d} \tag{5.5}$$

となる．これを **ワール（Wahl）の式**という．ここで，$c = 2R/d$ を**ばね指数**（spring index）とよび，一般に $c = 4 \sim 10$ である．

次に，コイルばねのたわみ δ を求める．コイルばねのたわみは，素線のねじりから生じる．そこで，図 5.5(a) のようにコイルの一部に長さ $Rd\alpha$ の微小要素を考える．実際には点 A, B ともにねじれを生じているが，図 5.5(b) のように点 A を固定点と考え，長さ $Rd\alpha$ の直線棒が点 B で相対的に角 $\theta Rd\alpha$ だけねじられているものとみなす．ここで，θ は比ねじれ角である．

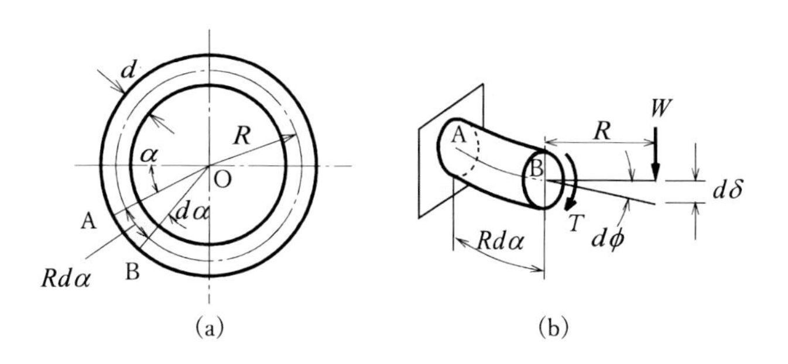

図 5.5 コイルばねのたわみ

すると，コイルばねの中心Oは，点Bに対して $d\delta = R\theta Rd\alpha$ だけ下方へ変位する．コイルばね全体にわたってこのような変位が生じるものと考えると，コイルの**有効巻き数**（number of active coils）[1] を n とし，α について 0 から $\alpha_0 = 2\pi n$ まで積分すれば，コイルばねのたわみ δ が得られる．すなわち，

$$\delta = \int_0^{\alpha_0} R^2\theta d\alpha = \alpha_0 R^2\theta = 2\pi n R^2\theta = 2\pi n R^2 \frac{T}{GI_p} \tag{5.6}$$

と求められる．ここで，$T = WR$，$I_p = \pi d^4/32$ を代入すると，

$$\delta = \frac{64nWR^3}{Gd^4}, \quad k = \frac{W}{\delta} = \frac{Gd^4}{64nR^3} \tag{5.7}$$

を得る．ここで，k はコイルばねのばね定数である．

【例題 5.1】

素線直径 d=5mm, コイルの平均直径 D=50mm, 有効巻き数 n=8, 横弾性係数 G=78GPa の圧縮コイルばねに W=500N の荷重が作用するときのたわみ δ とばね定数 k を求めよ．

【解】 たわみ δ は，式（5.7）より

$$\delta = \frac{64nWR^3}{Gd^4} = \frac{64 \times 8 \times 500 \times 0.025^3}{78 \times 10^9 \times 0.005^4} = 0.08205\text{m} \approx 82.1\text{mm}$$

[1] コイルばねにおいて，ばねとして有効に作用するコイルの巻き数を有効巻き数という．通常は，総巻き数から両端の座巻き数 (コイルばねの両端の平坦な部分で，ばねの作用をしていない箇所（座巻き）の巻き数) を引いた自由巻き数と同じである．ばね特性 (ばね定数，応力など) の計算式に用いられるのは，有効巻き数である．

ばね定数 k も同じく式（5.7）より

$$k = \frac{W}{\delta} = \frac{500}{82.1} \approx 6.09\mathrm{N/mm}$$

第５章の問題

5.1 図5.6のように，断面積の等しい円形（直径 d）と楕円棒（長軸の長さ $2a$, 短軸の長さ $2b$）が同じねじりモーメント T を受けたとき，最大ねじり応力比 $\tau_{c\,\max}/\tau_{e\,\max}$（$\tau_{c\,\max}$：円形棒，$\tau_{e\,\max}$：楕円棒）を求めよ．また，比ねじれ角の比 θ_c/θ_e も求めよ．（ヒント：式（5.1）参照.）（$\tau_{c\,\max}/\tau_{e\,\max} = \sqrt{b/a}$, $\theta_c/\theta_e = \dfrac{2ab}{a^2+b^2}$）

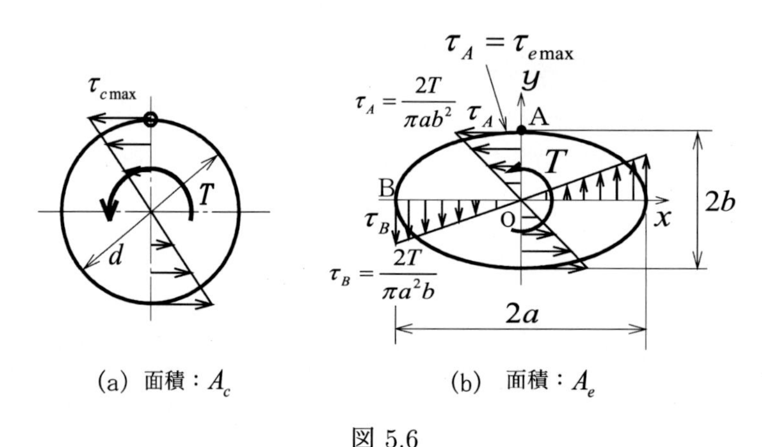

(a) 面積：A_c　　(b) 面積：A_e

図 5.6

5.2 図5.7に示すように，一辺の長さ a の正方形断面棒と直径 a の円形断面棒が同じねじりモーメント T を受けたとき，正方形断面の最大せん断応力 $\tau_{r\,\max}$ と円形断面の最大せん断応力 $\tau_{c\,\max}$ との比はいくらか.（$\tau_{r\,\max}/\tau_{c\,\max} = 0.942$）

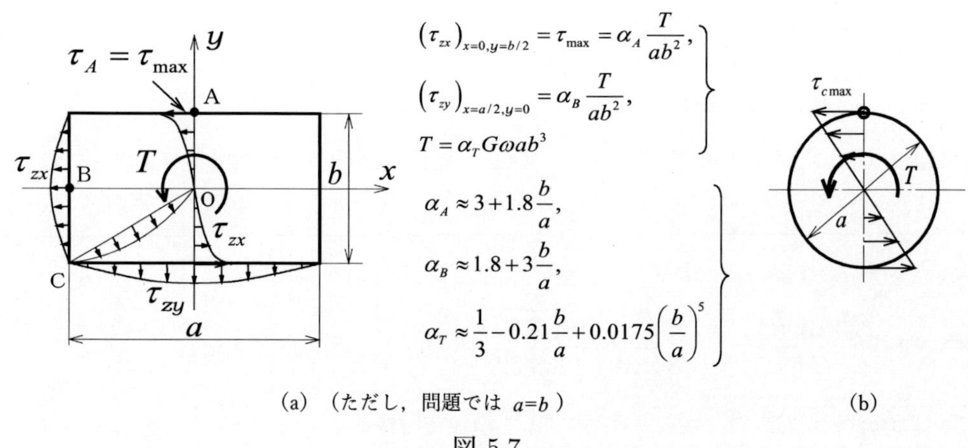

(a)（ただし，問題では $a=b$）　　(b)

図 5.7

5.3 図 5.8 に示す素線直径 d=6mm，コイル平均直径 D=50mm の密巻きばねが荷重 W=12kgf（=117.6N）を受けたときの最大せん断応力 $\tau_{\max}$ はいくらか．また，ワールの式ではいくらか．（$\tau_{\max}$=73.5MPa，ワールの式では $\tau_{\max}$=81.5MPa）

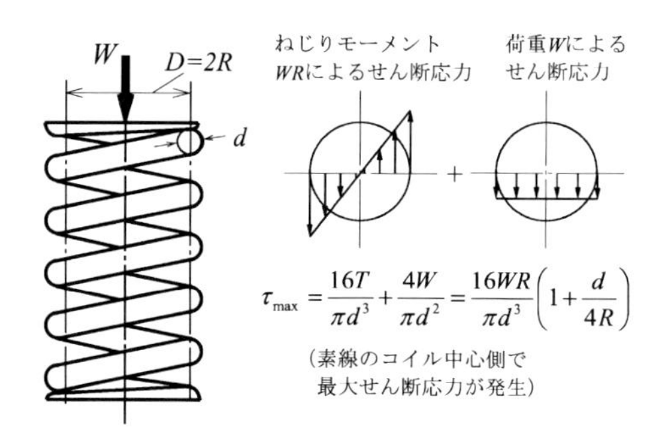

図 5.8

5.4 図 5.9 に示すように，直径 d，長さ l の棒の一端を固定し，他端に長さ L のレバーを取付け，その先端に荷重 W を作用させたとき荷重作用点 A のたわみ δ を求めよ．ただし，レバーの変形は無視する．なお，d=10mm，l=500mm，L=100mm，W=49N, E =206GPa, G =80GPa として計算すること．

(**ヒント**：荷重作用点 A のたわみ δ は，丸棒のねじりによるたわみ δ_1 と丸棒の片持はりとしてのたわみ $\delta_2 = \dfrac{Wl^3}{3EI}$ との和である．ここで，$I = \pi d^4/64$ は丸棒の断面 2 次モーメントである．また，丸棒のねじれ角を ϕ_1 とすると，$\delta_1 = L\phi_1$.)（δ=23.3mm）

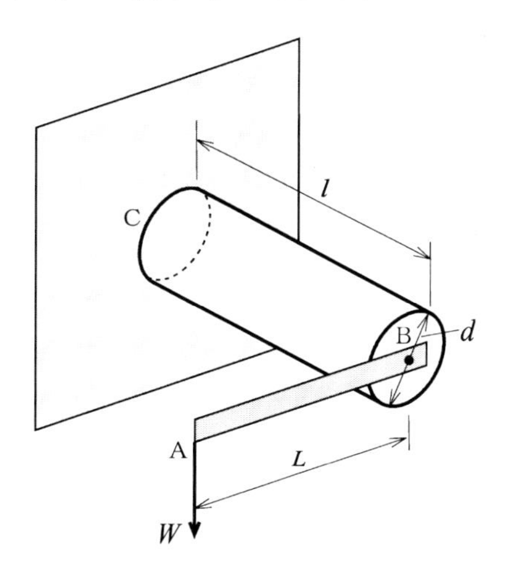

図 5.9

5.5 せん断応力 τ とせん断ひずみ γ の関係が図 5.10(a) に示すように

$$\gamma < \gamma_s \text{ では } \tau = G\gamma, \quad \gamma > \gamma_s \text{ では } \tau = \tau_s = \text{const}$$

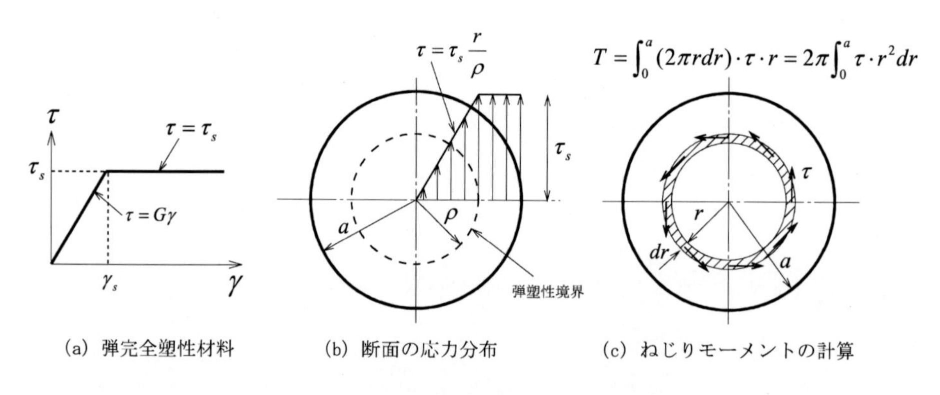

(a) 弾完全塑性材料　(b) 断面の応力分布　(c) ねじりモーメントの計算

図 5.10

である材料（**弾完全塑性材料**（elastic-perfectly plastic material）という）でできた，半径 a の丸棒をねじるときのねじりモーメント T と単位長さあたりのねじれ角（比ねじれ角）θ の関係を求めたい．以下の問いに答えよ．なお，T は，塑性域を生じるほどに十分大きいものとする．

(1) 図 5.10(b) のように，半径 ρ のところまで塑性域が進展したものとすれば，弾性域（$0 \le r \le \rho$）では，せん断応力は $\tau = \tau_s r/\rho$，塑性域（$\rho \le r \le a$）では，$\tau = \tau_s$ である．図 5.10(c) を参考にして，ねじりモーメント T を計算せよ．($T = \dfrac{\pi}{6}\tau_s(4a^3 - \rho^3)$)

(2) せん断ひずみ γ と比ねじれ角 θ は，式（3.6）に示したように $\gamma = r\theta$ と関係づけられる．この関係を，弾塑性境界位置（$r = \rho$）で考えて，ρ を θ, γ_s で表せ．また，これより，T と θ の関係を求めよ．($T = \dfrac{\pi}{6}a^3\tau_s\left\{4 - (\gamma_s/(a\theta))^3\right\}$)

第6章　断面の性質

6.1　図心，断面2次モーメント

図6.1のように，平面図形の面積をA，図形内部の任意の点を$P(X,Y)$とし，点Pを囲む微小面積dAを考える．このとき，X軸，Y軸に関するdAの1次のモーメントの総和

$$S_X = \int_A Y dA, \quad S_Y = \int_A X dA \tag{6.1}$$

を考えたとき，これらを**断面1次モーメント**（first moment of area）という．このとき，図形Aの**図心**（centroid）$(\bar{X},\bar{Y})$は

$$\begin{aligned}\bar{X} &= \frac{S_Y}{A} = \frac{1}{A}\int_A X dA,\\ \bar{Y} &= \frac{S_X}{A} = \frac{1}{A}\int_A Y dA\end{aligned} \tag{6.2}$$

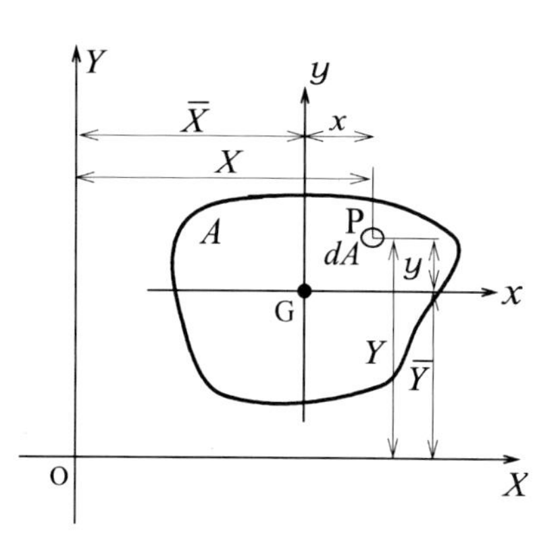

図 6.1 平面図形の図心

により得られる．図心は，面積Aが図心位置に1点に集中している位置と考えるとわかりやすい．これより，図心を通る座標軸(x,y)に関する断面1次モーメントはゼロとなる．すなわち

$$S_x = \int_A y dA = 0, \quad S_y = \int_A x dA = 0 \tag{6.3}$$

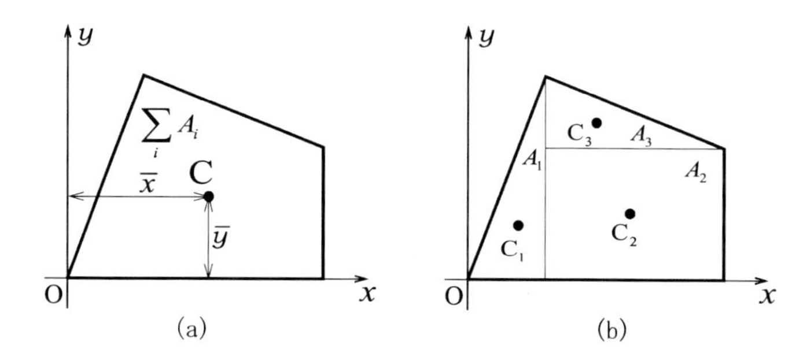

図 6.2 簡単な図形への分解

なお，図形が，図6.2(a)から同図(b)のように簡単な図形に分解できる場合は，図心は図6.2の座標(x,y)のもとで

$$\bar{x} = \frac{1}{\sum_i A_i}\sum_i \bar{x}_i A_i, \quad \bar{y} = \frac{1}{\sum_i A_i}\sum_i \bar{y}_i A_i \tag{6.4}$$

と計算される．ここで，$(\bar{x}_i, \bar{y}_i)$, A_i はそれぞれの図形の図心位置および面積である．

【例題 6.1】

図 6.3(a) に示すように，一部が円形に切り抜かれた長方形板の図心を求めよ．

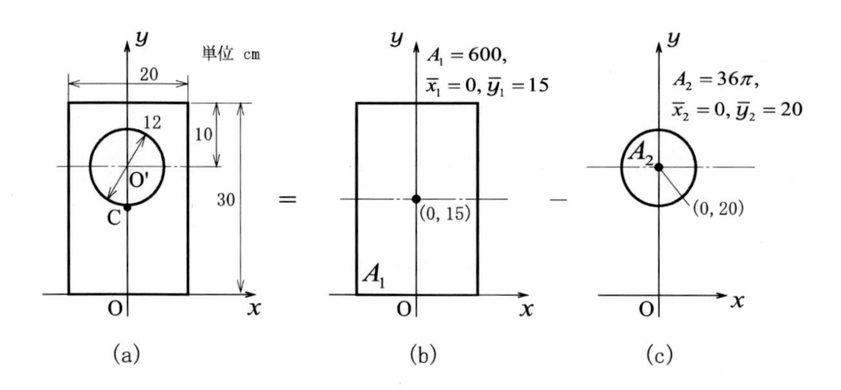

図 6.3 円孔を有する長方形板

【解】図のように座標軸をとれば，長方形板は y 軸に対称で，図心は y 軸上にある．円形を切り抜いたことを考慮すれば，$\bar{y}_1$=15cm, $\bar{y}_2$=20cm, A_1=600cm^2, A_2=36πcm^2 であるから，図心 $\bar{y}$ は

$$\bar{y} = \frac{A_1\bar{y}_1 - A_2\bar{y}_2}{A_1 - A_2} = \frac{600 \times 15 - 36\pi \times 20}{600 - 36\pi} = 13.839 \approx 13.8\text{cm}$$

となり，図心は円孔の縁の近くにある．

次に，図 6.1 の図形の X 軸，Y 軸に関する**断面 2 次モーメント**（moment of inertia of area）は，

$$I_X = \int_A Y^2 dA, \quad I_Y = \int_A X^2 dA \tag{6.5}$$

により計算される．

6.2　平行軸の定理

図 6.1 において，$Y = \bar{Y} + y$ であるので，式（6.3）を考慮すると，I_X は

$$I_X = \int_A Y^2 dA = \int_A (\bar{Y} + y)^2 dA = \bar{Y}^2 \int_A dA + 2\bar{Y} \int_A y dA + \int_A y^2 dA = \bar{Y}^2 A + I_y \tag{6.6}$$

となる．この関係を**平行軸の定理**（parallel-axis theorem）という．

【例題 6.2】

図 6.4(a), (b) に示す長方形断面および円形断面の断面 2 次モーメントを求めよ．

【解】はじめに，図 6.4(a) に示す幅 b，高さ h の長方形断面を考える．この断面の図心を通る水平軸（x 軸）に関する断面 2 次モーメントは，$dA = bdy$ として

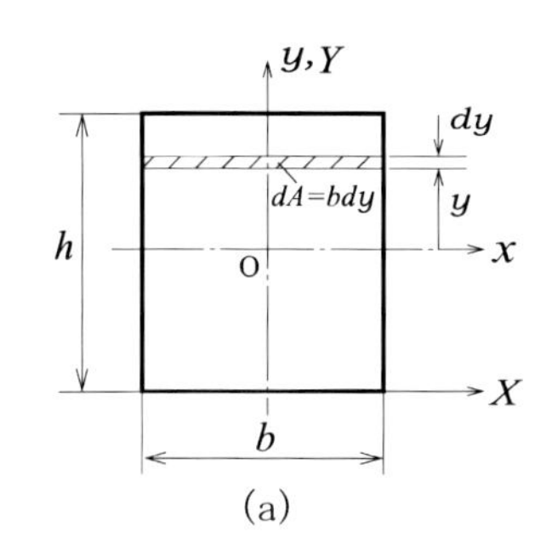

(a)

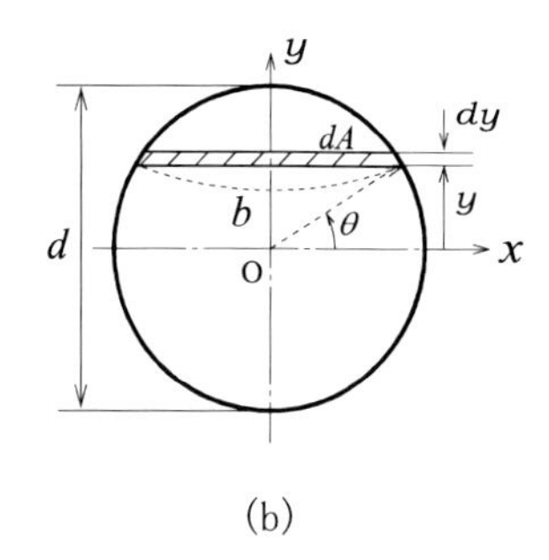

(b)

図 6.4 長方形および円

$$I_x = \int_A y^2 dA = \int_{-h/2}^{h/2} y^2 bdy = \frac{bh^3}{12}$$

となる．もちろん，定義通りに微小面積を $dA = dxdy$ と考えて

$$I_x = \int_A y^2 dA = \int_{-h/2}^{h/2} \int_{-b/2}^{b/2} y^2 dxdy = b \int_{-h/2}^{h/2} y^2 dy = \frac{bh^3}{12}$$

と計算してもよいが，$dA = bdy$ とした計算の方が簡単である．なお，下辺を通る水平軸（X 軸）に関する断面 2 次モーメントは

$$I_X = \int_A y^2 dA = \int_0^h y^2 bdy = \frac{bh^3}{3}$$

となる．以上において

$$I_X = I_x + (b \cdot h) \left(\frac{h}{2}\right)^2 = \frac{bh^3}{12} + \frac{bh^3}{4} = \frac{bh^3}{3}$$

となっており，平行軸の定理の成立を確かめることができる．

次に，図 6.4(b) に示す直径 d の円形断面を考える．この断面の図心を通る水平軸（x 軸）に関する断面 2 次モーメント I_x は，帯状領域の幅 b が $b = 2\sqrt{d^2/4 - y^2}$ と表されるから

$$I_x = \int_A y^2 dA = \int_{-d/2}^{d/2} y^2 bdy = 2\int_{-d/2}^{d/2} y^2 \sqrt{\frac{d^2}{4} - y^2}\, dy = 4\int_0^{d/2} y^2 \sqrt{\frac{d^2}{4} - y^2}\, dy$$

ここで，$y = (d/2)\sin\theta$ とおけば，付録 A.1（2）の Wallis（ウォリス）積分を参照して

$$I_x = \frac{d^4}{4} \int_0^{\pi/2} \sin^2\theta \cos^2\theta d\theta = \frac{d^4}{4} \int_0^{\pi/2} \left(\sin^2\theta - \sin^4\theta\right) d\theta = \frac{d^4}{4} \left(\frac{\pi}{4} - \frac{3 \cdot 1}{4 \cdot 2} \cdot \frac{\pi}{2}\right) = \frac{\pi}{64} d^4$$

さて，図 6.5 において，原点 O から微小面積 dA までの距離を r とするとき

$$I_p = \int_A r^2 dA \tag{6.7}$$

を**断面 2 次極モーメント**（polar moment of inertia of area）という．このとき

$$I_p = \int_A r^2 dA = \int_A (x^2 + y^2) dA = I_y + I_x$$

が成り立つ．

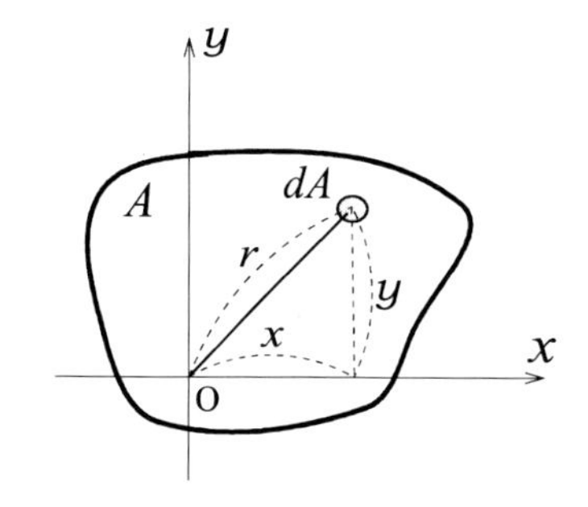

図 6.5 断面 2 次極モーメント

第6章の問題

6.1　図6.6の X 軸および図心 G を通る x 軸に関する断面2次モーメント I_X, I_x を求めよ．なお，a=20cm，b=20cm，h=2cmとして計算せよ．(ヒント：はじめに図心位置 $\overline{Y}$ を求める．) ($\overline{Y}$=5.74cm，I_X= 5381cm^4，$I_x = I_X - A\overline{Y}^2$=2880cm^4)

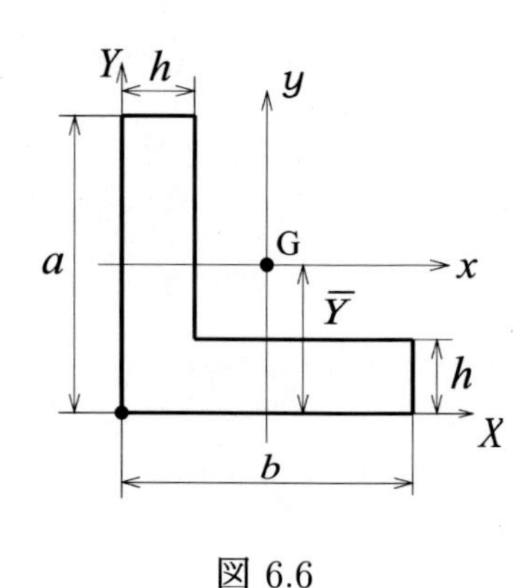

図6.6

6.2　図6.7(a)のような一辺 l の正方形abcdに関して，

(1) 対角線 x 軸に関する断面2次モーメント I_x を，定義に基づく積分を行って求めよ．(ヒント：図を参照すること．) ($I_x = l^4/12$)

(2) 図6.7(b)の破線のように δ だけ隅を切り落としたときの断面2次モーメント I' を求めよ．ただし，l および $\alpha = \delta/l$ を用いて表すこと．　($I' = \dfrac{l^4}{12}(1-\alpha)^3(1+3\alpha)$)

(3) 断面係数は $\alpha = 1/9$ のとき最大になること，およびその値は切り落とさない場合に比べて5.3% 大きいことを示せ．(このように，断面積を減らして断面係数を増大させることが可能である．)

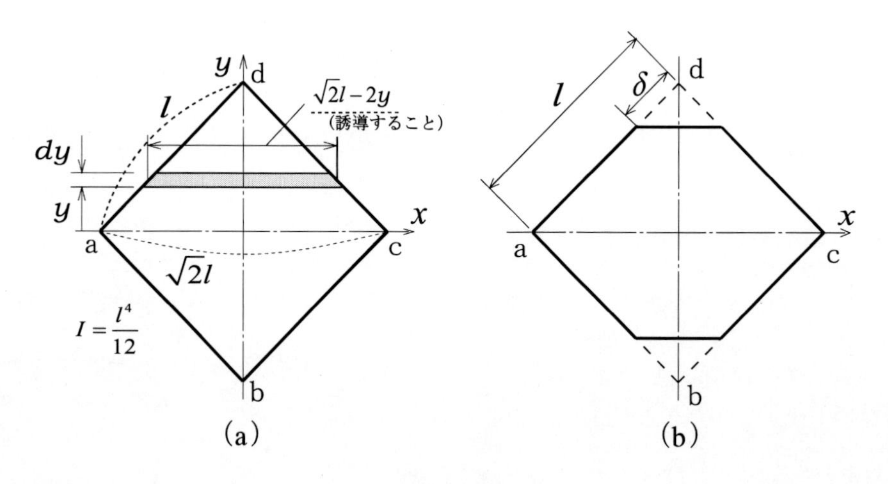

図6.7

6.3　図6.8のような台形断面の図心位置 e_1 および図心軸に関する断面2次モーメント I_x を求めよ．($e_1 = \dfrac{h(3b+b_1)}{3(2b+b_1)}$，$I_x = \dfrac{6b^2+6bb_1+b_1^2}{36(2b+b_1)}h^3$)

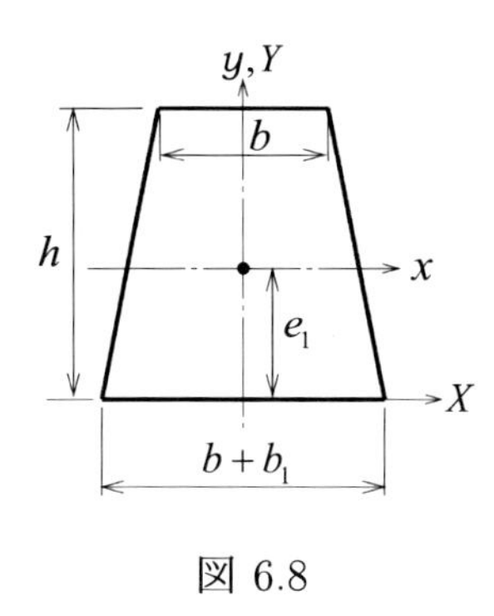

図 6.8

6.4 A rectangular wood beam is to be cut from a circular log as shown in Fig.6.9. Calculate the ratio b/h required to attain a beam of maximum strength in bending. （attain, .. を達成する，.. を獲得する.）(ヒント：断面係数 Z を最大にする b, h を求めればよい．ただし，b, h は独立ではないことに注意．)（$b/h = 1/\sqrt{2}$）

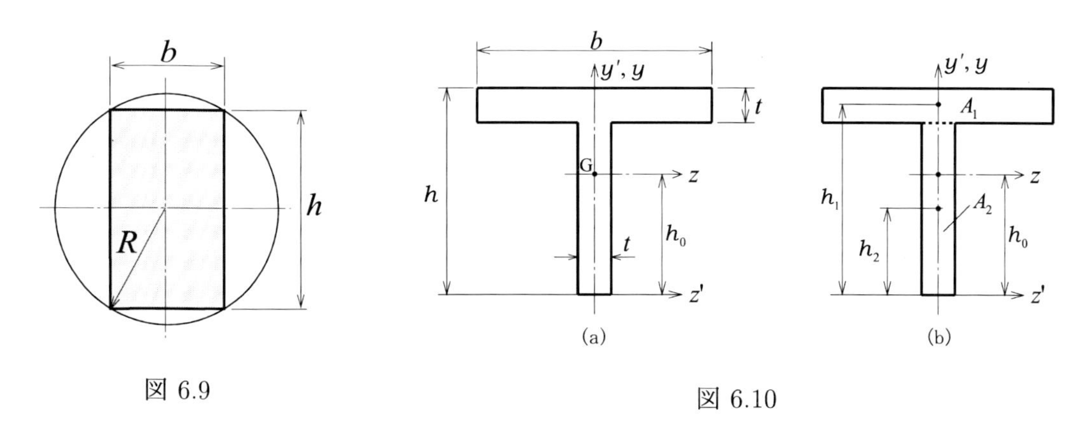

図 6.9

図 6.10

6.5 図 6.10(a) の T 型断面のはりの図心 G の位置 h_0 および中立軸 z に関する断面 2 次モーメント I_z を求めよ．($h_0 = \dfrac{A_1h_1 + A_2h_2}{A_1 + A_2} = \dfrac{b(2h-t)+(h-t)^2}{2(b+h-t)}$, $I_z = \dfrac{bt^3}{12} + bt\big(h-h_0-t/2\big)^2 + \dfrac{t(h-t)^3}{12} + \dfrac{t}{4}(h-t)\big(2h_0-h+t\big)^2$)

6.6 図 6.11(a) の凹型断面の図心軸に関する断面 2 次モーメント I_z，断面係数 Z_1, Z_2 を以下の順に求めよ．

（1）図 6.11(b) のような 3 つの図形（図形 1, 2, 3）に分割して，図心 $(z_{G'}, y_G(=e_1))$[cm] を求めよ．($z_{G'}$=0.0cm, e_1=4.667cm)

（2）図形 1,2,3 の z' 軸に関する断面 2 次モーメント $I_{z'1}$, $I_{z'2}$, $I_{z'3}$[cm^4]，およびこの凹型図形の z' 軸に関する断面 2 次モーメント $I_{z'}(= I_{z'1} + I_{z'2} + I_{z'3})$[cm^4] を求めよ．($I_{z'}$=4846[cm^4])

（3）凹型図形の図心軸（z 軸）に関する断面 2 次モーメント I_z[cm^4] を求めよ．(I_z=1728[cm^4])

（4）凹型図形の断面係数 $Z_1 = I_z/e_1$, $Z_2 = I_z/e_2$[cm^3] を求めよ．(Z_1=370.3cm^3, Z_2=235.6cm^3)

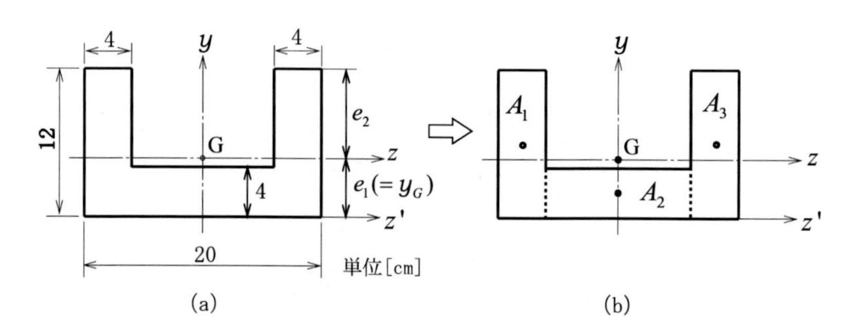

図 6.11

6.7　図 6.12(a) に示す半径 a の半円の図心 G の位置 e_1 を求めよ．また，G を通って直径 X 軸に平行な x 軸に関する断面 2 次モーメント I_x を求めよ．(ヒント：図 6.12(b) に示した原点 O を通る極座標を用いて計算せよ．)（$e_1 = \dfrac{4a}{3\pi} = 0.424a,\ I_x = \left(\dfrac{\pi}{8} - \dfrac{8}{9\pi}\right)a^4 = 0.110a^4$）

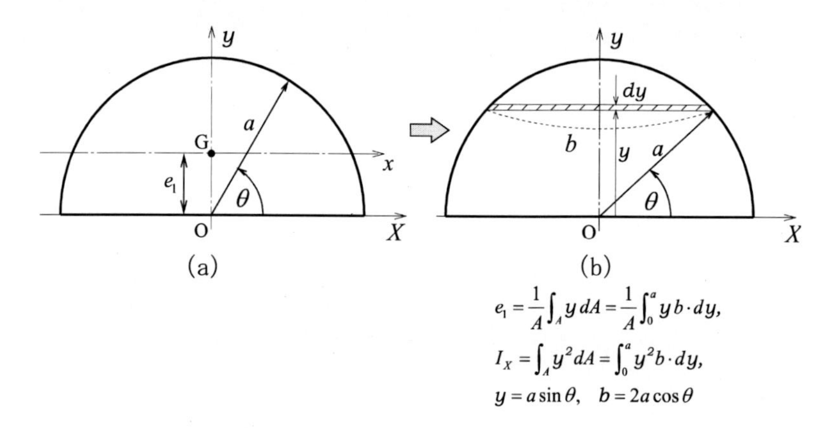

図 6.12

6.8　図 6.13 のように上辺 a，下辺 b，高さ h の左右対称な台形の対称軸 z に関する断面 2 次モーメントを求めよ．(ヒント：積分範囲を $0 \leq y \leq a/2,\ a/2 \leq y \leq b/2$ の 2 つに分け，$I_z = 2\displaystyle\int_0^{a/2} y^2 h dy$ $+2\displaystyle\int_{a/2}^{b/2} y^2 z dy$ とするとよい．)（$I_z = \dfrac{(a+b)(a^2+b^2)}{48}h$）

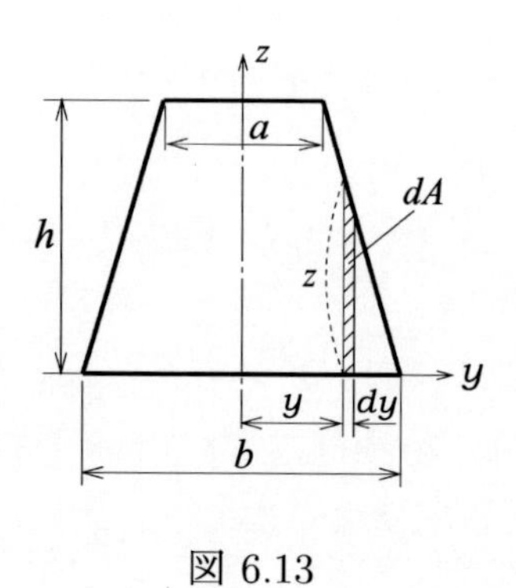

図 6.13

第7章　せん断力と曲げモーメント－1

7.1　せん断力と曲げモーメントの符号

はりの断面に作用するせん断応力や曲げモーメントの向きについては，材料力学では次のように約束している．

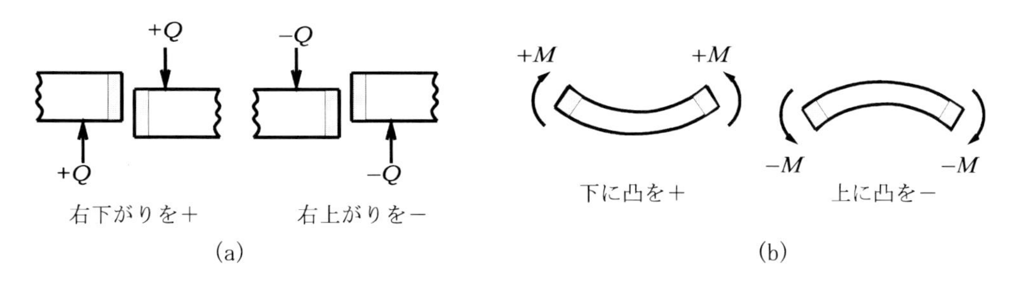

図 7.1 はりに作用するせん断力と曲げモーメント

すなわち，図 7.1(a) のように，せん断力については断面が右下がり（あるいは左上がり）を正と約束する．また，曲げモーメントについては，図 7.1(b) のように下向きに凸となるような変形を生じさせる曲げモーメントを正と約束する．これらは，いずれも，はりの長さ方向（x 座標）に進んだときに，たわみが増加するようなせん断力または曲げモーメントに対応する．この約束は，単に，座標方向か，あるいは時計回りか反時計回りかということではないことに注意する必要がある．はりの変形の様子に焦点を当てた約束と考えればわかりやすい．

【例題 7.1】

図 7.2(a) に示すような先端に集中荷重 W を受ける片持はりのせん断力および曲げモーメントを考えよう．

【解】 はりの長さ方向を x 軸に定めると，任意点 X の断面にはせん断力 $Q = -W$，曲げモーメント $M = -Wx$ が作用する．横軸に x，縦軸に Q や M をとって図で表したものを，**せん断力線図**（shearing force diagram, SFD），**曲げモーメント線図**（bending moment diagram, BMD）という．これらの図により，最大せん断力や最大曲げモーメントの値を知ることができ，はりの強度評価を行うことが可能となる．図 7.2(b) に SFD，BMD を示しているが，この図より，せん断力が一定値 $-W$ をとり，また固定端 B で絶対値が最大の曲げモーメント $-Wl$ を生じていることがわかる．

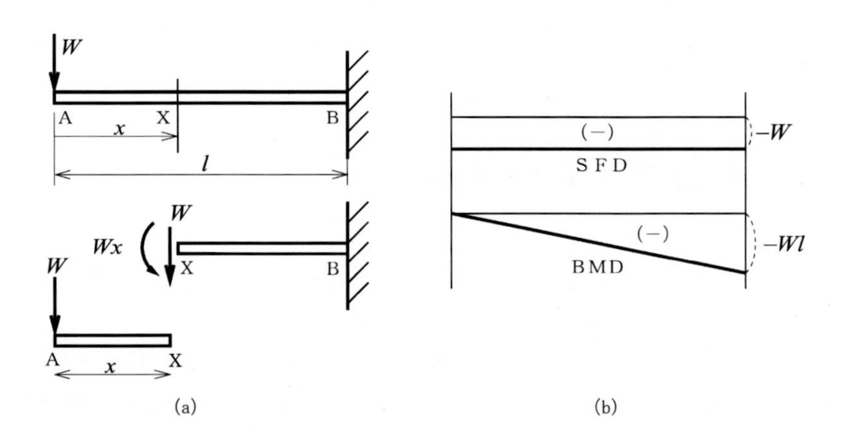

図 7.2 片持はりのせん断力，曲げモーメント

【例題 7.2】

図 7.3(a) に示すように，$x = a$ の位置に集中荷重 W を受ける両端支持はりの SFD，BMD を考えよう．

【解】 はじめに，支点反力 R_A, R_B を求める．これには，はりの力のつり合いやモーメントのつり合い（ここでいうモーメントは，静力学的な意味のモーメントであり，前節で説明した曲げモーメントとは異なることに注意しよう）を考えればよい．上下方向の力のつり合いおよび点 A まわりのモーメントつり合いを考えると

$$R_A + R_B = 0, \quad R_B l - Wa = 0 \quad \therefore\ R_A = \frac{b}{l}W,\ R_B = \frac{a}{l}W$$

を得る．せん断力，曲げモーメントについては，x 位置のはりの左側部分からの作用を考える．

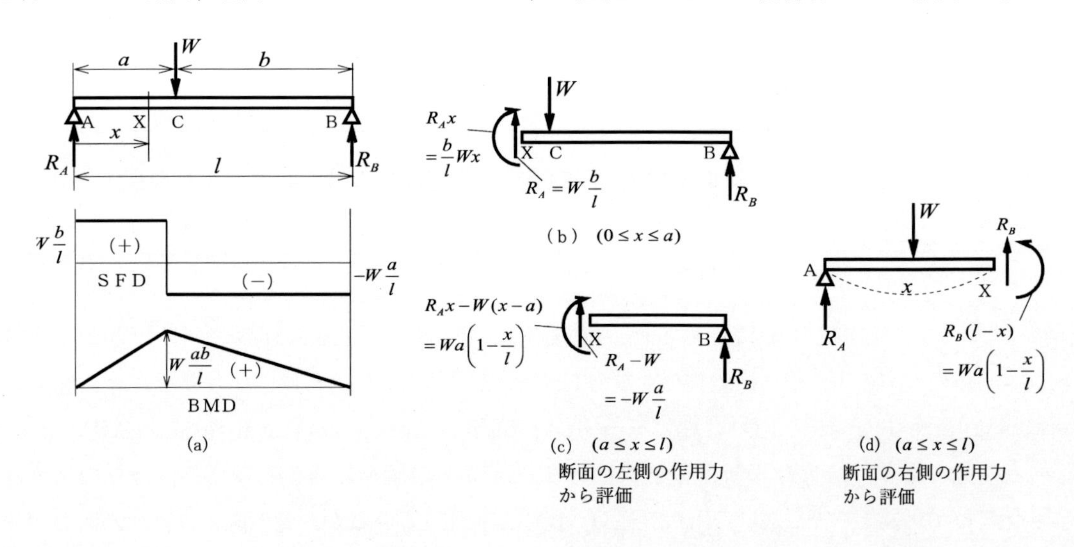

図 7.3 両端支持はりのせん断力，曲げモーメント

(1) $0 \leq x \leq a$ のとき；図 7.3(b) のように支点反力 R_A は，はり BX が左上がりになるように

作用するので，$Q = R_A = W\frac{b}{l}$. また，R_A は，はり BX が下に凸になるように作用するので，$M = R_A x = W\frac{b}{l}x$ となる．
(2) $a \leq x \leq l$ のとき；図 7.3(c) のように支点反力 R_A および下向き荷重 W も作用するので，$Q = R_A - W = -W\frac{a}{l}$. また，$R_A$ は，はり BX が下に凸になるように，さらに，W ははり BX が上に凸になるように作用するので，$M = R_A x - W(x-a) = Wa(1 - x/l)$ となる．なお，図7.3(d) のように任意断面 X の右側に作用する力 R_B から $Q = -R_B = -Wa/l$, $M = R_B(l-x) = Wa(1-x/l)$ が直ちに得られ，こちらが簡単である．すなわち，Q, M を求める場合，断面の左右どちらを考えてもよいが，作用する荷重やモーメントの個数が少ない方を選んだ方が簡単である．以上を BMD，SFD として表示すれば図 7.3(a) のようになる．これより，荷重点 C で最大曲げモーメント $M_{\max} = W\frac{ab}{l}$ が生じていることがわかる．

7.2 分布荷重を受けるはりのせん断力，曲げモーメント

はりに単位長さあたりの分布荷重 w[N/m] が作用する場合のせん断力 Q や曲げモーメント M の計算の方法を考える．

はじめに，簡単な例として図 7.4(a) のように大きさ w の等分布荷重を受ける片持はりの場合を考えよう．任意点 x より左方のはり AX には，分布の面積 wx により荷重の大きさを求め，分布の図心位置 $x/2$ にその荷重が作用するものと考えればよい．したがって，点 X には $Q = -wx$, $M = -\frac{w}{2}x^2$ が作用する．

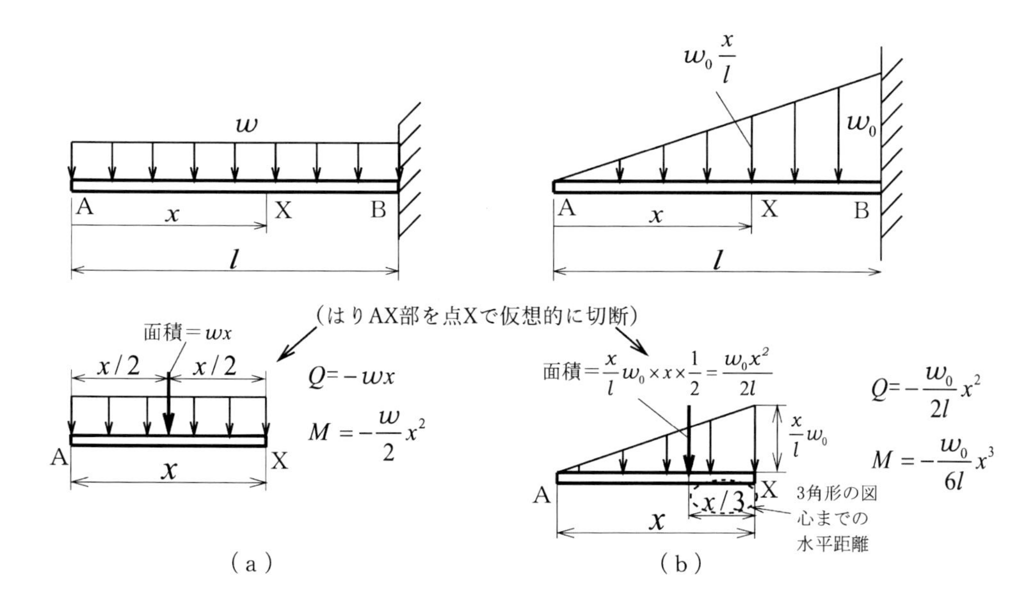

図 7.4 分布荷重を受ける片持はり

次に，図 7.4(b) のような三角形状の分布荷重が作用する場合を考える．任意点 x より左方のはり AX には，分布の面積 $w_0 x^2/(2l)$ の荷重の大きさが，x より左方 $x/3$ の分布の図心位置に作用する

ものと考えればよい．したがって，点Xには$Q = -\dfrac{w_0}{2l}x^2$, $M = -\dfrac{w_0}{6l}x^3$が作用する．

7.3　荷重，せん断力および曲げモーメントの関係

図7.5(a)は分布荷重$w(x)$を受けるはりであり，図7.5(b)はxの位置のはりの微小部分dxを拡大して示した図である．近接した2つの断面のうちの左側には，せん断力Qと曲げモーメントMが，そして右側の断面には，微小増分を考慮してせん断力$Q+dQ$と曲げモーメント$M+dM$が作用するものとする．このとき，荷重$w(x)$, せん断力Qおよび曲げモーメントMの関係を求める．はじめに，この微小要素の力のつり合いから

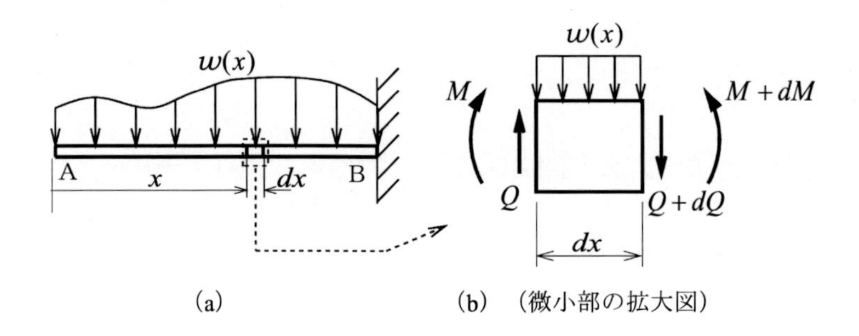

図 7.5 はりの微小部分のつり合い

$$w(x)dx - Q + (Q + dQ) = 0 \quad \therefore \ \frac{dQ}{dx} = -w(x) \tag{7.1}$$

また，右側の面に関するモーメントのつり合いから

$$M + dM - M - Qdx + w(x)dx\frac{dx}{2} = 0$$

高次の微小項$w(x)dx^2/2$を省略して

$$\frac{dM}{dx} = Q \tag{7.2}$$

となる．これより，荷重$w(x)$, せん断力Qおよび曲げモーメントMは独立ではないことがわかる．たとえば，**7.2**節の(a)，(b)のM, Qについては，

$$(a)\cdots\frac{dM}{dx} = -wx = Q, \quad \frac{dQ}{dx} = -w, \qquad (b)\cdots\frac{dM}{dx} = -\frac{w_0x^2}{2l} = Q, \quad \frac{dQ}{dx} = -w_0\frac{x}{l}$$

となり，式（7.1），(7.2）の成立を確かめることができる．

第7章の問題

7.1 図7.6の両端支持はり(a), (b), (c)のせん断力線図（SFD），曲げモーメント線図（BMD）および最大曲げモーメント$M_{\max}$を求めよ．((a)$M_{\max} = 9wl^2/128$, (b)$M_{\max} = Wa$, (c)$M_{\max} = M_0a/l$)

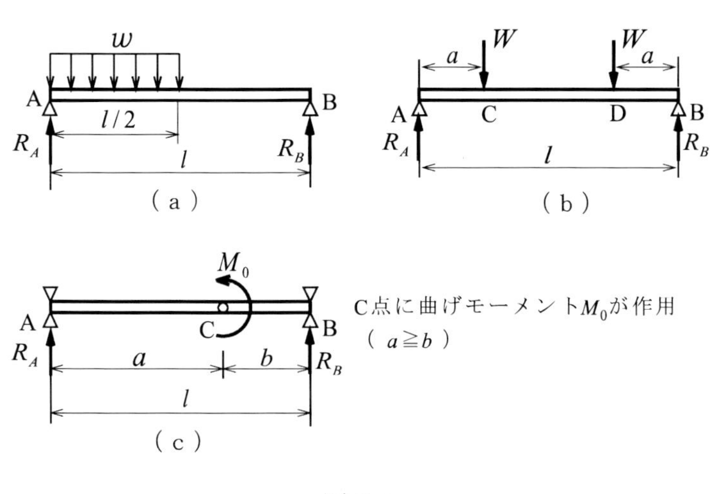

図 7.6

7.2　図 7.7 のはりの最大曲げモーメントの位置と大きさを求めよ．ただし，l_1=1m, l_2=2.5m, l_3=2.5m, l_4=1m, l=7m, W_1=9800N, W_2=19600N, W_3=29400N とする.（W_2 の位置で，$M_{\max}$=53.9 kNm）

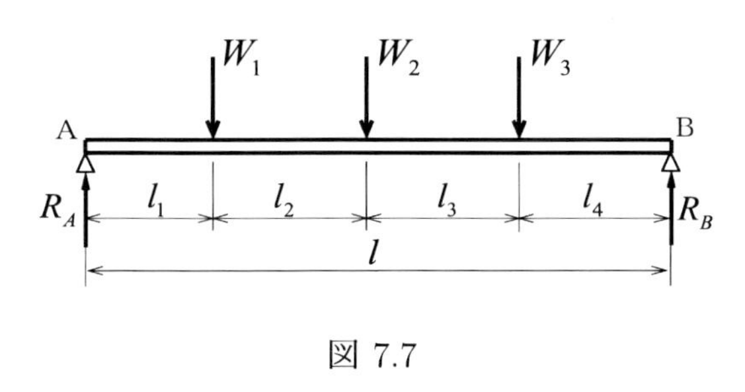

図 7.7

7.3　図 7.8 のように支点 A, B の間を荷重 W が移動する場合（クレーンのような例），x の変化に従って最大曲げモーメントおよびせん断力はどのように変化するかを考察せよ.（$(Q_{\max})_{\max} = W$, $(M_{\max})_{\max} = Wl/4$）

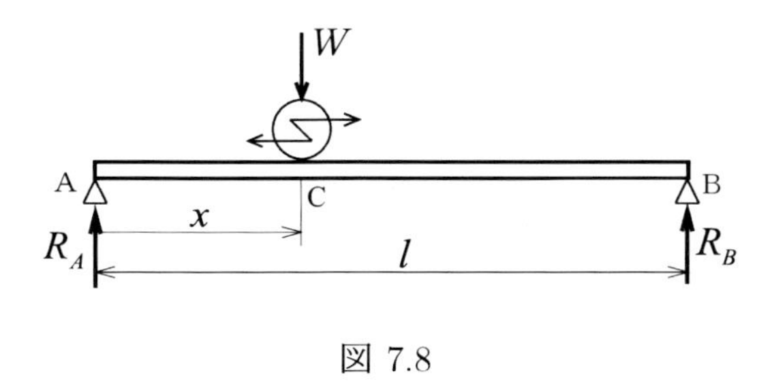

図 7.8

7.4　図 7.9 のように，長方形水槽の側面に開口部があり，長さ L，板厚 $2h$ の板で塞がれている．板は上端 A を側壁にピンで固定されており，下端 B は開口部の下側にわずかに接触している．板の幅方向の影響は無視し，単位幅に関する2次元問題として以下の問いに答えよ．ただし，水面から板の上端Aまでの距離を d，水の密度を ρ，重力加速度を g とする．

(1) 板の上端から a の距離に外側から水平荷重 W を加え徐々にこの水門を開ける．水が流出する瞬間の荷重 W を求めよ．

(2) 次に，この瞬間の支点反力 R_A を求めよ．

（ヒント：単位幅で考えるので水面から x の距離の分布荷重の大きさは $\rho g x$ である．また，水が流出する瞬間には，点Bの反力 R_B がゼロになることを利用すればよい．）（$W = \dfrac{\rho g L^2}{a}\left(\dfrac{d}{2} + \dfrac{L}{3}\right)$，$R_A = \rho g L\left\{d + \dfrac{L}{2} - \dfrac{L}{a}\left(\dfrac{d}{2} + \dfrac{L}{3}\right)\right\}$）

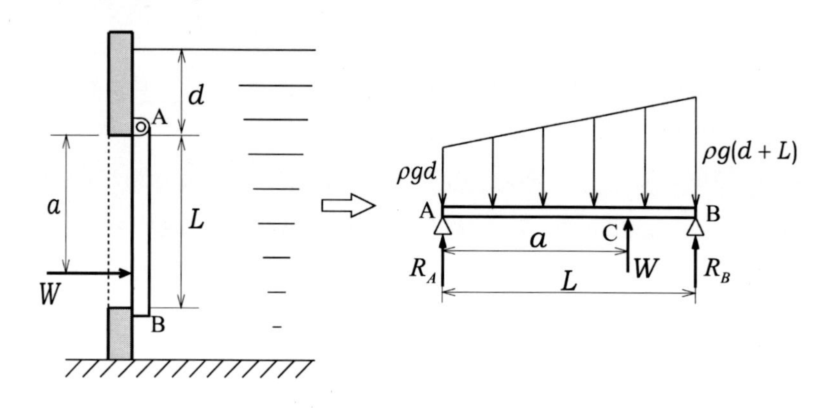

図 7.9

7.5 Determine (a) the equations of the shear and bending-moment curves for the beam shown in Fig.7.10, (b) the maximum absolute value of the bending moment in the beam.

（$R_A = w_0 l/3, R_B = w_0 l/6$, $Q = \dfrac{w_0}{6l}(2l^2 - 6lx + 3x^2)$, $M = \dfrac{w_0 x}{6l}(l - x)(2l - x)$, 最大曲げモーメントは $x = (1 - 1/\sqrt{3})l$ で生じ，$M_{\max} = \dfrac{w_0 l^2}{9\sqrt{3}}$）

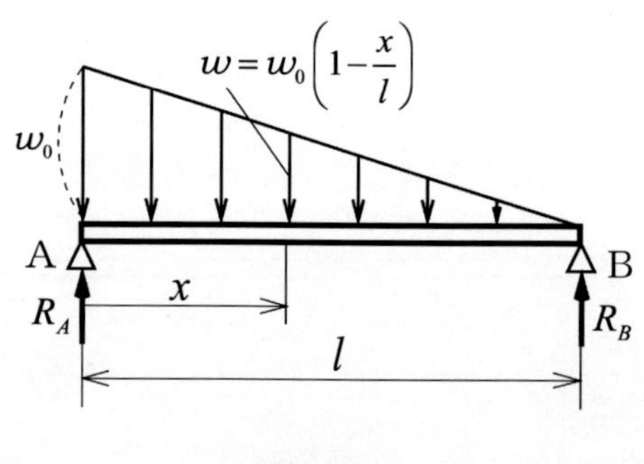

図 7.10

第8章　せん断力と曲げモーメント－2

8.1　任意の分布荷重によるせん断力と曲げモーメント

ここでは，片持はりに対し，分布荷重が図 8.1 のように任意の関数 $w(x)$ で与えられる場合を考える．点 X の断面に作用するせん断力 Q や曲げモーメント M を求めるには，図のような**流通座標**（current coordinates）ξ を導入するとよい.（ξ を用いずに座標 x をそのまま用いると混乱が生じるため.）点 A より ξ（$0 \leq \xi \leq x$）の位置の微小荷重 $w(\xi)d\xi$ は，点 X には微小なせん断力 $dQ = -w(\xi)d\xi$ を及ぼす．また，この微小荷重の点 X までの腕の長さが $x-\xi$ であるから，点 X には $dM = -w(\xi)d\xi(x-\xi)$ の微小曲げモーメントを及ぼす．したがって，区間（$0 \leq \xi \leq x$）でこれらの総和をとれば，すなわち積分をすれば Q, M が得られ

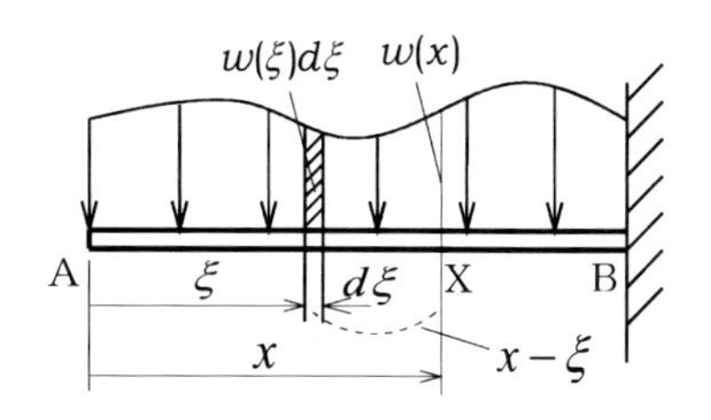

図 8.1 任意の分布荷重を受ける片持はり

$$Q = -\int_0^x w(\xi)d\xi, \quad M = -\int_0^x w(\xi)d\xi(x-\xi) = -\int_0^x (x-\xi)w(\xi)d\xi \tag{8.1}$$

となる．

一例として，式（8.1）を図 7.4(a) に適用すれば，$w(\xi) = w$（一定値）とおいて

$$Q = -\int_0^x w d\xi = wx, \quad M = -\int_0^x (x-\xi)w d\xi = -\frac{w}{2}x^2$$

となる．

さらに，式（8.1）を図 7.4(b) に適用すれば，$w(\xi) = w_0\dfrac{\xi}{l}$ とおいて

$$Q = -\int_0^x w_0\frac{\xi}{l}d\xi = \frac{w_0}{2l}x^2, \quad M = -\int_0^x (x-\xi)w_0\frac{\xi}{l}d\xi = -\frac{w_0}{l}\int_0^x (x\xi - \xi^2)d\xi = -\frac{w_0}{6l}x^3$$

となる．以上の 2 つの結果は，7.2 節の結果と一致する．

第8章の問題

8.1　図8.2のはり(a), (b)のSFD，BMDおよび$M_{\max}$の位置と大きさを求めよ．((a)$|M_{\max}| = w_0 l^2/6$,　(b)$M_{\max} = M_0$)

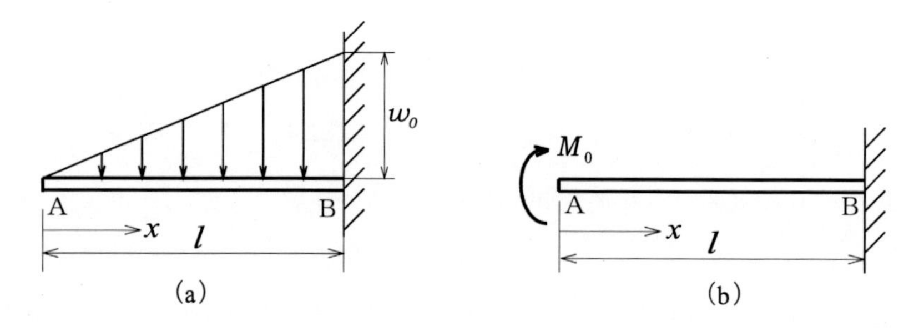

図8.2

8.2　図8.3のはりにおいて，l=8m, l_1=10m, w=196N/m のとき$M_{\max}$の位置と大きさを求めよ．($R_A = \dfrac{wl_1(2l-l_1)}{2l}$,　$0 \leq x \leq l$ では $M_{1\max} = R_A^2/2/w$, $l \leq x \leq l_1$ では $M_{2\max} = -w(l_1-l)^2/2$, また$M_{\max}$=1378Nm)

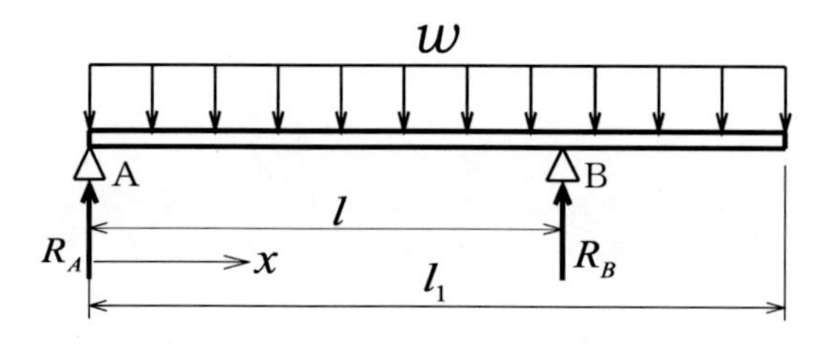

図8.3

8.3　図8.4のように$w(x) = w_1 \sin(\pi x/l)$と表される正弦曲線状の分布荷重を受ける長さlの両端支持はりについて，SFDおよびBMDを描き，最大曲げモーメントの値を求めよ．($M_{\max} = w_1 \dfrac{l^2}{\pi^2}$)

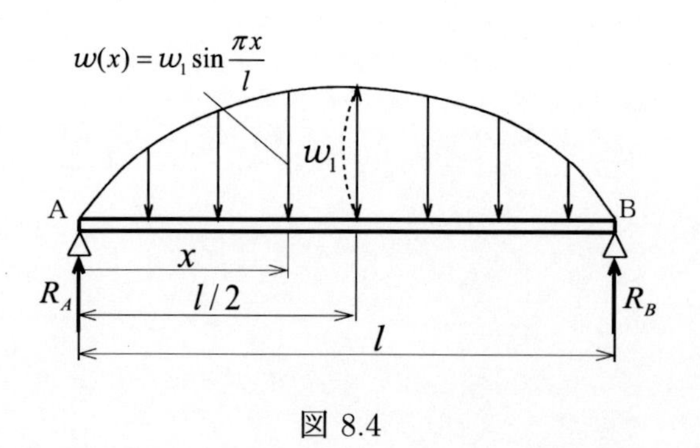

図8.4

8.4 図 8.5 のような 1/4 円弧はりの軸に沿った任意点 C の曲げモーメント M を求めよ．($M = Wr\cos\theta$)

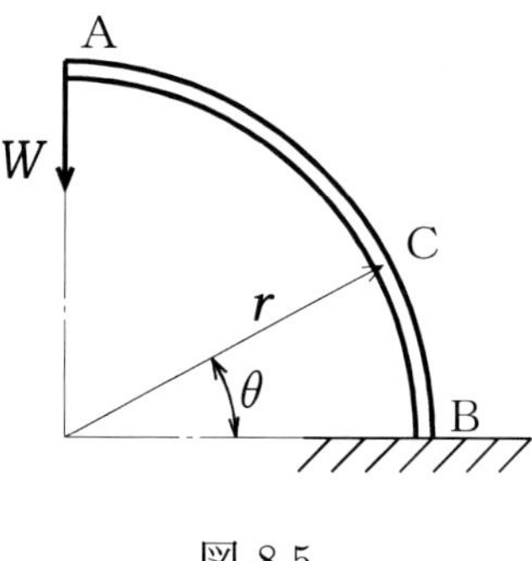

図 8.5

8.5 図 8.6 のように等分布荷重 w を受ける長さ L のはりがあり，これを左右対称になるように 2 点 B，C で支持する．ただし，端点から支点までの距離を a とする．このとき，このはりの SFD，BMD を示せ．また，はりに生ずる最大曲げモーメントを最小にするには，a をどれくらいの大きさにしたらよいか．($a = (\sqrt{2}-1)L/2 = 0.207L$)

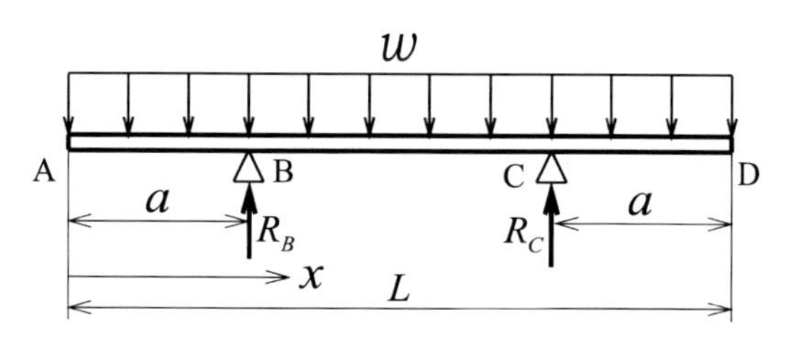

図 8.6

8.6 図 8.7 のような等分布荷重を受ける両端支持はりがある．このとき，SFD，BMD を描け．また，最大曲げモーメント $M_{\max}$ およびその発生位置 x_0 を求めよ．($x_0 = l/2$ で $M_{\max} = 5wl^2/72$)

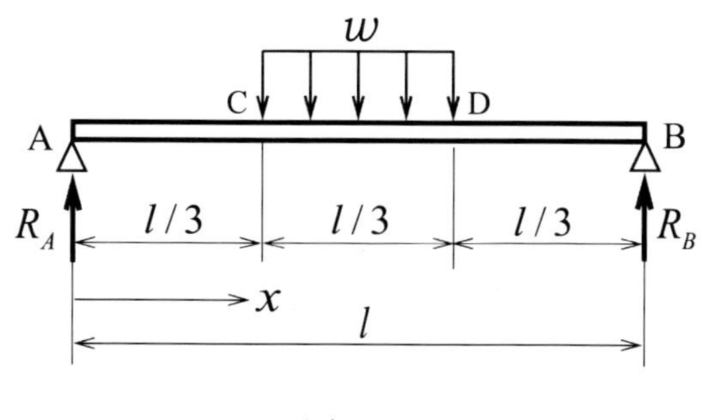

図 8.7

8.7　単純支持はりに図 8.8 のような荷重が作用している．支点反力 R_A, R_B を求め，SFD, BMD を示せ．また，最大曲げモーメント M_{max} の発生位置とその大きさを求めよ．(R_A=5kN, R_B=3kN, x=1.667m で M_{max}=4.167kNm)

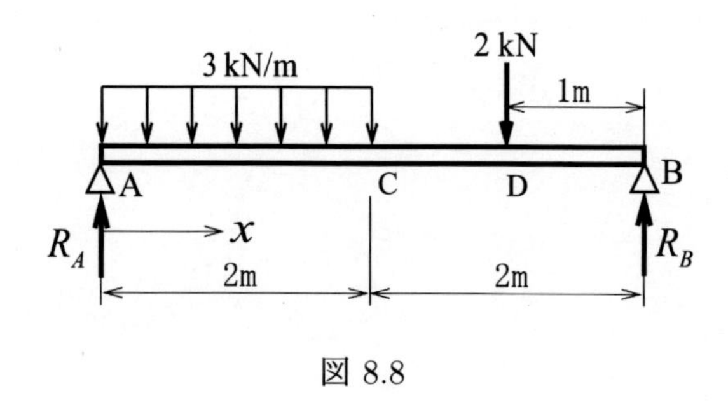

図 8.8

第9章　せん断力と曲げモーメント－3

9.1　はりに生じる曲げ応力

ここでは，第7，8章で求めた曲げモーメントによって生じる曲げ応力を考える．はりが曲がるとはりの断面に垂直な方向には応力が生じ，この垂直応力を**曲げ応力**（bending stress）という．

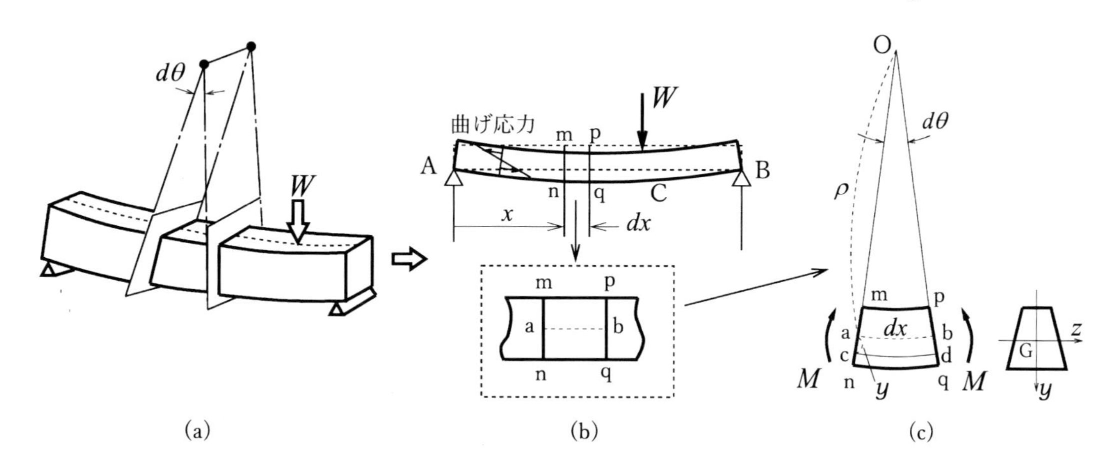

図 9.1 曲げによる垂直応力

図 9.1(a) は，荷重 W を受ける単純支持はりの曲げの様子，同図 (b), (c) は，微小部分 dx の変形を示す．この微小部分は下に凸の曲げ変形をし，弧 ab は，変形後も長さが変化しない．この弧 ab を含む面を**中立面**（neutral plane），この中立面と横断面との交線を**中立軸**（neutral axis）という．

図 9.1(c) には，ab 面が曲率半径 ρ に湾曲し，各断面は相対的に回転して実線のように変形する様子を示す．このときの中心角を $d\theta$（θ は rad）とすると，$dx = \rho d\theta$ となる．中立面 ab から距離 y にある cd 面の変形後の長さは，$(\rho + y)d\theta$ であるから，cd 面に生じる軸方向のひずみ ε は，次のようになる．

$$\varepsilon = \frac{(\rho + y)d\theta - dx}{dx} = \frac{y}{\rho} \tag{9.1}$$

フックの法則（式（1.3））を用いれば，曲げ応力 σ は

$$\sigma = E\varepsilon = E\frac{y}{\rho} \tag{9.2}$$

となる．この式から，曲げ応力は中立軸からの距離に比例することがわかる．

9.2　断面係数

図9.1(a)のはりの断面の軸方向には外力は作用していないから

$$\int_A \sigma dA = \frac{E}{\rho}\int_A y dA = 0 \tag{9.3}$$

が成り立つ．これは，z軸に関する断面1次モーメントがゼロであることを示す．したがって，図9.1(c)に示すように中立軸は断面の図心Gを通る．

図9.2のように，中立軸からyの距離にあるdA部分に生じている曲げ応力σによるモーメントは，$(\sigma dA)\cdot y$であるが，このモーメントの総和が断面に作用する曲げモーメントに等しいから

$$\begin{aligned} M &= \int_A (\sigma dA)y = \int_A \frac{E}{\rho}y^2 dA \\ &= \frac{E}{\rho}\int_A y^2 dA = \frac{E}{\rho}I_z \end{aligned} \tag{9.4}$$

となる．ここで，$I_z = \int_A y^2 dA$は断面2次モーメントである．式（9.4）より，曲率$\frac{1}{\rho}$は

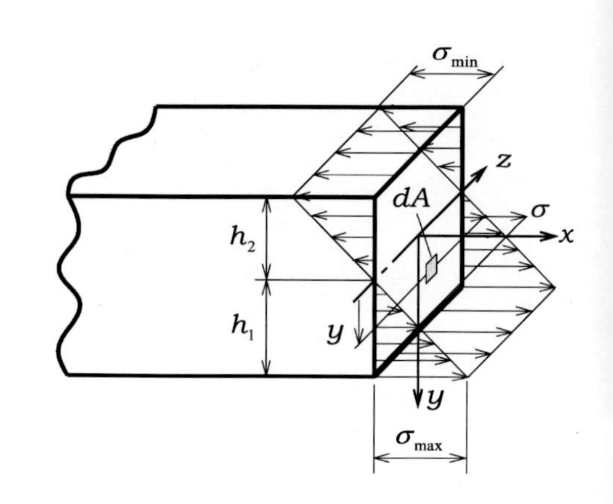

図 9.2 曲げ応力の分布

$$\frac{1}{\rho} = \frac{M}{EI_z} \tag{9.5}$$

と表される．ここで，EI_zは**曲げ剛性**（flexural rigidity）とよばれ，この値が大きいほどはりは曲がりにくくなる．

この式（9.5）と式（9.2）からρを消去して応力を求めると

$$\sigma = \frac{M}{I_z}y \tag{9.6}$$

となる．この結果を図示すると，図9.2のような直線状の応力分布が得られる．すなわち，曲げ応力は，中立軸から遠ざかるにつれて増加し，上下面で，それぞれ最大の圧縮および引張り応力を生じる．この最大の応力を$\sigma_{\min}, \sigma_{\max}$と表すと

$$\sigma_{\min} = \frac{M}{I_z}(-h_2) = -\frac{M}{Z_2},\quad \sigma_{\max} = \frac{M}{I_z}h_1 = \frac{M}{Z_1} \tag{9.7}$$

となる．ここで，Z_1, Z_2は

$$Z_1 = \frac{I_z}{h_1},\quad Z_2 = \frac{I_z}{h_2} \tag{9.8}$$

である．Z_1, Z_2は，はりの断面の形状によって定まり，**断面係数**（section modulus）とよばれる．例えば，**例題6.1**の結果より，長方形断面では，$Z_1 = Z_2 = (bh^3/12)/(h/2) = bh^2/6$，円形断面では$Z_1 = Z_2 = (\pi d^4/64)/(d/2) = \pi d^3/32$となる．付録A.3に代表的な断面の断面係数を示す．

9.3 平等強さのはり

一様な断面では断面係数 Z が一定であるから，式（9.7）より，断面の最大曲げ応力は曲げモーメント M に比例することがわかる．一般に，強度設計においては最大曲げモーメントの生じる断面の曲げ応力が許容曲げ応力を超えないように断面形状を定める．しかし，この場合，ほかの断面では許容応力を下回っていて，材料が無駄に用いられることになる．そこで，どこでも最大曲げ応力が同じ値（例えば許容応力）をとるように，Z を M に比例して変化させると無駄な部分がなくなる．このような断面をもつはりを**平等強さのはり**（beam of uniform strength）という．

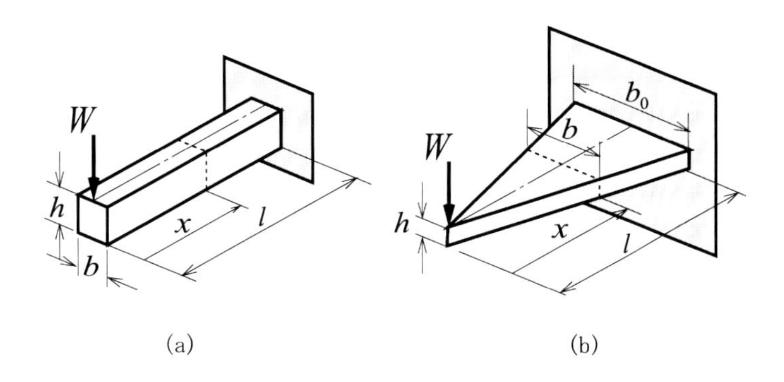

図 9.3 先端に集中荷重を受ける平等強さのはり

図 9.3(a) は，一定の幅 b，一定の高さ h の断面を有する，集中荷重 W を受ける片持はりである．このとき，はりの先端から x の位置の最大曲げ応力は

$$\sigma = \frac{|-Wx|}{Z} = \frac{6Wx}{bh^2}$$

となり，x に比例して増加する．したがって，σ を一定にするには c を定数として

$$\frac{x}{bh^2} = c \tag{9.9}$$

とすればよい．たとえば，高さ h を一定にして幅 b が変化する場合を考えると，$b = x/(ch^2)$ となる．このとき定数 c は，$x = l$ のとき $b = b_0$ と考えれば

$$b_0 = \frac{l}{ch^2} \quad \therefore \ \frac{1}{ch^2} = \frac{b_0}{l}$$

となり，結局，$b = b_0 x/l$ を得る．これは，図 9.3(b) に示すように幅を直線状に増加させればよいことを示している．逆に，b が一定で高さ h が変化する場合には，h_0 を固定端でのはりの高さとして $h = h_0\sqrt{x/l}$ となる．

大型輸送車の懸架装置として広く用いられている**重ね板ばね**（laminated leaf spring）は，以上の考えを応用したものである．この重ね板ばねの作成の概要を図 9.4 に示す．図のように，三角形状の板を一定の幅で切断しそれらを重ね合わせて用いる．ただし，板の間には摩擦が作用して一枚の板の場合とはたわみや応力が異なるが，実用的には一枚の板として扱っている．

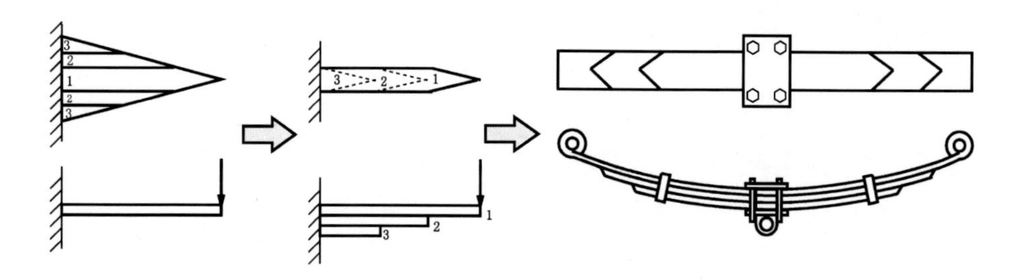

図 9.4 重ね板ばね

第9章の問題

9.1 図 9.5 のような片持はりの最大曲げ応力 $\sigma_{\max}$ と最大せん断応力 $\tau_{\max}$ を求めよ．ただし，w=98N/m, l=1m とする．また，はりの断面は幅 b=30mm, 高さ h=20mm とする．($\sigma_{\max}$=24.5MPa, $\tau_{\max}$=0.163MPa)

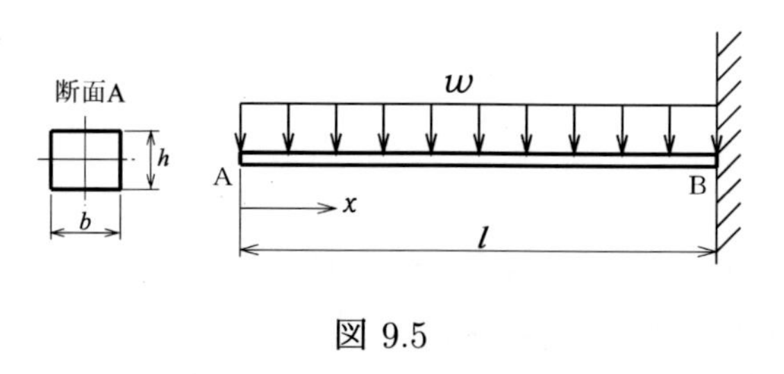

図 9.5

9.2 同一の曲げモーメント $M(= M_A = M_B)$ を受けたとき，はりの応力分布が図 9.6(a), (b) のようなときの最大応力の σ_A，σ_B を比較せよ．ただし，断面は長方形（幅 b，高さ h) とする．($\sigma_B/\sigma_A = 2/3$)

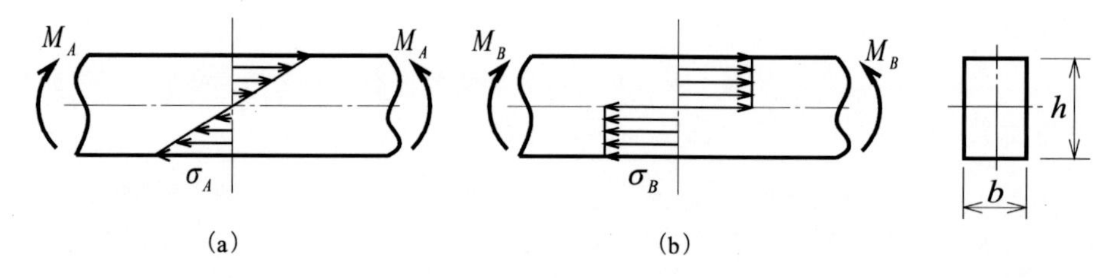

図 9.6

9.3 A simply supported beam carries a linearly varying transverse load as shown in Fig.9.7. At what distance x from A will be the shear force S_x vanish? What is the value of the shear force at the middle cross-section of the beam?
（ヒント：支点反力 R_A を求め，その後に任意位置 x のせん断力を計算する.）($S_x = 0$ at $x = l/(2\sqrt{3})$,　$S_m = -w_0 l/6$)

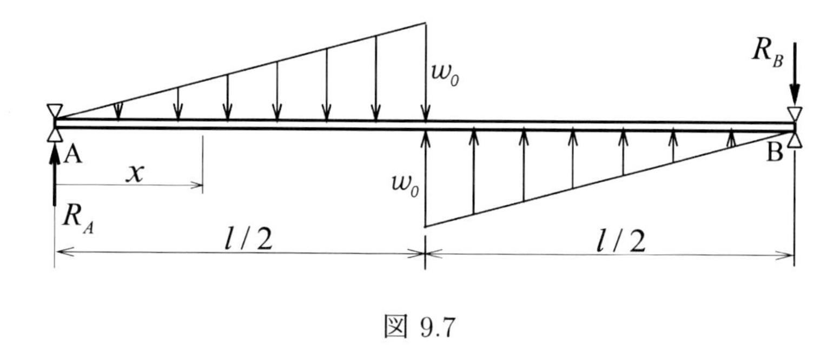

図 9.7

9.4　図 9.8 のはりの許容応力を σ_a=70MPa としたとき，自由端に加えることのできる最大荷重 W を求めよ．(W=210N)

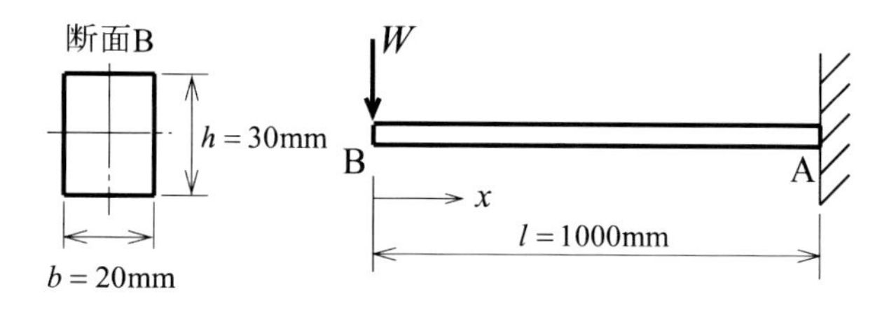

図 9.8

9.5　図 9.9 のような両端支持はりを考える．(このようなはりを **4 点曲げ** (four point bending) と呼んでいる)

(1)　BMD を示せ．

(2) l=7m, l_1=2m, P=1kN とし，はりの直径が d=50mm の円形断面である場合およびそれと同じ面積の正方形断面との場合とで，それぞれの最大曲げ応力 $\sigma_{\max}$ を求めよ．(円形断面 : $\sigma_{\max}$=163MPa, 正方形断面 : $\sigma_{\max}$=138MPa)

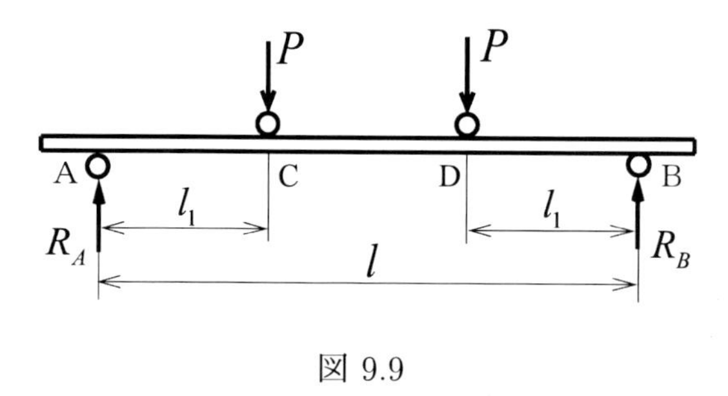

図 9.9

9.6　問題 6.6 の凹型断面はりにおいて，許容応力を σ_a=100MPa とするとき，加え得る最大曲げモーメント $M_{\max}$ の大きさはいくらか．($M_{\max}$=23.6kNm)

9.7　図 9.3(a) の集中荷重 W の代わりに等分布荷重 w を受ける片持はりにおいて，幅 b を一定にして，平等強さのはりを得るには高さ h をどのように変化させればよいか．(h_0 を固定端の高さとして，$h = h_0\dfrac{x}{l}$)

第10章　はりのたわみ

10.1　はりのたわみ方程式

ここでは，左右対称な断面形状を持つ単純なはりが，対称軸を含む面内に荷重を受けてたわむ場合について考える．

図 10.1(a) は，はりのたわみの様子を示したもので，曲線 AB ははりの図心を通る軸線である．この変形後の曲線を**たわみ曲線**（deflection curve），このたわみ曲線の接線と水平軸とのなす角を**たわみ角**（angle of iclinataion, slope）という．

水平方向を x 軸とし，鉛直下方を y 軸にとり，このはりに，荷重 W が作用したときの微小部分 PQ の変形を考える．図 10.1(b) は PQ の拡大図であり，たわみ角は，θ から $\theta + d\theta$ と変化するが，正の曲げモーメントが作用してる場合には $d\theta < 0$ であることに注意する必要がある．

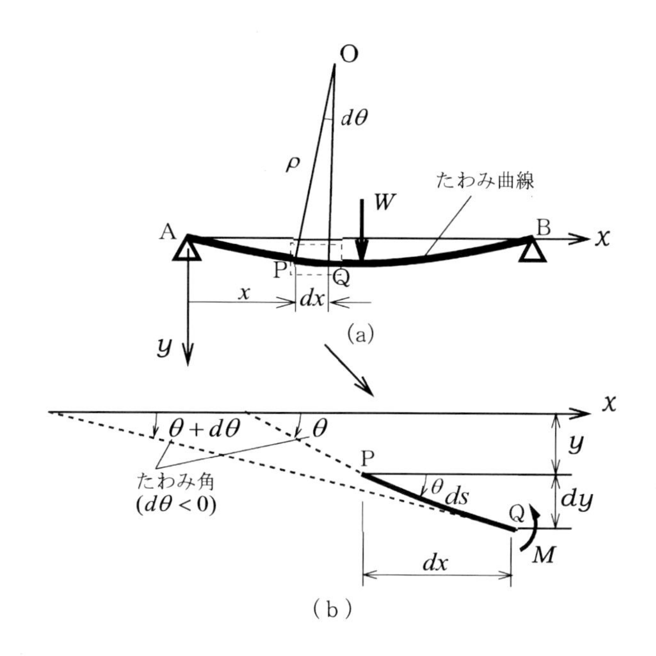

図 10.1 たわみ曲線

ρ をたわみ曲線の曲率半径，PQ の長さを ds とすれば

$$ds = \rho(-d\theta) \quad \therefore \ \frac{1}{\rho} = -\frac{d\theta}{ds} \tag{10.1}$$

となる．ここで，$\rho > 0, ds > 0$ なので，$-d\theta$（> 0）としている．また，$\dfrac{1}{\rho}$ は，単位長さあたりの角度の変化を表しており，**曲率**（curvature）という．

一方で，たわみ曲線の傾きは

$$\frac{dy}{dx} = \tan\theta \quad \therefore \ \theta = \tan^{-1}\left(\frac{dy}{dx}\right) \tag{10.2}$$

である．式（10.2）を式（10.1）に代入すれば，$(\tan^{-1} x)' = 1/(1 + x^2)$ の関係を用いて

$$\begin{aligned}\frac{1}{\rho} &= -\frac{d\theta}{ds} = -\frac{d\theta}{dx}\cdot\frac{dx}{ds} = -\frac{d\theta}{dx}\cdot\frac{dx}{\sqrt{dx^2 + dy^2}} \\ &= -\frac{d^2y/dx^2}{1 + (dy/dx)^2}\cdot\frac{1}{\sqrt{1 + (dy/dx)^2}} = -\frac{d^2y/dx^2}{[1 + (dy/dx)^2]^{3/2}}\end{aligned} \tag{10.3}$$

となる．ここで，たわみ曲線の傾き dy/dx が微小であると考えると

$$\frac{1}{\rho} = -\frac{d^2y}{dx^2} \tag{10.4}$$

となる[1]．式（10.4）を式（9.5）に代入すれば

$$\frac{d^2y}{dx^2} = -\frac{M}{EI} \tag{10.5}$$

となる．ここで，I_z の添字を省略して I としている．この式（10.5）は，たわみ形状を支配する微分方程式であり，積分して $y = f(x)$ の関係式を求めれば，たわみ曲線 y が得られる．

【例題 10.1】

図 10.2 のような，自由端に集中荷重 W を受ける片持はりのたわみ曲線を考えよう．

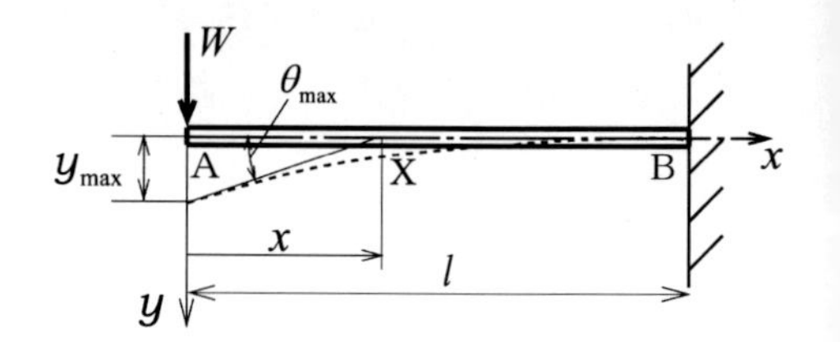

図 10.2 自由端に集中荷重を受ける片持はり

【解】 点 x における曲げモーメントは，$M = -Wx$ である．これを，式（10.5）に代入し，順次積分すれば

$$\frac{d^2y}{dx^2} = \frac{W}{EI}x,$$
$$\frac{dy}{dx} = \frac{W}{EI}\left(\frac{x^2}{2} + C_1\right),$$
$$y = \frac{W}{EI}\left(\frac{x^3}{6} + C_1x + C_2\right)$$

を得る．ここで，C_1, C_2 は積分定数であり，固定端 B でたわみ角とたわみがゼロという境界条件から決定される．すなわち，$x = l$ で $dy/dx = 0$ および $y = 0$ より

$$0 = \frac{l^2}{2} + C_1 = 0 \quad \therefore\ C_1 = -\frac{l^2}{2}, \quad 0 = \frac{l^3}{6} + C_1l + C_2 = 0 \quad \therefore\ C_2 = \frac{l^3}{3}$$

となる．この結果をたわみ角およびたわみの式に代入すれば

$$\theta = \frac{dy}{dx} = \frac{W}{2EI}(x^2 - l^2), \quad y = \frac{W}{6EI}\left(x^3 - 3l^2x + 2l^3\right)$$

を得る．最大たわみ，最大たわみ角は，はりの先端（$x = 0$）に生じ

$$y_{\max} = \frac{Wl^3}{3EI}, \quad \theta_{\max} = -\frac{Wl^2}{2EI} \tag{10.6}$$

と求められる．なお，付録 A.2.1(2) に等分布荷重を受ける片持はりのたわみ曲線を示している．**例題 10.1** と同様な手順により，たわみ曲線を求めてみるとよい．

【例題 10.2】

次に，図 10.3 のような等分布荷重 w を受ける両端支持はりのたわみ曲線を考えよう．

[1] このように，$dy/dx \ll 1$ と仮定する考え方を**微小変形理論**という．一方，ピアノ線を曲げる場合のように，弾性を保ってたわみが大きい場合の変形は，曲率として式（10.3）を用いる必要がある．このような扱いを**大変形理論**という．詳しくは R. F. Fay 著，堀辺訳,「たわみやすいはりの大変形理論」，三恵社（2019）などを参照．

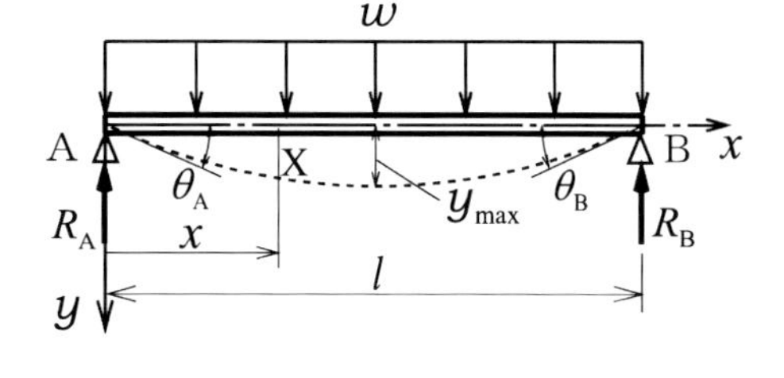

図 10.3 等分布荷重を受ける両端支持はり

【解】支点反力は，対称性より $R_A = R_B = wl/2$．また任意位置 x における曲げモーメントは，$M = R_A x - wx^2/2 = (w/2)(lx - x^2)$ である．これを，式（10.5）に代入し，順次積分すれば

$$\frac{d^2y}{dx^2} = -\frac{w}{2EI}(lx - x^2),$$
$$\frac{dy}{dx} = -\frac{w}{2EI}\left(\frac{lx^2}{2} - \frac{x^3}{3} + C_1\right),$$
$$y = -\frac{w}{2EI}\left(\frac{lx^3}{6} - \frac{x^4}{12} + C_1 x + C_2\right)$$

となる．ここで，C_1, C_2 は積分定数であり，支点 A，B でのたわみがゼロという境界条件から決定される．すなわち，$x = 0$ で $y = 0$ および $x = l$ で $y = 0$ より

$$0 = C_2 \quad \therefore\ C_2 = 0, \quad 0 = \frac{l^4}{6} - \frac{l^4}{12} + C_1 l + C_2 = 0 \quad \therefore\ C_1 = -\frac{l^3}{12}$$

となる．なお，対称性から $x = l/2$ で $dy/dx = 0$ であり，これを境界条件の一つとして用いてもよい．どの境界条件の組合せを用いても最終結果は同じである．以上の結果をたわみ角およびたわみの式に代入すれば

$$\theta = \frac{dy}{dx} = \frac{w}{24EI}(4x^3 - 6lx^2 + l^3), \quad y = \frac{wx}{24EI}\left(x^3 - 2lx^2 + l^3\right)$$

を得る．最大たわみは $x = l/2$ に生じ，最大たわみ角は $x = 0$ に生じる．それらの値は

$$y_{\max} = \frac{5wl^4}{384EI}, \quad \theta_{\max} = \theta_A = \frac{wl^3}{24EI} = -\theta_B \tag{10.7}$$

と求められる．

第10章の問題

（注 ： 以降の問題で，特に指示がなければ曲げ剛性を EI とせよ.）

10.1 図 10.4 のように線径 d=5mm の鋼線 (E=206GPa) を半径 R=300mm の円筒に巻きつけたときに生ずる曲げ応力 σ を求めよ．（ヒント：曲率半径と曲げモーメントの関係式（9.5）を利用せよ.）
$\left(\sigma = \dfrac{Ed}{2(R + d/2)}\right.$=1702MPa)

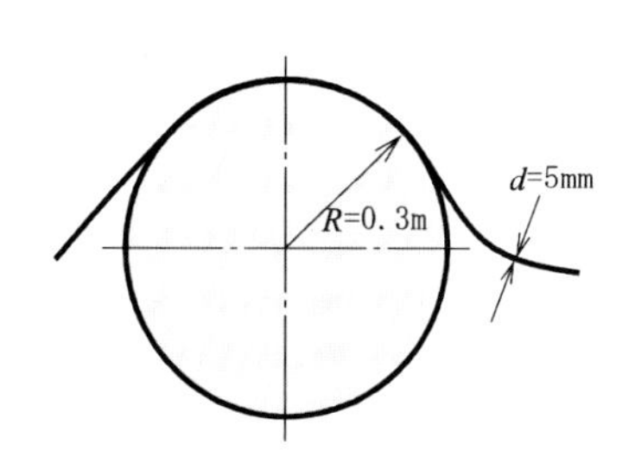

図 10.4

10.2 三角形状分布荷重を受ける図 10.5 のはりの点 A のたわみを求めよ．$(y_A = w_0 l^4/(30EI))$

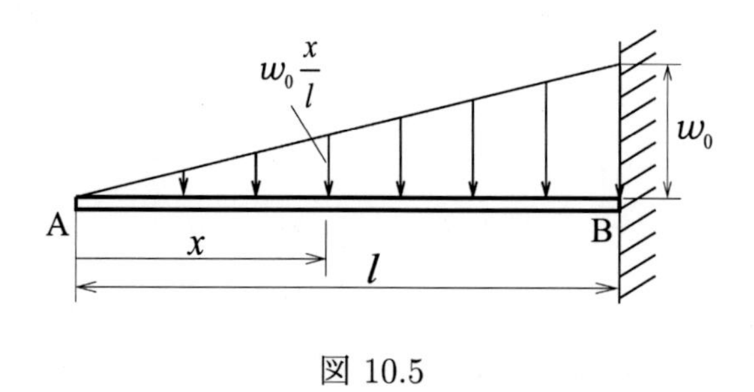

図 10.5

10.3 図10.6に示すように長さlの両端支持はりの点Cに集中荷重Wが作用したとき，はりのたわみを求めよ．ただし，$a > b$とする．($y_1 = \dfrac{bW}{6EIl}x\left\{a(a+2b) - x^2\right\} \cdots (x < a)$,
$y_2 = \dfrac{aW}{6EIl}(l-x)\left\{b(2a+b) - (l-x)^2\right\} \cdots (x > a)$)

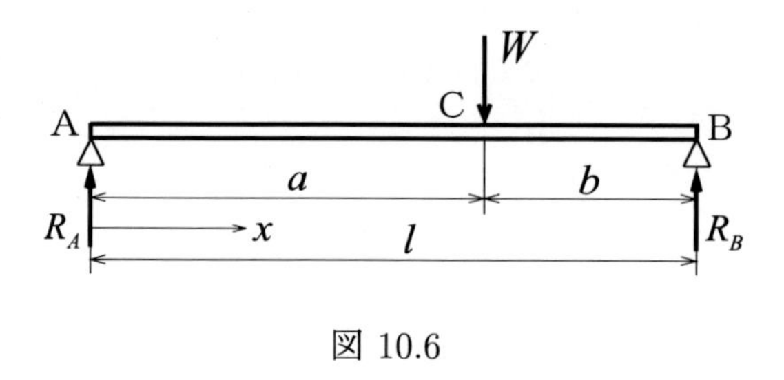

図 10.6

10.4 A simply supported beam is acted upon by a counterclockwise couple of moment M_B at the end B as shown in Fig.10.7. Derive the equation of the deflection curve and find the maximum deflection. ($y_{\max} = M_B l^2/(9\sqrt{3}EI)$ at $x = l/\sqrt{3}$)

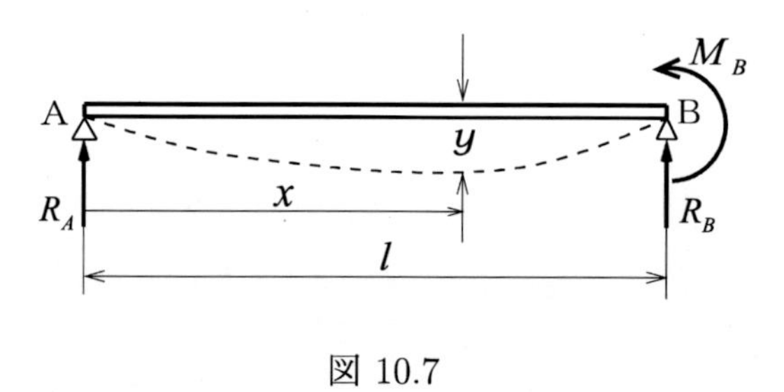

図 10.7

10.5 図10.8のような三角形状分布荷重を受ける片持はりの先端のたわみおよびたわみ角を求めよ．($y_{\max} = \dfrac{11w_0l^4}{120EI}$, $\theta_{\max} = -\dfrac{w_0l^3}{8EI}$)

10.6 図10.9のような二等辺三角形状の分布荷重を受ける両端支持はりにおいて，最大たわみ$y_{\max}$を求めたい．以下の問いに答えよ．

(1) 支点Aの反力R_Aおよび任意位置$x(0 \le x \le l/2)$の曲げモーメントMを求めよ．($R_A = \dfrac{w_1 l}{4}$, $M = \dfrac{w_1}{12l}(3l^2x - 4x^3)$)

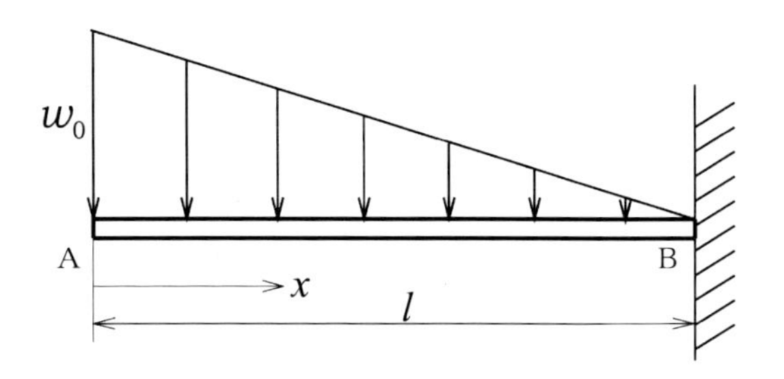

図 10.8

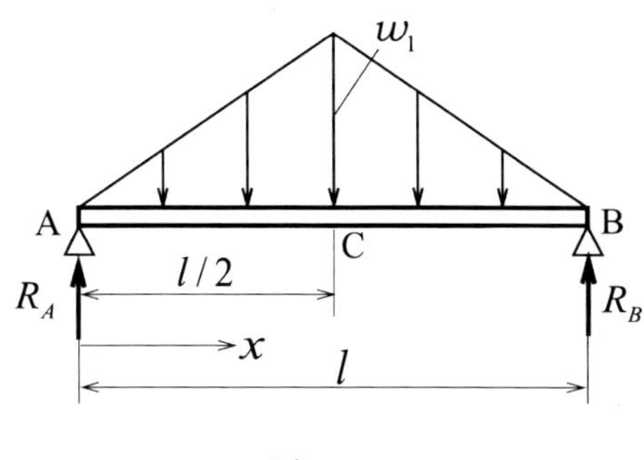

図 10.9

(2) はりのたわみの微分方程式に基づいて，任意位置のたわみ y を求めよ．また，最大たわみ $y_{\max}$ を求めよ．$(0 \leq x \leq l/2,\ y = \dfrac{w_1 x}{960EI}(5l^2 - 4x^2)^2$, $y_{\max} = (y)_{x=l/2} = \dfrac{w_1 l^4}{120EI})$

10.7　図 10.10 に示すように，方向の異なる 2 個の集中荷重 P を受ける長さ l の片持はりについて以下の問いに答えよ．ただし，はりの曲げ剛性は EI とする．

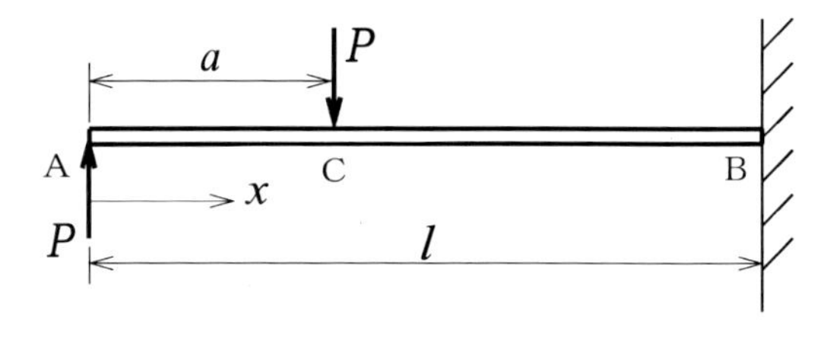

図 10.10

(1) せん断力線図（SFD）および曲げモーメント線図（BMD）を描け．

(2) 区間 $(0 \leq x \leq a)$ および $(a \leq x \leq l)$ のたわみを y_1 および y_2 としたとき，y_1, y_2 に関する微分方程式を示せ．

(3) (2) 結果を積分し，はりの固定条件および $x = a$ でのたわみとたわみ角の連続条件式を考慮して y_1 および y_2 を求めよ．$(y_1 = \dfrac{P}{6EI}\{-x^3 + 3ax(2l - a) - a(3l^2 - a^2)\},\ \ y_2 = -\dfrac{Pa}{2EI}(l - x)^2)$

10.8　図 10.11 に示すような点 C に曲げモーメント M_0 を受ける単純支持はりについて，以下の問いに答えよ．ただし，曲げ剛性を EI とする．

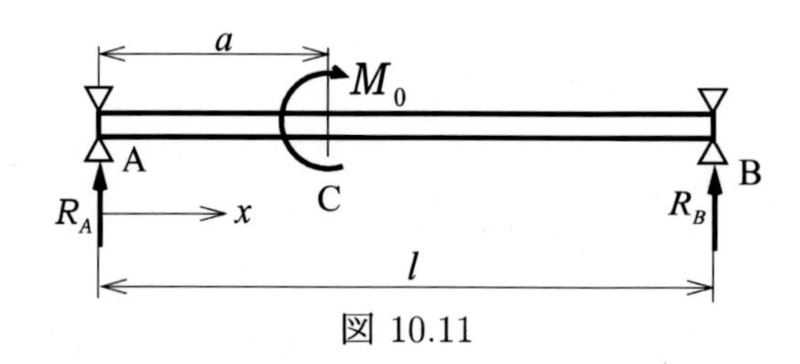

図 10.11

(1) モーメントつり合い式，力のつり合い式より支点反力 R_A, R_B を求めよ．
$(R_A = -M_0/l,\ R_B = M_0/l)$

(2) 区間 $(0 \leq x \leq a,\ a \leq x \leq l)$ ごとの曲げモーメント M_1, M_2 を求めよ．$(M_1 = -M_0x/l,\ M_2 = M_0(l-x)/l)$

(3) 区間ごとのたわみ y_1, y_2 の方程式を示し，順次積分せよ．なお，積分定数は，y_1 については C_1, C_2, y_2 については C_3, C_4 とする．

(4) 点Cの連続条件より未定係数 C_1, C_2, C_3, C_4 を決定し，区間ごとのたわみ y_1, y_2 を求めよ．

$$y_1 = \frac{M_0}{6EIl}(3a^2 - 6al + 2l^2 + x^2)x, \quad y_2 = -\frac{M_0}{6EIl}(l-x)\left\{3a^2 + x(x-2l)\right\}$$

(5) 点Cのたわみ y_c を求めよ．$\left(y_c = \dfrac{a(2a^2 - 3al + l^2)}{3EIl}M_0\right)$

10.9 図 10.12 に示すような，幅 b が $b = b_0x/l$ と直線状に変化する平等強さの片持はりの先端のたわみ $y_{\max}$ を求めよ．$\left(I_0 = \dfrac{b_0h^3}{12}\right.$ として，$\left.y_{\max} = \dfrac{3Wl^3}{2EI_0}\right)$

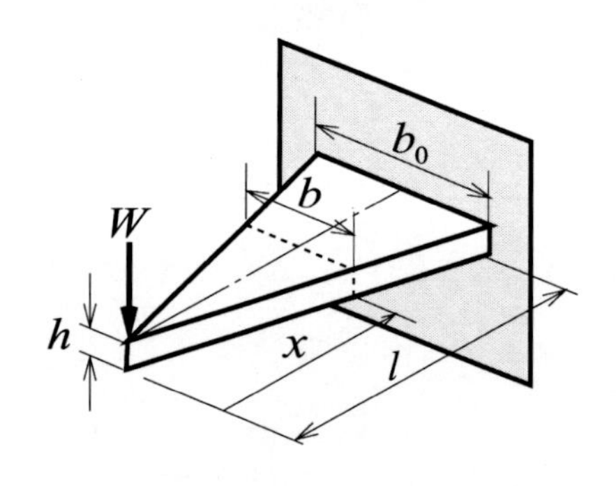

図 10.12

第11章　はりの複雑な問題－1

11.1　重ね合わせ法による不静定はりの解析（1）

重ね合わせ法の例として，図 11.1(a) のような一端支持，他端固定のはりに集中荷重 W が作用する場合を考える．すると，はりは支点からの反力 R_A, R_B および壁からの反モーメント M_B を受ける．このときの力および点 A まわりのモーメントつり合い式は

$$R_A + R_B = W, \quad -Wa + R_B l + M_B = 0 \tag{11.1}$$

であり，式が 1 つ不足して未知数 R_A, R_B, M_B を求めることができない．この場合は，第 1 章で

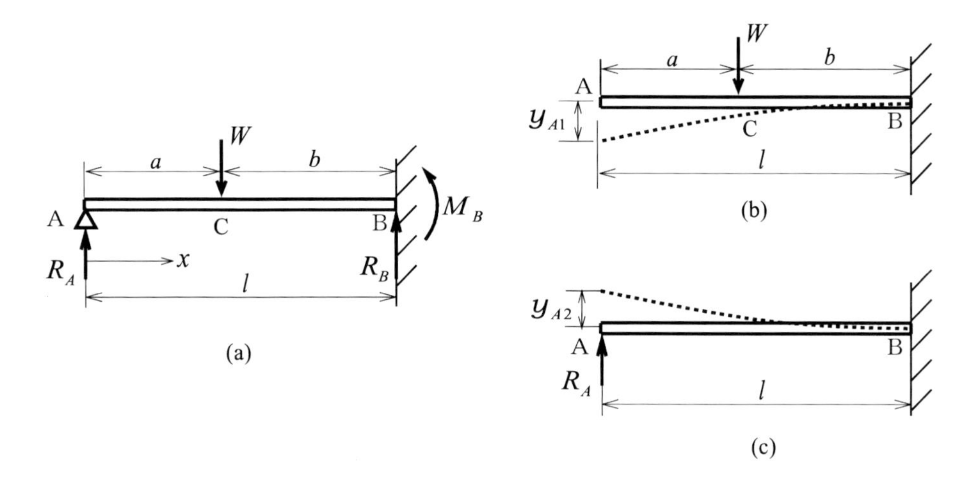

図 11.1 集中荷重を受ける一端支持，他端固定はり

も述べたように不静定問題に分類され，はじめに曲げモーメント M を求め，次にたわみ曲線を決定するという第 10 章で述べた手順（重複積分法とよばれている）を適用できない．

そこで，この問題を解くために，図 11.1(a) のはりを同図 (b), (c) のように 2 つに分けて，それぞれの場合について支点 A のたわみ y_{A1}, y_{A2} を求める．y_{A1} については付録 A.2.2(3)，y_{A2} には式 (10.6) を参照して

$$y_{A1} = \frac{W(l-a)^2}{6EI}(2l+a), \quad y_{A2} = -\frac{R_A l^3}{3EI}$$

となる．図 11.1(a) では点 A が支点であり，たわみがゼロであるから $y_{A1} + y_{A2} = 0$ となる．したがって

$$\frac{W(l-a)^2}{6EI}(2l+a) - \frac{R_A l^3}{3EI} = 0, \quad \therefore\ R_A = \frac{W(l-a)^2(2l+a)}{2l^3} \tag{11.2}$$

このように，単純なはりの問題を重ね合わせて不静定問題を解く方法を**重ね合わせ法**（superposition method）という．式（11.2）を式（11.1）に代入すると

$$R_B = W - R_A = \frac{Wa(3l^2 - a^2)}{2l^3}, \quad M_B = Wa - R_B l = -\frac{Wa(l^2 - a^2)}{2l^2} \tag{11.3}$$

となる．

なお，任意点のたわみやたわみ角は，図 11.1(b), (c) の結果を加えることにより得られる．実際には複雑な計算になるが，たわみの計算結果のみを示すと

$$\begin{aligned} 0 \le x \le a\ ;\ y_1 &= \frac{Wx(l-a)^2\{3al^2 - (a+2l)x^2\}}{12EIl^3}, \\ a \le x \le l\ ;\ y_2 &= \frac{Wa(l-x)^2\{3l^2x - a^2(2l+x)\}}{12EIl^3} \end{aligned} \tag{11.4}$$

となる．

11.2　たわみ方程式に基づく不静定問題の解析

図 11.2 のような中央に集中荷重 W を受ける両端固定はりも不静定問題に分類される．この問題は，重ね合わせ法によらないで，たわみ方程式に基づいて以下のように簡単に解くことができる．対称性から，支点反力，支点曲げモーメントは $R_A = R_B = W/2$, $M_A = M_B$ であり，点 A から x の位置（ただし，$0 \le x \le l/2$）の曲げモーメントは，$M = Wx/2 - M_A$ である．これを，式（10.5）に代入し，順次積分すれば

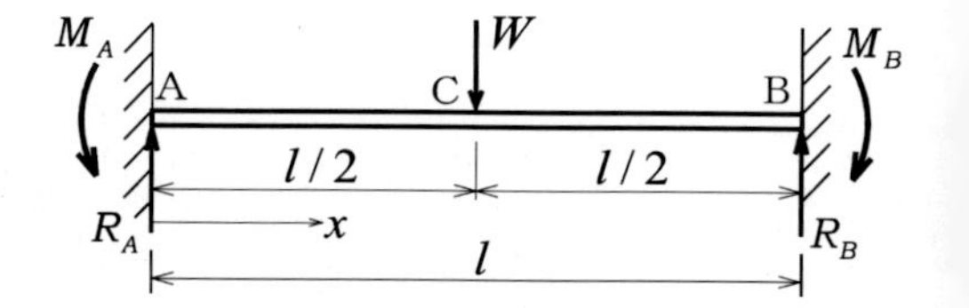

図 11.2 中央に集中荷重を受ける両端固定はり

$$\begin{aligned} \frac{d^2y}{dx^2} &= -\frac{1}{EI}\left(\frac{W}{2}x - M_A\right), \\ \frac{dy}{dx} &= -\frac{1}{EI}\left(\frac{Wx^2}{4} - M_Ax + C_1\right), \\ y &= -\frac{1}{EI}\left(\frac{Wx^3}{12} - \frac{M_A}{2}x^2 + C_1x + C_2\right) \end{aligned}$$

となる．ここで，C_1, C_2 は積分定数，M_A は固定端 A における曲げモーメントであり，境界条件 $x = 0$ で $y = 0$, $dy/dx = 0$ および $x = l/2$ で $dy/dx = 0$ から決定される．すなわち

$$0 = C_2 \quad \therefore\ C_2 = 0, \quad 0 = C_1 \quad \therefore\ C_1 = 0, \quad 0 = \frac{W(l/2)^2}{4} - M_A\frac{l}{2} \quad \therefore\ M_A = \frac{Wl}{8}$$

を得る．この結果をたわみおよびたわみ角の式に代入すれば

$$\theta = \frac{dy}{dx} = \frac{W}{8EI}x(l-2x), \quad y = \frac{W}{48EI}x^2(3l - 4x)$$

となる．最大たわみは $x = l/2$ に生じ，その値は

$$y_{\max} = \frac{Wl^3}{192EI} \tag{11.5}$$

で与えられる．

第11章の問題

11.1 図 11.3 のはりの支点反力 R_A および曲げモーメント線図を求めよ．($R_A = \dfrac{41wl}{128}$)

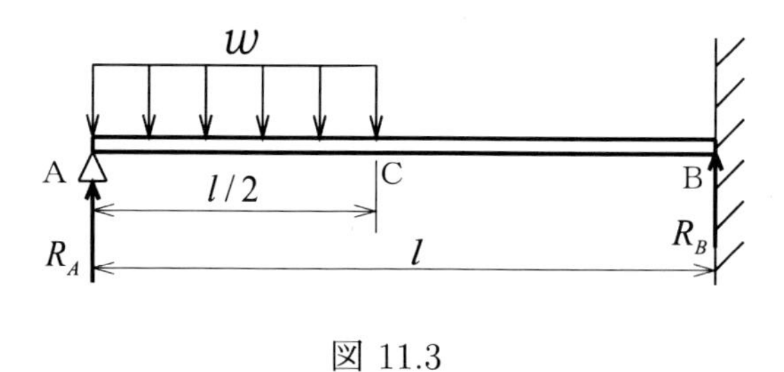

図 11.3

11.2 図 11.4 のはりの反力 R_A，R_B を求めよ．($R_A = \dfrac{1}{2l^3}\Big\{W_1 l_1^2(3l - l_1) + W_2 l_2^2(3l - l_2)\Big\}$, $R_B = W_1 + W_2 - R_A$)

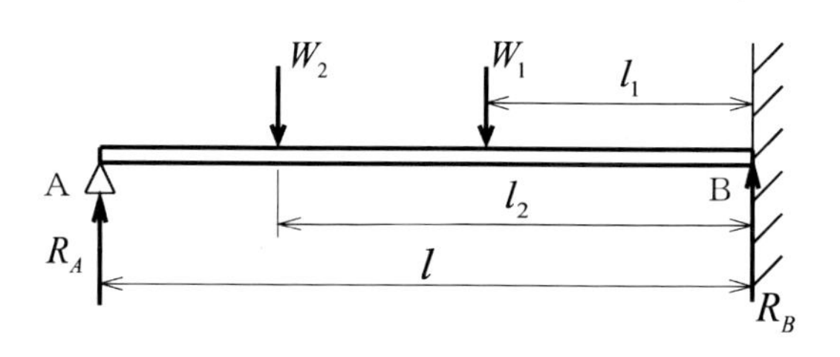

図 11.4

11.3 図 11.5 のように自由端をばね定数 k のばねで支えられた片持はりにおいて，ばねの反力 P を求めよ．($P = \dfrac{3wl}{8(1 + 3EI/(kl^3))}$)

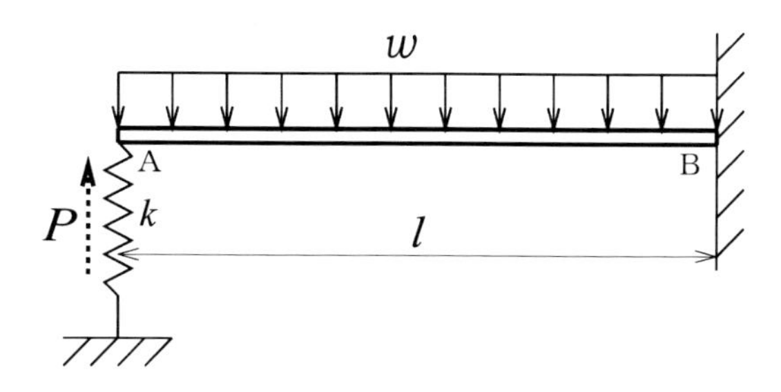

図 11.5

11.4　図 11.6(a) の 2 枚の板ばねの荷重作用端のたわみを求めよ．図 11.6(b) に示すように**板端接触の仮定**（assumption of beam edge contact，はりが別なはりの端部だけで接触して力を伝達すると仮定して計算を行うこと）を用いよ．(接触点反力 $R = 5W/4$, 先端たわみ $\delta = 13Wl^3/(64EI)$)

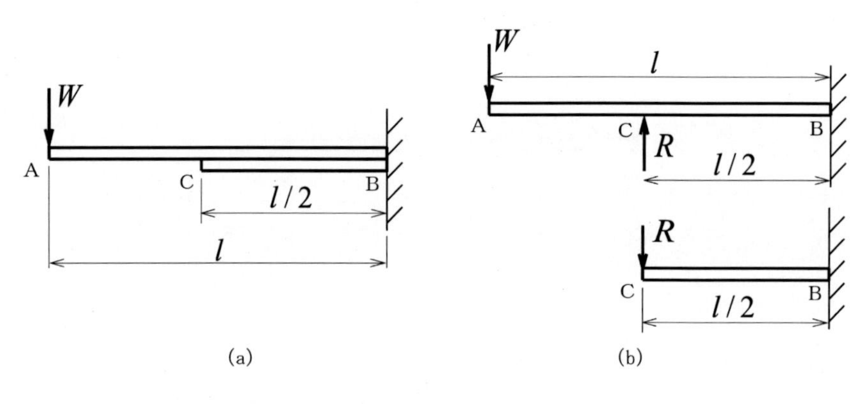

図 11.6

11.5　図 11.7 に示すような等分布荷重を受ける両端固定はりにおいて，たわみの方程式に基づいて反モーメント M_A および最大たわみ $y_{\max}$ を求めよ．($M_A = wl^2/12$, $y_{\max} = wl^4/(384EI)$)

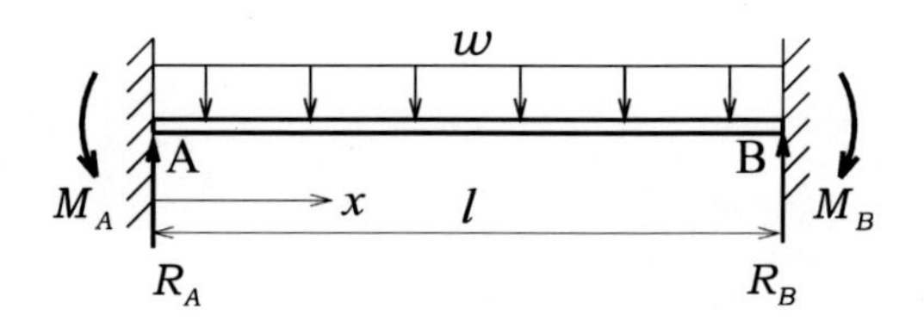

図 11.7

第12章　はりの複雑な問題－2（重ね合わせ法）

12.1　重ね合わせ法による不静定はりの解析（2）

【例題 12.1】

重ね合わせ法をさらに理解するために，今度は図 12.1 のような等分布荷重 w を受ける突き出しはりを考えよう．

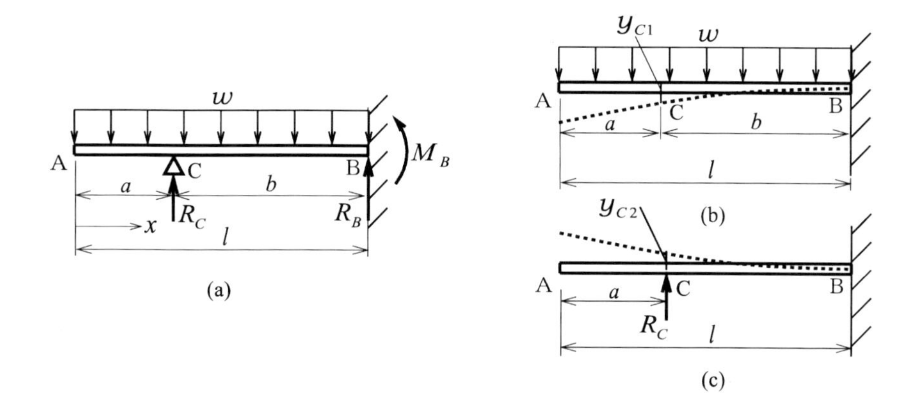

図 12.1 等分布荷重を受ける突き出しはり

【解】 この問題を解くために，図 12.1(a) のはりを同図 (b), (c) のように 2 つに分けて，それぞれの場合について点 C のたわみ y_{C1}, y_{C2} を求める．y_{C1} については付録 A.2.1(2)，y_{C2} については式（10.6）を参照して

$$y_{C1} = \frac{w(l-a)^2}{24EI}(3l^2 + 2al + a^2), \quad y_{C2} = -\frac{R_C(l-a)^3}{3EI}$$

となる．図 12.1(a) では点 C が支点であり，たわみがゼロであるから $y_{C1} + y_{C2} = 0$ となる必要がある．したがって

$$\frac{w(l-a)^2}{24EI}(3l^2 + 2al + a^2) - \frac{R_C(l-a)^3}{3EI} = 0, \quad \therefore\ R_C = \frac{w(3l^2 + 2al + a^2)}{8(l-a)} \tag{12.1}$$

を得る．

図12.1(a)の点Aのたわみy_Aは，図12.1(b)の点Aのたわみ（付録A.2.1(2)参照）と図12.1(c)の点Aのたわみ（付録A.2.1(3)参照）を加えて，

$$\begin{aligned} y_A &= \frac{wl^4}{8EI} - \frac{R_C(l-a)^2}{6EI}\{2l+a)\} = \frac{wl^4}{8EI} - \frac{w(3l^2+2al+a^2)}{48EI}(l-a)(2l+a) \\ &= \frac{w(-l^3+3al^2+3a^2l+a^3)}{48EI} \end{aligned} \tag{12.2}$$

となる．一方，せん断力および曲げモーメントは，式（12.1）の結果を用いて

$$\begin{aligned} &0 \le x \le a\,;\ Q_1 = -wx,\quad M_1 = -\frac{wx^2}{2}, \\ &a \le x \le l\,;\ Q_2 = -wx + R_C = \frac{w}{8}\left(\frac{3l^2+2la+a^2}{l-a} - 8x\right), \\ &\qquad M_2 = -\frac{wx^2}{2} + R_C(x-a) = \frac{w}{8}\left(\frac{(x-a)(3l^2+2la+a^2)}{l-a} - 4x^2\right) \end{aligned} \tag{12.3}$$

と得られる．

図12.2は，式（12.3）に基づき，支点位置を$a/l = 0, 0.25, 0.5, 0.75, 1$と変えたときのSFD，BMDの様子を表したものである．ただし，せん断力は$Q/(wl)$，曲げモーメントは$M/(wl^2)$と無次元表示している．支点位置が固定端側に近づくにつれて最大曲げモーメントが増大し，固定端に達したとき（すなわち支点が存在しない場合）に最も大きな値（$wl^2/2$）をとる様子がわかる．逆に言えば，片持はりに支点を1個設けるだけで曲げモーメント（もちろん変形も）を減少させられることが定量的に示されている．

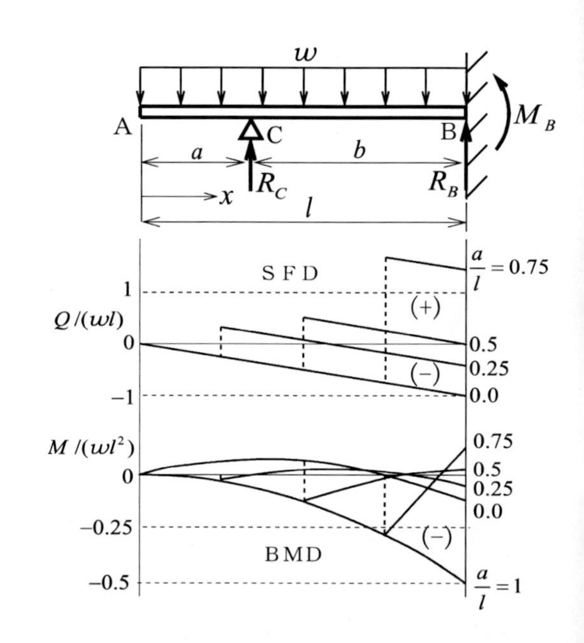

図 12.2 等分布荷重を受ける突き出しはりのSFD, BMD

以上，重ね合わせ法によって不静定問題を解く手順を示したが，このほかに，第14章で示すカスティリアノの定理によって解く方法がある．どちらかといえば，機械的に計算を進められる点で，カスティリアノの定理に基づく方法がわかりやすいように思われる．

第12章の問題

12.1 図12.3のような両端固定はりの曲げモーメント線図（BMD）を求めよ．

重ね合わせ法による解析手順を以下に示す．

(1) 図12.4(a)のように，集中荷重Wを受ける両端支持はりの左右支点のたわみ角θ_{A1}, θ_{B1}を求める（付録A.2.2(1)参照）．

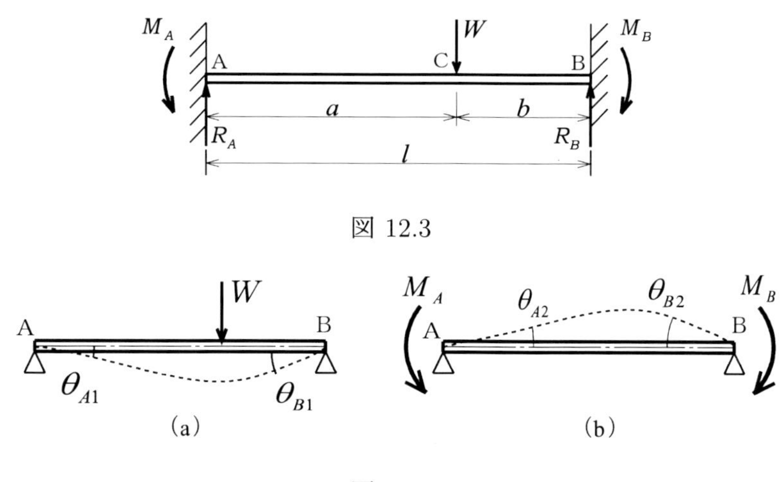

図 12.3

図 12.4

(2) 図 12.4(b) のように，両端支持はりの両端に未知モーメント M_A, M_B を作用させたときの θ_{A2}, θ_{B2} を求める（付録 A.2.2(3) 参照）．このとき，$\theta_{A1}+\theta_{A2}=0$, $\theta_{B1}+\theta_{B2}=0$ となればよいから，この 2 つの式より未知量 M_A, M_B を求める．($M_A=Wab^2/l^2$, $M_B=Wa^2b/l^2$)

(3) 両端固定はりの力のつり合い式および点 B の曲げモーメントつり合い式を考えて，未知反力 R_A, R_B を求める．($R_A=\dfrac{Wb^2(l+2a)}{l^3}$, $R_B=\dfrac{Wa^2(l+2b)}{l^3}$)

(4) 区間 $(0\leq x\leq a)$, $(a\leq x\leq l)$ ごとの曲げモーメントを求め，BMD を作図する．($M_C=2Wa^2b^2/l^3$．BMD は，$x=0$ で $-\dfrac{Wab^2}{l^2}$, $x=a$ で $\dfrac{2Wa^2b^2}{l^3}$, $x=l$ で $-\dfrac{Wa^2b}{l^2}$ の 3 点を結ぶ直線となる．)

12.2　上記**問題 12.1** の集中荷重 W の代わりに，図 12.5 のように等分布荷重 w が作用した場合はどうなるか．(両端の反モーメント：$M_A=M_B=\dfrac{wl^2}{12}$．ただし，図の負の向き．支点反力：$R_A=R_B=\dfrac{wl}{2}$, 中央点曲げモーメント：$(M)_{x=l/2}=\dfrac{wl^2}{24}$)

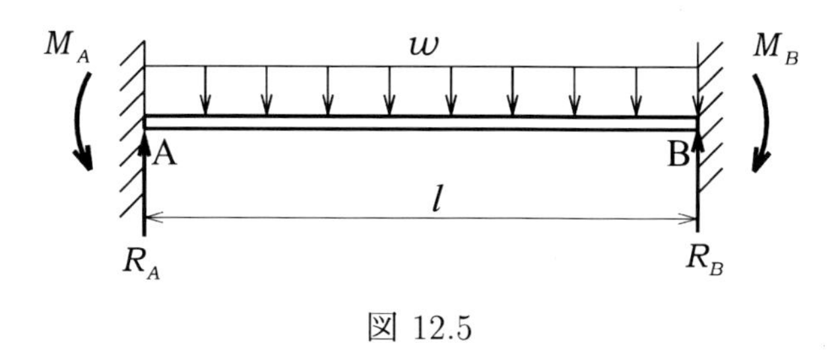

図 12.5

12.3　図 12.6 のように両端が支持された 2 本のはりがスパン中央で δ の間隔を持って直角に交わっている．

このとき，スパン中央に荷重 $P(>48EI\delta/l_2^3)$ が作用したとき，荷重点のたわみ $y_{\max}$ を求めよ．ただし，2 つのはりの曲げ剛性 EI は同じものとする．

(ヒント：両端支持はりのばね定数 $k_i=48EI/l_i^3 (i=1,2)$ を導入して考えるとよい．すなわち，は

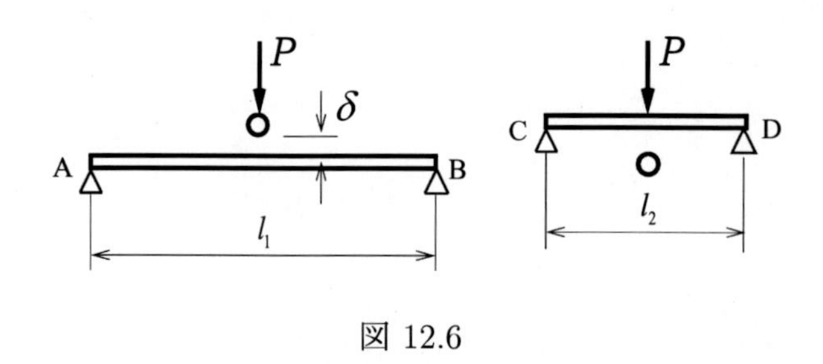

図 12.6

り同士が接触するまでは，$k_2 = 48EI/l_2^3$ のばねの変形と考え，接触後は，2つのはりが合成ばね定数 $k = k_1 + k_2$ の下で変形するものと考える.)（$y_{\max} = \dfrac{l_2^3}{l_1^3 + l_2^3}\left(\dfrac{Pl_1^3}{48EI} + \delta\right)$）

12.4 図 12.7 のように，長さ l の両端固定はりの中央をばね定数 k のばねで支え，この点に集中荷重 W を負荷したときの最大たわみを求めよ.（ヒント：式（11.5）を用いよ.）
（$y_{\max} = Wl^3/(192EI + kl^3)$）

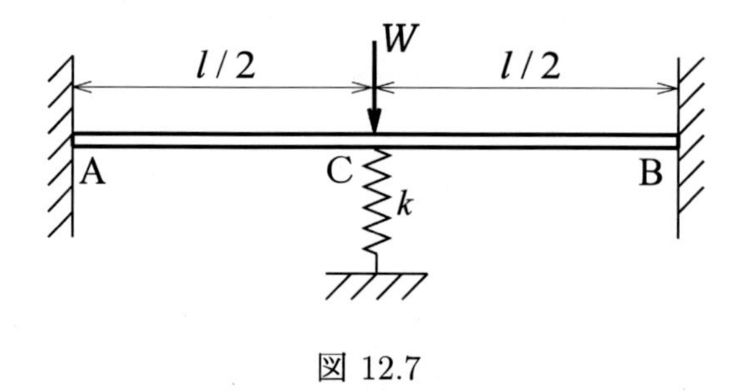

図 12.7

第13章　はりの複雑な問題－3（連続はりほか）

13.1　連続はり

3個以上の支点で支えられた不静定はりを特に**連続はり**（continuous beam）という．たとえば，図13.1のように3個の支点で支えられた等分布荷重wと集中荷重Wを受けるはりを考えよう．

支点A, B, Cに作用する反力をR_A, R_B, R_Cとすれば，これらは力のつり合いやモーメントのつり合いだけでは求められないから，このはりは不静定はりである．また，支点A, Cでは回転自由であるが，支点Bでは隣り合ったはりがほかのはりの変形を妨げているから，回転自由ではない．すなわち，支点Bでははりに曲げモーメントが作用することになる．ここでは，隣接したはりのたわみ角の連続条件から不静定の曲げモーメントを求める方法（これを**クラペイロンの3モーメントの定理**（Clapeyron's theorem of three moments）という）を考える[1]．

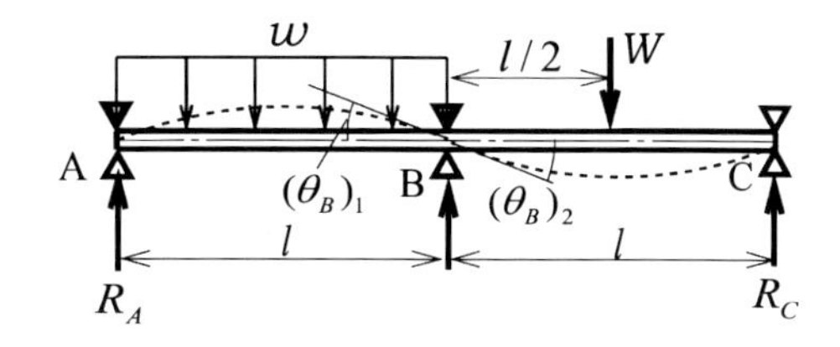

図 13.1　3点で支持されたはり

支点Bにおいてはりに作用している曲げモーメントをM_Bとし，このはりを図13.2(a), (b)のように2つの支持はりに分割して考えると，各はりには図のような力および曲げモーメントが作用することになる．支点Bの反力R_Bは，左右のはりに分解され，$R_B = R_{B1} + R_{B2}$である．

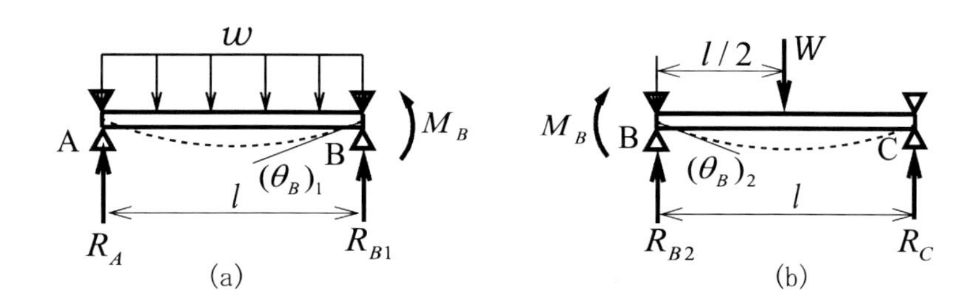

図 13.2　3点支持はりの分解

[1]B. P. E. Clapeyron（1799-1864，フランスの物理学者，工学者）は，フランス鉄道の建設に関係する業務に携わり，1848年に多径間連続橋の設計を行ったときに，連続はりの新しい解析法（3モーメントの定理）を提案した．また，彼は，熱力学を蒸気機関の設計に応用することにも注力していた．物質がある温度で気液平衡の状態にあるときの蒸気圧と蒸発に伴う体積の変化および蒸発熱を関係づける式として知られている，クラウジウス・クラペイロンの式にもその名を残している．一見，関係がなさそうに見える分野，すなわち熱力学と材料力学における業績は，実は鉄道というキーワードでつながっていたのである．

図13.2(a)の支点Bのたわみ角$(\theta_B)_1$は，付録A.2.2(2), (3)より

$$(\theta_B)_1 = -\frac{wl^3}{24EI} - \frac{M_B l}{3EI}$$

となる．図13.2(b)の支点Bのたわみ角$(\theta_B)_1$は，同様に付録A.2.2(1), (3)より

$$(\theta_B)_2 = \frac{Wl^2}{16EI} + \frac{M_B l}{3EI}$$

を得る．ここで，支点Bにおいては，2つのはりのたわみ角は一致するから$(\theta_B)_1 = (\theta_B)_2$とおけば

$$-\frac{wl^3}{24EI} - \frac{M_B l}{3EI} = \frac{Wl^2}{16EI} + \frac{M_B l}{3EI} \quad \therefore M_B = -\frac{l}{32}(2wl + 3W)$$

である．なお，M_Bの負号は，図に仮定した方向とは逆向きであることを示している．

また，支点反力R_{B1}, R_{B2}は，はり(a), (b)のモーメントつり合い式より

$$R_{B1}l + M_B - \frac{wl^2}{2} = 0, \quad -M_B + \frac{W}{2}l - R_{B2}l = 0$$

$$\therefore\ R_{B1} = \frac{9wl}{16} + \frac{3}{32}W, \quad R_{B2} = \frac{wl}{16} + \frac{19}{32}W, \quad R_B = R_{B1} + R_{B2} = \frac{5wl}{8} + \frac{11}{16}W$$

となる．さらに，はり(b), (c)のモーメントつり合い式を立てて支点反力R_A, R_Cを求めると

$$R_A = \frac{7}{16}wl - \frac{3}{32}W, \quad R_C = -\frac{1}{16}wl + \frac{13}{32}W$$

を得る．以上の反力を加えると，$R_A + R_B + R_C = wl + W$となっており，力のつり合いを満たしていることがわかる．

第13章の問題

13.1 図 13.3 の支点反力，支点曲げモーメントをクラペイロンの 3 モーメントの定理により求めよ．($R_A = R_C = 5W/16$, $R_B = 11W/8$, $M_B = -3Wl/16$)

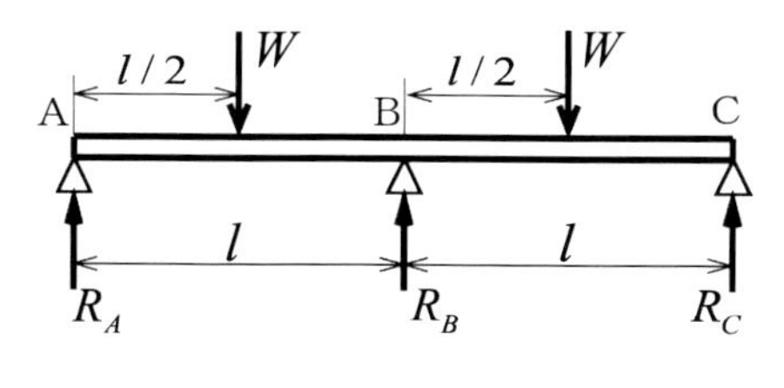

図 13.3

（ヒント：以下の図 (a), (b) を参照せよ.）

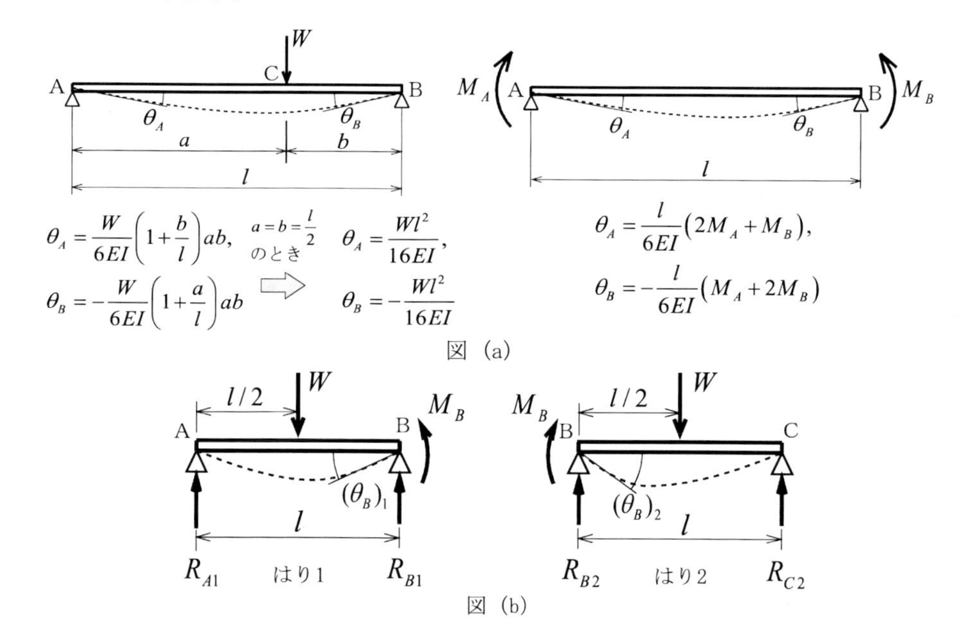

図 (b)

13.2 図 13.4 のように，断面 $b \times h$ の同じ長さ l を持つはりが互いに直角に置かれている．一本のはりの両端は固定，ほかのはりの両端は支持端とし，中央の交差点に W が作用したときの中央位置のたわみを求めよ．また，両方のはりの曲げモーメント図を求めよ．($\delta = \dfrac{Wl^3}{240EI}$)

13.3 両端を固定した長さ l のはりの一端が図 13.5 のように δ だけ変位したとき，任意点の曲げモーメント M を求めよ．(固定端反力を R_A, R_B，反モーメントを R_B，M_B として，$R_A = 12EI\delta/l^3, M_A = -6EI\delta/l^2$，$R_B = 12EI\delta/l^3$, $M_B = 6EI\delta/l^2$, $M = R_A x + M_A = (6EI\delta/l^2)(-1 + 2x/l)$)

13.4 図 13.6(a) のような等分布荷重を受けるはりの中央のたわみ δ_C を求めたい．曲げ剛性を EI とし，以下の問いに答えよ．

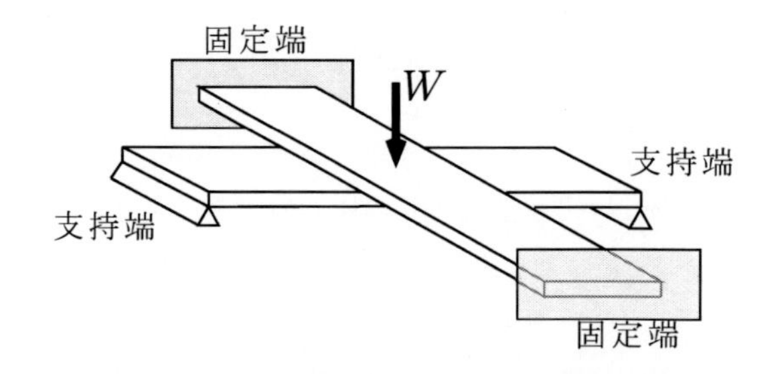

図 13.4

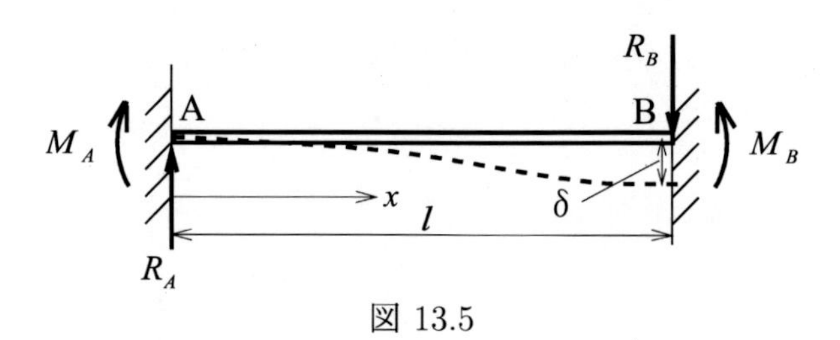

図 13.5

（1）図 13.6(b) の ξ の位置の微小荷重 $wd\xi$ による，はり中央の微小たわみ $d\delta_c$ を求めよ．(ヒント：**問題 10.3** の結果より（または付録 A.2.2(1) より），$x = a$ の位置に集中荷重 W を受ける両端支持はりの $x = l/2$ におけるたわみ $(y)_{x=l/2}$ は，$b = l - a$ として，$(y)_{x=l/2} = Wb(3l^2 - 4b^2)/(48EI)$ である．これを利用するとよい．)

（2）（1）の結果に基づいて，はりの中央のたわみ δ_C を求めよ．($\delta_C = \dfrac{5wl^4}{768EI}$)

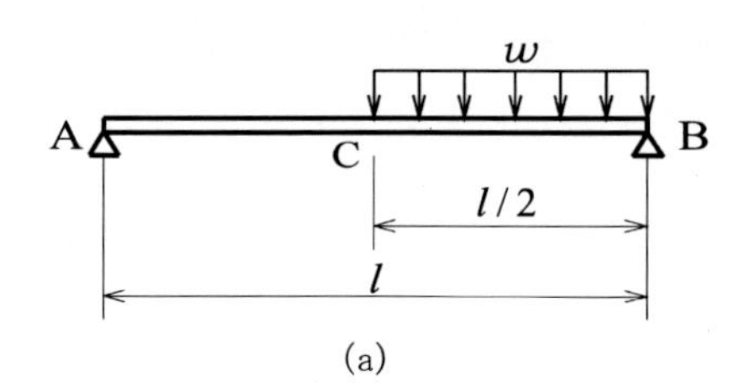

(a)

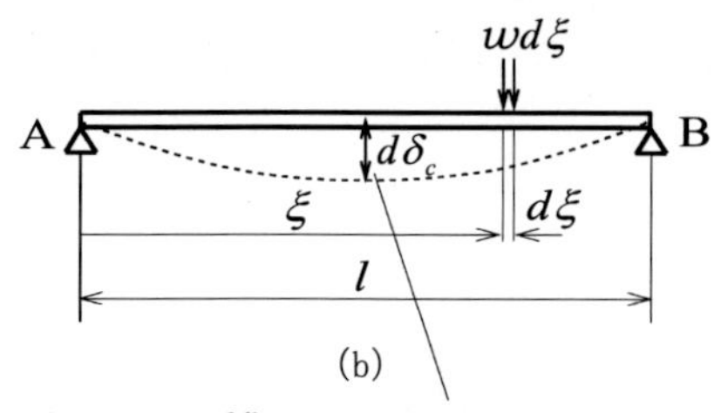

(b)

微小荷重 $wd\xi$ によるはり中央の微小たわみ：$d\delta_c$

図 13.6

第14章　カスティリアノの定理

14.1　単軸応力状態におけるひずみエネルギー

物体に外力が作用すると，物体は変形する．これは，外力が物体に対して仕事をすることを表しているが，その仕事の全部もしくは一部が物体内に変形に伴うエネルギーとして蓄えられることを意味する．このとき，弾性範囲にある場合の変形のエネルギーを**弾性ひずみエネルギー**（elastic strain energy）という．以下，3つの単軸応力状態下の弾性ひずみエネルギー（以下，単にひずみエネルギーという）を求める．

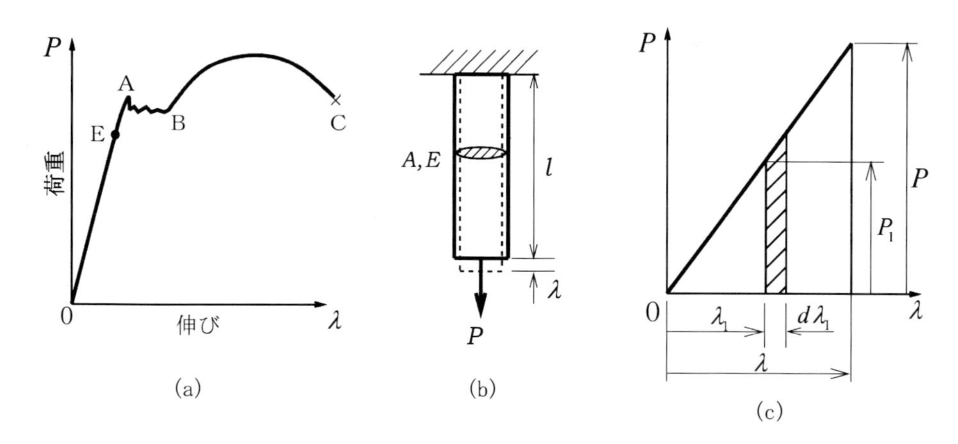

図 14.1 荷重－伸び線図

(1) 引張りと圧縮　図 14.1(a) は，軟鋼棒を引張ったときの荷重－伸び線図である．同図においてOEの部分はフックの法則に従う弾性範囲であり，この範囲では，外力のなした仕事を U とおくと，図 14.1(c) より

$$U = \int_0^{\lambda} P_1 d\lambda_1 = \int_0^{\lambda} P\frac{\lambda_1}{\lambda} d\lambda_1 = \frac{P}{\lambda}\left[\frac{\lambda_1^2}{2}\right]_0^{\lambda} = \frac{1}{2}P\lambda \tag{14.1}$$

となる．図 14.1(b) の真直棒では，伸びは $\lambda = Pl/(AE)$ であるから，これを式（14.1）に代入すると

$$U = \frac{P^2 l}{2AE} = \frac{\sigma^2 Al}{2E} \tag{14.2}$$

となる．これは，棒が蓄えるひずみエネルギーでもある．なお，荷重，断面形状，寸法が軸方向に変化する場合は，微小長さ dx を考え，これに蓄えられる微小ひずみエネルギー dU の積分を行っ

て棒全体のひずみエネルギーを求めればよい．したがって

$$U = \int_0^l \frac{P^2}{2AE} dx \tag{14.3}$$

(2) 曲 げ 図14.2は，曲げモーメントMによってはりを曲げた様子を示した図である．はりには曲げ応力σを生じ，これによるひずみエネルギーは，引張りまたは圧縮応力によるひずみエネルギーをはり断面全体および全長lにわたって積分することにより得られ（式（14.2）の体積AlをdVと考える）

$$U = \int dU = \int \frac{\sigma^2}{2E} dV = \iint \frac{\sigma^2}{2E} dA dx \tag{14.4}$$

となる．曲げ応力は，式（9.6）より$\sigma = My/I$であるから

$$U = \int_0^l \frac{M^2}{2EI^2} dx \int_A y^2 dA = \int_0^l \frac{M^2}{2EI} dx \tag{14.5}$$

ここで，$\int_A y^2 dA = I$の関係を用いた．

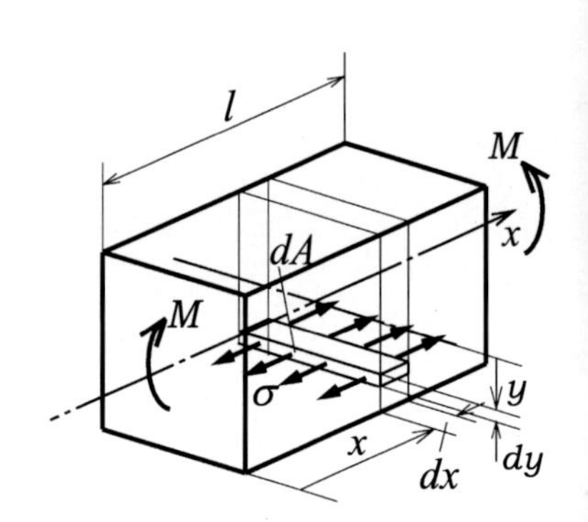

図 14.2 はりの微小要素に作用する曲げ応力

(3) ねじり 棒をねじった場合は，ここでは詳しい誘導は省略するが，式（14.3），式（14.5）の類推より

$$U = \int_0^l \frac{T^2}{2GI_p} dx \tag{14.6}$$

が導かれる．ここで，GI_pはねじり剛性，Tは作用トルクである．

【例題 14.1】

Compare the amount of strain energy of the three bars shown in Fig.14.3. Assume that the Young's modulus of each bar is equal to E.

【解】 式（14.2）より，各棒のひずみエネルギーは

$$U_a = \frac{P^2 l}{2(\pi d^2/4)E} = \frac{2P^2 l}{\pi d^2 E},$$

$$U_b = \frac{P^2(l/2)}{2(\pi d^2/4)E} + \frac{P^2(l/2)}{2(\pi d^2)E} = \frac{5P^2 l}{4\pi d^2 E},$$

$$U_c = \frac{P^2 l}{2(\pi d^2)E},$$

$$\therefore\ U_a : U_b : U_c = 1 \ :\ \frac{5}{8}\ :\ \frac{1}{4}$$

となる．これより，図14.3(a)の棒が最も大きな弾性ひずみエネルギーを有することがわかる．

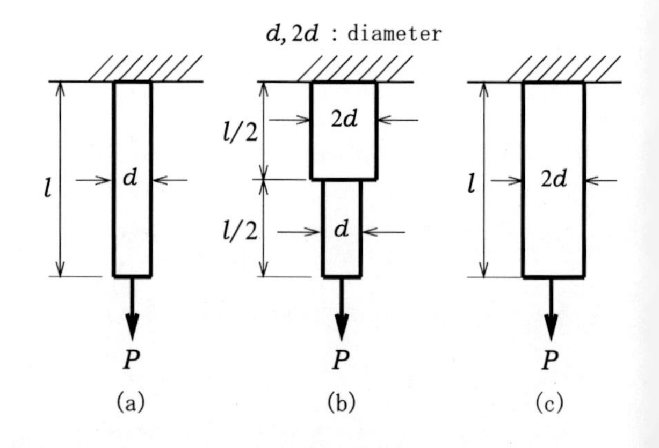

図 14.3 Strain energies of bars with different cross-section

【例題 14.2】

スパン l の両端支持はりが中央に集中荷重 W を受ける場合のひずみエネルギー U を求めよ.

【解】 左支点から x の位置の曲げモーメント M は，$W=(W/2)x$（ただし，$0 \le x \le l/2$）であるから，はり全体のひずみエネルギーは，対称性を利用して

$$U = 2\int_0^{l/2} \frac{M^2}{2EI}dx = \frac{W^2}{4EI}\int_0^{l/2} x^2 dx = \frac{W^2 l^3}{96EI}$$

となる．なお，$l/2 \le x \le l$ では，$M=(W/2)x - W(x-l/2) = W(l-x)/2$ なので

$$U = \frac{1}{2EI}\int_0^{l/2}\left(\frac{Wx}{2}\right)^2 dx + \frac{1}{2EI}\int_{l/2}^{l}\left(\frac{W(l-x)}{2}\right)^2 dx = \frac{W^2 l^3}{192EI} + \frac{W^2 l^3}{192EI} = \frac{W^2 l^3}{96EI}$$

と計算してもよいが，対称性を利用した方が計算が簡単である．

14.2 カスティリアノの定理

Carlo Alberto Castigliano（1847-1884，イタリアの数学者，物理学者）は，1873 年に，トリノ工科大学に提出した学位論文「Intorno ai sistemi elastici （About elastic systems)」の中で，「"... the partial derivative of the strain energy, considered as a function of the applied forces acting on a linearly elastic structure, with respect to one of these forces, is equal to the displacement in the direction of the force of its point of application."」（ひずみエネルギー（これは線形弾性構造物に作用している力の関数であるが）の偏微分は，その力の作用している方向の変位に等しい）と述べている．これが，材料力学において重要な役割を果たしている**カスティリアノ（Castigliano）の定理**である．なお，彼は，その後，イタリア上部鉄道（SFAI，Railways of Northern Italy）にて様々な仕事をしていたが，惜しいことに肺炎のために 36 才で早逝している．

この定理を証明するために，図 14.4 のように，n 個の荷重 $P_1, \cdots, P_i, \cdots, P_n$ を受けて静的につり合い状態にある弾性体を考え，そのひずみエネルギーを U とする．そのうちの荷重 P_i だけが $P_i \to P_i + dP_i$ と増加する場合を考えると，ひずみエネルギーも増加して

$$U + \frac{\partial U}{\partial P_i}dP_i \tag{14.7}$$

となる．なお，変位 λ_i は荷重 P_i の方向の変位とする．

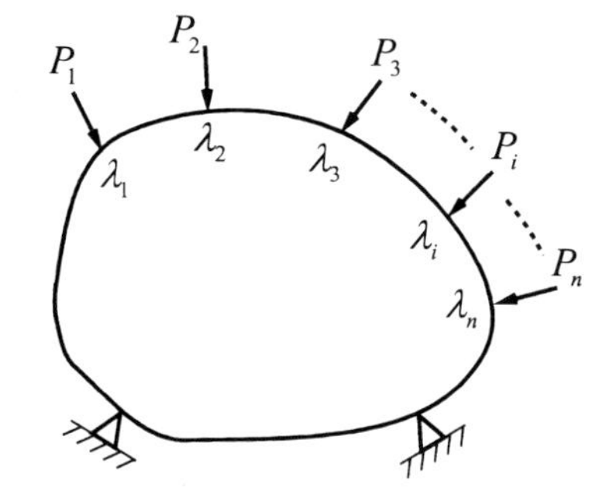

図 14.4 n 個の荷重を受けてつり合い状態にある弾性体

この状態は，荷重の順序を入れ替え，はじめに dP_i の荷重を加えその後に $P_1, \cdots, P_i, \cdots, P_n$ を加えた状態と同じである．このときのひずみエネルギーのうち dP_i による初めのエネルギーは $\frac{1}{2}dP_i d\lambda_i$ で 2 次の微小量となって無視する．次の段階の負荷によるひずみエネルギーは，dP_i は一定値を保ったままであるので

$$U + \lambda_i dP_i \tag{14.8}$$

となる．式（14.7）と式（14.8）は等しいから

$$U + \frac{\partial U}{\partial P_i} dP_i = U + \lambda_i dP_i, \quad \therefore \ \lambda_i = \frac{\partial U}{\partial P_i} \tag{14.9}$$

が得られる．すなわち，外力の関数として表されたひずみエネルギーUをそのうちの一つの外力P_iで微分すれば，その荷重方向の変位λ_iが得られる．これを，**カスティリアノの定理**（Castigliano's theorem）という．なお，荷重P_iをモーメントM_iで置き換えると，M_i方向の角変位（たわみ角）θ_iが次のように得られる．

$$\theta_i = \frac{\partial U}{\partial M_i}$$

【例題 14.3】

図 14.5 は，先端に集中荷重Pを受ける片持はりである．このはりの荷重点 A のたわみδ_Aおよびたわみ角θ_Aを求めよ．

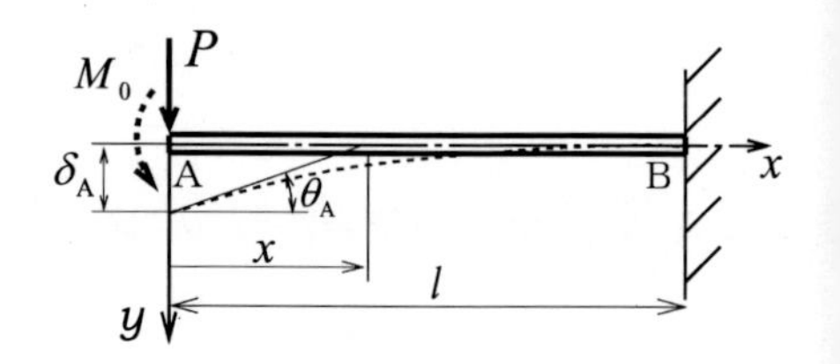

図 14.5 集中荷重を受ける片持はりのカスティリアノの定理による解析

【解】 この場合，点 A のたわみ角を求めるには，それに対応する**仮想曲げモーメント**（virtual bending moment）M_0を加える必要がある．その結果，任意位置xにおける曲げモーメントは$M = -Px - M_0$である．したがって，式（14.5）および式（14.9）より，実際にはM_0が作用していないことを考慮して

$$\delta_A = \left(\frac{\partial U}{\partial P}\right)_{M_0 \to 0} = \left(\frac{\partial}{\partial P}\int_0^l \frac{M^2}{2EI}dx\right)_{M_0 \to 0} = \left(\int_0^l \frac{M}{EI}\cdot\frac{\partial M}{\partial P}dx\right)_{M_0 \to 0}$$

$$= \frac{1}{EI}\int_0^l (-Px)(-x)dx = \frac{Pl^3}{3EI},$$

$$\theta_A = \left(\int_0^l \frac{M}{EI}\cdot\frac{\partial M}{\partial M_0}dx\right)_{M_0 \to 0} = \frac{1}{EI}\int_0^l (-Px)\cdot(-1)\cdot dx = \frac{Pl^2}{2EI}$$

を得る．以上の結果は，式（10.6）と同じである．なお，ここでのたわみ角θ_Aは，M_0と同じ反時計回りの向きである．

カスティリアノの定理の応用範囲は広い．特に，以下の**問題 14.3** などに示した不静定問題に有効であるが，そのほか**問題 14.7** の骨組構造などの解析にも有用である．

第14章の問題

14.1 図 14.6 のような円錐棒の下端にPを作用させたとき，棒に貯えられるひずみエネルギーを求めよ．ただし，直径$d_2 > d_1$とする．（ヒント：断面積$A(x) = \pi d^2/4$，縦弾性係数E，引張り力Pを受ける棒のひずみエネルギーは，式（14.3）より$U = \int_0^l \frac{P^2}{2A(x)E}dx = \frac{P^2}{2E}\int_0^l \frac{1}{A(x)}dx$により得られる．）（$U = \frac{2P^2 l}{\pi E d_1 d_2}$）

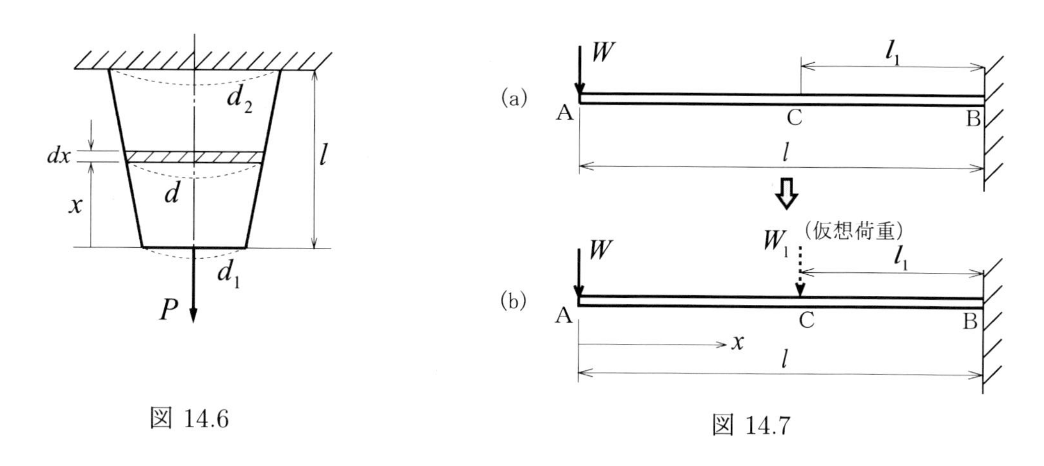

図 14.6　　図 14.7

14.2 図 14.7(a) のような片持はりの任意位置 C のたわみをカスティリアノの定理を用いて求めよ．

（ヒント：図 14.7(b) のように点 C に**仮想荷重**（virtual load）W_1 を負荷する．その後，区間ごとの曲げモーメント

$0 \leq x \leq (l - l_1)$: $M_1 = \cdots\cdots$,　$(l - l_1) \leq x \leq l$: $M_2 = \cdots\cdots$

を求める．次に，$U = (M_1$ によるひずみエネルギー$) + (M_2$ によるひずみエネルギー$)$ として点 C のたわみを $\delta_C = \lim_{W_1 \to 0} \dfrac{\partial U}{\partial W_1}$ により求める．）

$(\delta_C = \dfrac{W l_1^2 (3l - l_1)}{6EI})$

14.3 図 14.8 のように A 端を支持する片持はりの A 端の反力 R_A をカスティリアノの定理によって求めよ．（ヒント：はりのひずみエネルギー U を求め $\partial U / \partial R_A = 0$ の条件から R_A を求める．）$(R_A = 41wl/128)$

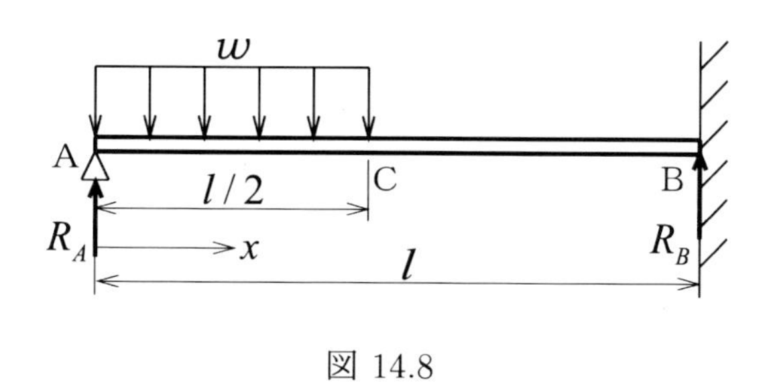

図 14.8

14.4 **問題 12.2** において，カスティリアノの定理を用いて，左側固定端の反力および反モーメント R_A, M_A を求めよ．ただし，固定端の反モーメント M_A は負の向きを仮定すること．$(R_A = wl/2$, $M_A = wl^2/12)$

14.5 図 14.9 のように 3 つの異なる材料を接合した同一断面の片持はりがある．それぞれの部材のヤング率（縦弾性係数）を E_1, E_2, E_3 とする．また，3 つの部材の断面形状と長さは等しいものとす

る．このはりの断面2次モーメントをIとし，点Bに集中荷重Wを受ける場合の点A, B, Cのたわみを求めよ．($y_A = 5Wl^3/(6E_1I)$, $y_B = (E_1+7E_2)Wl^3/(3E_1E_2I)$, $y_C = (5E_1+23E_2)Wl^3/(6E_1E_2I)$)

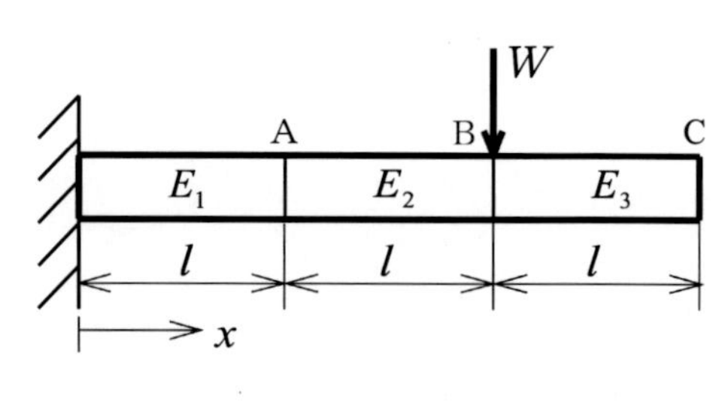

図 14.9

14.6　**問題13.4**のはり中央のたわみδ_Cを，以下の手順に沿って求めよ．

(1) はり中央に仮想荷重Pを負荷したときの支点反力R_A, R_Bを求めよ．($R_A = (P/2 + wl/8)$, $R_B = (P/2 + 3wl/8)$)

(2) 各区間の曲げモーメント$M_1(0 \le x \le l/2)$および$M_2(l/2 \le x \le l)$を求めよ．

　($M_1 = (P/2 + wl/8)x$, $M_2 = (P/2 + 3wl/8)(l - x) - w(l - x)^2/2$)

(3) $\delta_C = \lim_{P\to 0} \dfrac{\partial U}{\partial P}$に基づいて$\delta_C$を求めよ．ただし，$U$をはりのひずみエネルギー，$EI$をはりの曲げ剛性とする．($\delta_C = \dfrac{5wl^4}{768EI}$)

14.7　図14.10は，節点Aに垂直荷重Pを受ける静定トラスである．各部材はすべて同じ引張り剛性AEを有するものとする．節点Aの垂直変位δ_V（下向き）および水平変位δ_H（右向き）を求めたい．以下の問いに答えよ．なお，部材力はすべて引張りと仮定して答えること．

(1) 点Aに図のような仮想荷重Qを負荷し，節点Aの力のつり合い式を立てて部材力AB, ACを求めよ．($AB = \sqrt{2}P$, $AC = -Q - P$)

(2) 同様に，節点B, Cで力のつり合い式を立てて部材力BC, BDならびにCD, CEを求めよ．($BC = -P$, $BD = P$, $CD = \sqrt{2}P$, $CE = -Q - 2P$)

(3) トラス全体のひずみエネルギーUを求め，カスティリアノの定理を利用して節点Aの垂直変位δ_Vおよび水平変位δ_Hを求めよ．($\delta_V = \left(7 + 4\sqrt{2}\right)\dfrac{Pl}{AE}$, $\delta_H = \dfrac{3Pl}{AE}$)

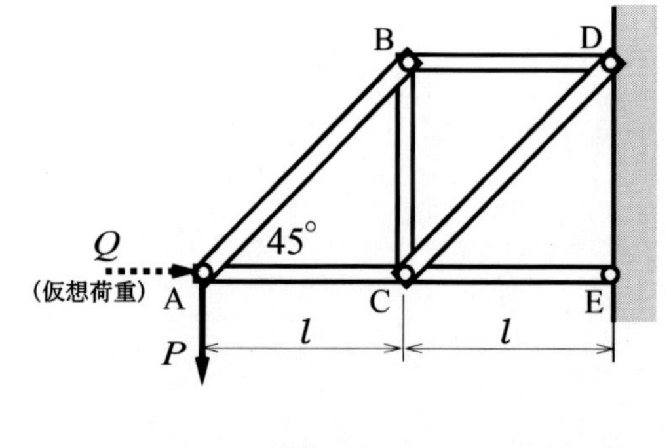

図 14.10

第15章　最小仕事の原理ほか

15.1　最小仕事の原理

最小仕事の原理（principle of least work）を説明するために第13章で取り上げた連続はりを考える．

図15.1(a) は3点で支持された連続はりで，同図 (b), (c) は，このはりを支点Bで切断し，支点Bに作用する曲げモーメント M_B を受ける2つの静定はりである．はりABの支点反力，曲げモーメントおよびひずみエネルギーは

$$R_A = \frac{wl}{2} + \frac{M_B}{l},$$
$$M_1 = R_A x - \frac{wx^2}{2},$$
$$U_1 = \frac{1}{2EI}\int_0^l M_1^2 dx$$

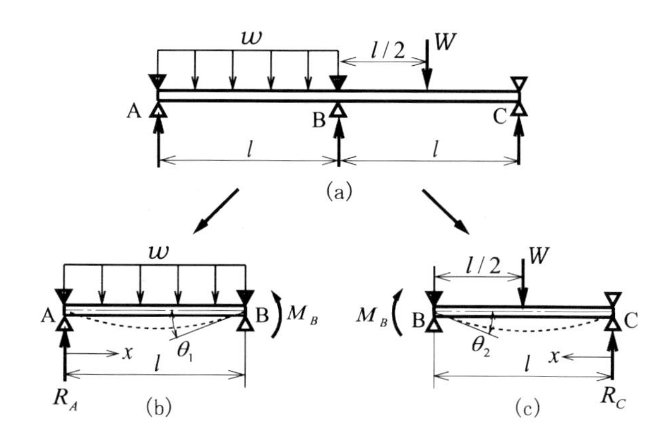

図15.1 連続はりの最小仕事の原理による解析

となる．はりBCについても，x 軸の原点を点Cにとって考えると

$$R_C = \frac{W}{2} + \frac{M_B}{l},\quad 0 \le x \le l/2 : M_{21} = R_C x,$$
$$l/2 \le x \le l : M_{22} = R_C x - W(x - l/2),\quad U_2 = \frac{1}{2EI}\int_0^{l/2} M_{21}^2 dx + \frac{1}{2EI}\int_{l/2}^{l} M_{22}^2 dx$$

と得られる．それぞれのはりに生じる点Bのたわみ角 θ_1, θ_2 は，カスティリアノの定理を用いて

$$\theta_1 = \frac{\partial U_1}{\partial M_B} = \frac{1}{EI}\int_0^{l/2} M_1 \frac{x}{l} dx = \frac{(wl^2 + 8M_B)l}{24EI},$$
$$\theta_2 = \frac{\partial U_2}{\partial M_B} = \frac{1}{EI}\int_0^{l/2} M_{21} \frac{x}{l} dx + \frac{1}{EI}\int_{l/2}^{l} M_{22} \frac{x}{l} dx = \frac{(3W + 16M_B)l}{48EI}$$

と表される．ここで，2つのはりの点Bのたわみ角は等しいから

$$-\theta_1 = \theta_2,\ \text{あるいは},\ \frac{\partial (U_1 + U_2)}{\partial M_B} = 0,\quad \therefore\ M_B = -\frac{l}{32}(2wl + 3W)$$

となる．上式より，不静定量 M_B は，はりが持つひずみエネルギーが極小になるような値となっていることがわかる．このことを一般化すれば，**「不静定問題では，不静定量を含んで全ひずみエ**

ネルギーを表し，これを不静定量で偏微分してゼロとおいた式を解けば不静定量が得られる」といえる．これを，**最小仕事の原理**という．

問題 14.3 では，不静定反力を定めるために支点におけるたわみがゼロであることに注目したが，必ずしもたわみやたわみ角がゼロになる点に作用する反力や曲げモーメントを不静定量として選ばなくてもよい．

第 15 章の問題

15.1 図 15.2 のように長さ $2l$，および l の 2 つの片持はりがローラーで連結されている．上のはりの中央に集中荷重 W が作用しているとき，結合点 C および荷重点のたわみを求めよ．ただし，両方のはりの E, I は同一とする．(ヒント：点 C では 2 つのはり AC, CD が相互に力 R を及ぼし合っている．また，2 つのはりの点 C でのたわみが等しい．)（$\delta_C = 5Wl^3/(54EI)$, $\delta_W = 11Wl^3/(108EI)$）

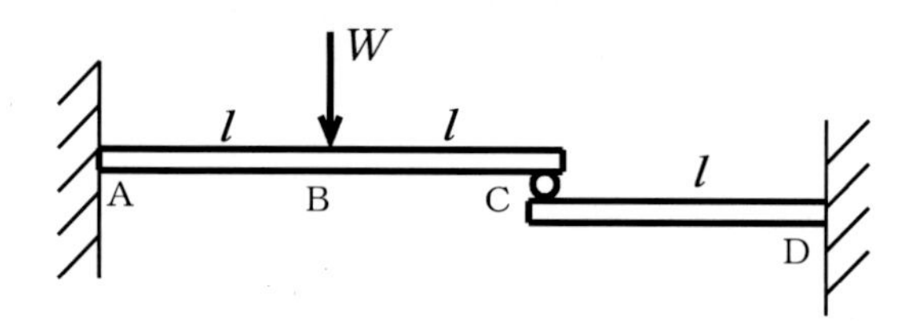

図 15.2

15.2 2 つの片持はりが，図 15.3 のようにピンにより自由端で連結され，この点に集中荷重 W が作用している．このとき，連結点のたわみを求めよ．なお，2 つのはりは長さ，断面形状，材料も異なるものとする．(ヒント：**問題 15.1** と同様に考える．)（$\delta_C = \dfrac{Wa^3b^3}{3(E_2I_2a^3 + E_1I_1b^3)}$）

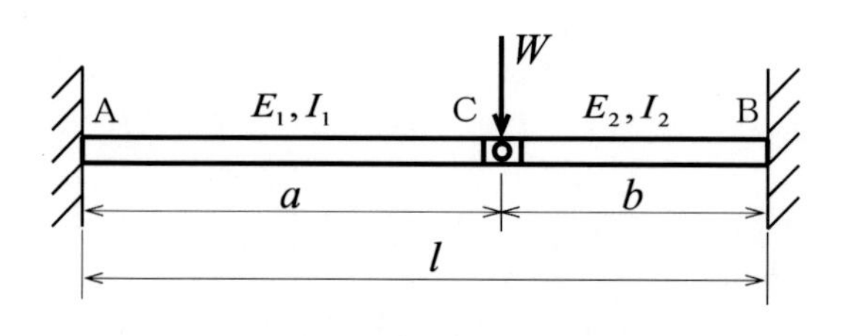

図 15.3

15.3 図 15.4 のような三角形状分布荷重を受ける両端固定はりについて，固定端から受ける曲げモーメント M_A, M_B および反力 R_A, R_B を求めよ．（$M_A = \dfrac{w_0l^2}{30}$, $M_B = \dfrac{w_0l^2}{20}$, $R_A = 3w_0l/20$, $R_B = 7w_0l/20$）

15.4 A thin semicircular arch ring of mean radius R is pin-supported on unyielding foundations at its ends A and B and carries a vertical load P at the crown C, as shown in Fig.15.5. Using the theorem of Castigliano, find the horizontal components H of the reactions at A and B. (名詞

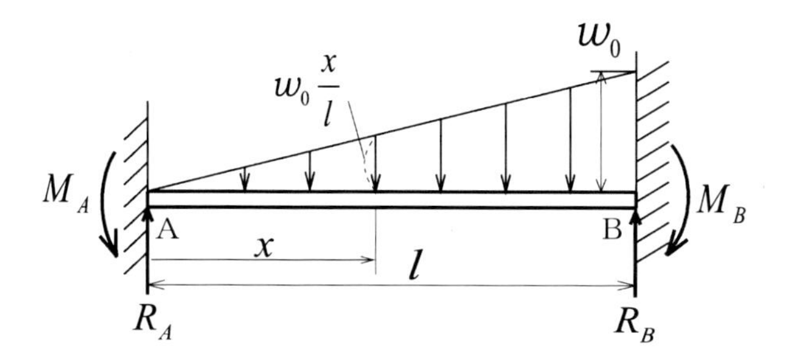

図 15.4

crown には,「王冠」のほかに「頂，てっぺん」の意味もある．ヒント：垂直方向の支点反力は容易に $P/2$ であることがわかる.)（$H = P/\pi$）

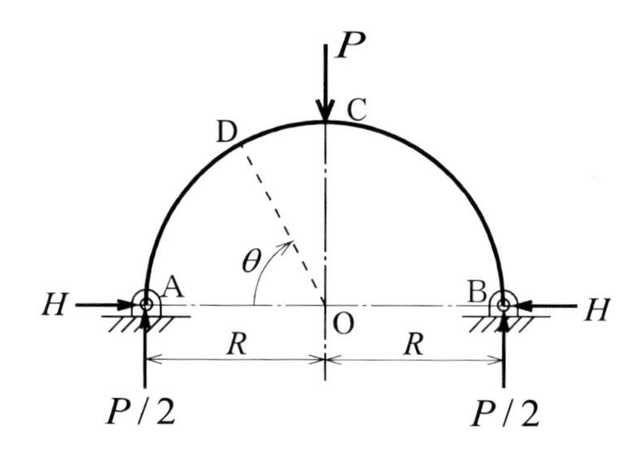

図 15.5

15.5　図 15.6 に示すように，半径 r の細長い 1/4 円弧状のはりの上端 A において荷重 P が垂直下方に作用している．カスティリアノの定理を用いて荷重作用点の垂直方向変位 v_A と水平方向変位 u_A を求めよ．ただし，はりの曲げ剛性は EI とする.（ヒント ： u_A を求めるには，図に示す仮想荷重 Q を加える.）$(v_A = \dfrac{\pi P r^3}{4EI},\ u_A = \dfrac{P r^3}{2EI})$

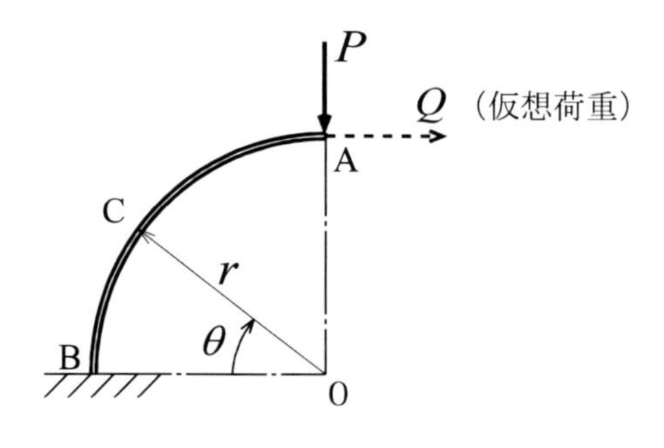

図 15.6

15.6　問題 13.1 に示した連続はりにおいて，支点 B の不静定反モーメント M_B に関し，最小仕事の原理を適用して M_B を求めよ．（ヒント：連続はりを図 15.7(b) のように 2 つに分けて，支点

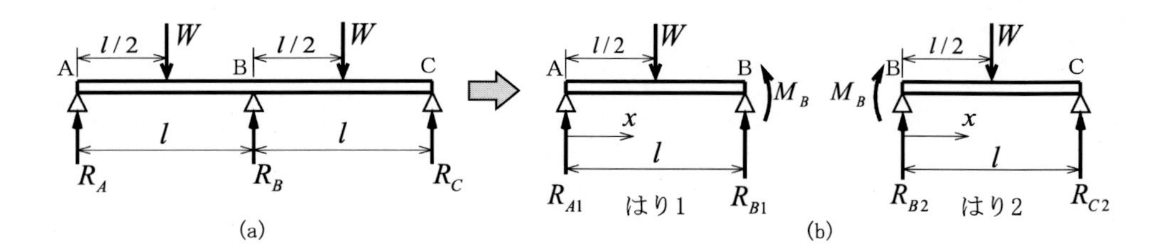

図 15.7

B の M_B を図のように仮定する．そして，はり 1，2 のモーメントつり合い式を立てて，支点反力 $R_{A1} \sim R_{C2}$ を M_B, W で表す（不静定モーメントを含んだ形で求める）．その後，2 つのはりのひずみエネルギーの和 U を求め，$\dfrac{\partial U}{\partial M_B} = 0$ より，M_B を求めればよい．なお，この問題のひずみエネルギー U は，対称性からはり 1 のひずみエネルギーを 2 倍して求めてもよい．その場合には計算を半減できる.)（$M_B = -3Wl/16$）

15.7　問題 11.4 に示した重ね板ばねにおいて，接触端の反力 R を不静定力とみなし，最小仕事の原理を適用して R を求めよ．また，カスティリアノの定理を利用して，荷重点 A のたわみ δ_A を求めよ.（$R = \dfrac{5W}{4}, \delta_A = \dfrac{13Wl^3}{64EI}$）

第16章　組合せ応力

16.1　3次元の応力，ひずみ成分

外力を受ける弾性体の内部に生じる応力を最も一般的に考えると，3次元応力状態となる．そこで，応力状態を (x, y, z) の直交座標系で考える．図16.1(a) のような微小6面体を考えたとき，これらの面に作用する応力成分は，垂直応力成分 σ_x, σ_y, σ_z およびせん断応力成分 τ_{xy}, τ_{yz}, τ_{zx} の6個である．ここで，せん断応力の添字の1番目は作用面，2番目の添字は作用方向を表す．また作用面としては，その面の外向き法線方向が座標軸と一致している場合を**正の面**，逆向きになっている場合を**負の面**と定義する．正の面においては，正の方向に作用する応力を正と定義し，負の面においては，負の方向に作用する応力を正と定義する．さらに，これらの応力に対応するひずみ成分を ε_x, ε_y, ε_z, γ_{xy}, γ_{yz}, γ_{zx} とする．なお，せん断応力成分には，

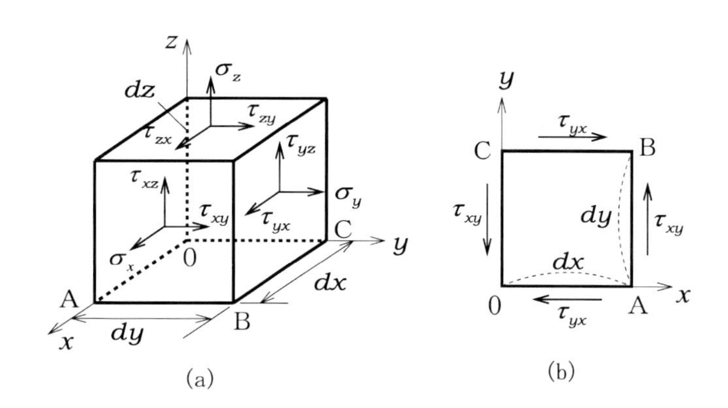

図 16.1 微小6面体要素の応力成分

$$\tau_{xy} = \tau_{yx}, \quad \tau_{yz} = \tau_{zy}, \quad \tau_{zx} = \tau_{xz} \tag{16.1}$$

が成り立つ．これらの応力を**共役せん断応力**（conjugate shearing stress）という．

これは，図16.1(a) を z 軸方向から見た図16.1(b) を考え，この図において z 軸まわりのモーメントのつり合い式を求めると

$$(\tau_{xy} dydz)dx = (\tau_{yx} dxdz)dy = 0, \quad \therefore \ \tau_{xy} = \tau_{yx}$$

となるからである．(同様に x, y 軸まわりのモーメントつり合いを考えれば式（16.1）の第2, 3式を得る．)

これらの応力とひずみ成分の間にはフックの法則が成立し，ν をポアソン比として

$$\begin{aligned} &\varepsilon_x = \frac{1}{E}\{\sigma_x - \nu(\sigma_y + \sigma_z)\}, \quad \varepsilon_y = \frac{1}{E}\{\sigma_y - \nu(\sigma_z + \sigma_x)\}, \\ &\varepsilon_z = \frac{1}{E}\{\sigma_z - \nu(\sigma_x + \sigma_y)\}, \quad \gamma_{xy} = \frac{\tau_{xy}}{G}, \quad \gamma_{yz} = \frac{\tau_{yz}}{G}, \quad \gamma_{zx} = \frac{\tau_{zx}}{G} \end{aligned} \tag{16.2}$$

または,

$$
\begin{aligned}
\sigma_x &= \frac{E}{(1+\nu)(1-2\nu)}\left\{(1-\nu)\varepsilon_x+\nu(\varepsilon_y+\varepsilon_z)\right\},\\
\sigma_y &= \frac{E}{(1+\nu)(1-2\nu)}\left\{(1-\nu)\varepsilon_y+\nu(\varepsilon_z+\varepsilon_x)\right\},\\
\sigma_z &= \frac{E}{(1+\nu)(1-2\nu)}\left\{(1-\nu)\varepsilon_z+\nu(\varepsilon_x+\varepsilon_y)\right\},\\
\tau_{xy} &= G\gamma_{xy},\quad \tau_{yz}=G\gamma_{yz},\quad \tau_{zx}=G\gamma_{zx}
\end{aligned}
\tag{16.3}
$$

となる．以上の応力とひずみの関係を，**一般化されたフックの法則**（generalized Hooke's law）という．

物体の形状が薄板状であり，荷重がその平面内に作用する場合には，図 16.2(a) のように，z 方向の応力成分を $\sigma_z = \tau_{yz} = \tau_{zx} = 0$ と近似できる．このような状態を**平面応力**（plane stress）という．逆に，図 16.2(b) のように物体の形状が z 方向に長く，一様な荷重を受けている場合には，z 方向のひずみ成分を $\varepsilon_z = \gamma_{yz} = \gamma_{zx} = 0$ と近似できる．このような状態を**平面ひずみ**（plane strain）という．

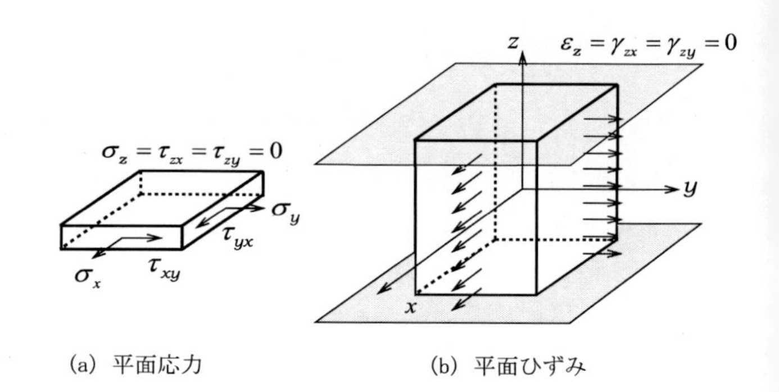

図 16.2 平面応力および平面ひずみ

16.2 主応力と主せん断応力

強度設計を行う場合に考えなければならない材料の破損や破壊の条件は，最大主応力や最大せん断応力と密接に関係している．ここでは，組合わせ応力を受ける平面応力状態における最大主応力や最大せん断応力を考える．

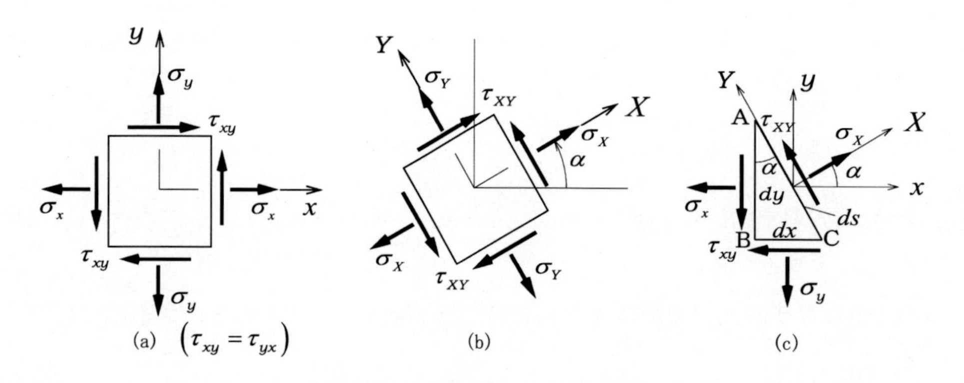

図 16.3 平面応力と座標変換

図 16.3(a) は，平面応力下での微小要素の応力を (x, y) 座標で表した図である．一方，図 16.3(b) は，(x, y) 座標を反時計まわりに α だけ回転した座標 (X, Y) のもとでの応力状態を表した図である．以下，応力成分 $(\sigma_x,\ \sigma_y,\ \tau_{xy})$ と $(\sigma_X,\ \sigma_Y,\ \tau_{XY})$ の関係を考える．このために，傾き角 α の斜面を有する図 16.3(c) に示す微小三角形要素の (X, Y) 方向の力のつり合いを考える．この微小三角形の厚さを 1，各辺の長さを $dx,\ dy,\ ds$ とし，$\tau_{yx} = \tau_{xy}$ の関係を用いると

$$\sigma_X ds = \sigma_x dy \cos\alpha + \tau_{xy} dy \sin\alpha + \sigma_y dx \sin\alpha + \tau_{xy} dx \cos\alpha,$$
$$\tau_{XY} ds = -\sigma_x dy \sin\alpha + \tau_{xy} dy \cos\alpha + \sigma_y dx \cos\alpha - \tau_{xy} dx \sin\alpha$$

を得る．ここで，$dx/ds = \sin\alpha,\ dy/ds = \cos\alpha$ であるから，上式より $\sigma_X,\ \tau_{XY}$ を求めると

$$\begin{aligned}\sigma_X &= \sigma_x \cos^2\alpha + \sigma_y \sin^2\alpha + 2\tau_{xy}\sin\alpha\cos\alpha \\ &= \frac{\sigma_x + \sigma_y}{2} + \frac{\sigma_x - \sigma_y}{2}\cos 2\alpha + \tau_{xy}\sin 2\alpha, \\ \tau_{XY} &= (\sigma_y - \sigma_x)\sin\alpha\cos\alpha + \tau_{xy}(\cos^2\alpha - \sin^2\alpha) \\ &= -\frac{\sigma_x - \sigma_y}{2}\sin 2\alpha + \tau_{xy}\cos 2\alpha\end{aligned} \tag{16.4}$$

となる．なお，Y 方向の垂直応力 σ_Y は，図 16.3(b) より，σ_X に対して $\pi/2$ だけ回転した方向なので，式（16.4）の第 1 式で $\alpha \to \alpha + \pi/2$ と置き換えて得られ，$\cos(2\alpha + \pi) = -\cos 2\alpha,\ \sin(2\alpha + \pi) = -\sin 2\alpha$ であるから

$$\sigma_Y = \frac{\sigma_x + \sigma_y}{2} - \frac{\sigma_x - \sigma_y}{2}\cos 2\alpha - \tau_{xy}\sin 2\alpha \tag{16.5}$$

となる．

式（16.4），(16.5）は，鉛直より α の角だけ傾いた面における垂直応力およびせん断応力を $(\sigma_x,\ \sigma_y,\ \tau_{xy})$ によって表した式である．あるいは，(x, y) 座標から (X, Y) 座標への応力成分の変換式とも考えることができる．

式（16.4）より，$\sigma_X,\ \tau_{XY}$ は傾き角 α に応じて変化することがわかるが，以下にその最大値，最小値を求める．三角関数の公式

$$A\cos 2\alpha + B\sin 2\alpha = \sqrt{A^2 + B^2}\cos(2\alpha - 2\beta), \quad \tan 2\beta = \frac{B}{A}$$

を用いて式（16.4）を変形すると

$$\begin{aligned}\sigma_X &= \frac{\sigma_x + \sigma_y}{2} + \sqrt{\frac{(\sigma_x - \sigma_y)^2}{4} + \tau_{xy}^2}\ \cos(2\alpha - 2\beta), \quad \tan 2\beta = \frac{2\tau_{xy}}{\sigma_x - \sigma_y}, \\ \tau_{XY} &= \sqrt{\frac{(\sigma_x - \sigma_y)^2}{4} + \tau_{xy}^2}\ \sin(2\alpha - 2\beta)\end{aligned} \tag{16.6}$$

を得る．したがって，$-1 \leq \cos(2\alpha - 2\beta) \leq 1$ であるから，σ_X の最大値 σ_1, 最小値 σ_2 は

$$\sigma_1 = \frac{\sigma_x + \sigma_y}{2} + \sqrt{\frac{(\sigma_x - \sigma_y)^2}{4} + \tau_{xy}^2}, \qquad \sigma_2 = \frac{\sigma_x + \sigma_y}{2} - \sqrt{\frac{(\sigma_x - \sigma_y)^2}{4} + \tau_{xy}^2} \tag{16.7}$$

となる．この σ_1, σ_2 を**最大主応力**（maximum principal stress）および**最小主応力**（minimum principal stress）という．このとき，σ_1, σ_2 を生じる傾き角を α_1, α_2 とおくと

$$\cos(2\alpha_1 - 2\beta) = 1 \rightarrow \quad 2\alpha_1 = 2\beta \quad \therefore\ \tan 2\alpha_1 = \frac{2\tau_{xy}}{\sigma_x - \sigma_y}$$
$$\cos(2\alpha_2 - 2\beta) = -1 \quad \rightarrow \ \alpha_2 = \beta + \frac{\pi}{2} = \alpha_1 + \frac{\pi}{2} \tag{16.8}$$

である．したがって，2つの主応力面は直交することがわかる．また，$\cos(2\alpha - 2\beta) = \pm 1$ のときは $\sin(2\alpha - 2\beta) = 0$ であるから，主応力を生じる面ではせん断応力 τ_{XY} はゼロである．

一方，せん断応力は，$\sin(2\alpha - 2\beta) = \pm 1$ で最大値 τ_1 および最小値 τ_2 をとり

$$\tau_1 = \sqrt{\frac{(\sigma_x - \sigma_y)^2}{4} + \tau_{xy}^2}, \quad \tau_2 = -\sqrt{\frac{(\sigma_x - \sigma_y)^2}{4} + \tau_{xy}^2} \tag{16.9}$$

となる．これらを，**主せん断応力**（principal shearing stress）という．せん断応力の最小の面も直交すること，また，これらの面は主応力面と $\pi/4$ の傾きをなしていることもわかる．

16.3 モールの応力円

前節までに得られた結果は，モール（Otto Mohr，1835-1918）の応力円によって図式的に求められる．モールは，1882年に，応力円を用いて各種の応力条件に適用できる強度理論（最大せん断応力説）を提示した．

式（16.4）第1式において，右辺第1項を左辺に移項して両辺を2乗し，さらに，第2式の両辺を2乗してこれらの和をとり，$\sigma_X \rightarrow \sigma, \tau_{XY} \rightarrow \tau$ と置き換えて

$$\left(\sigma - \frac{\sigma_x + \sigma_y}{2}\right)^2 + \tau^2 = \frac{(\sigma_x - \sigma_y)^2}{4} + \tau_{xy}^2 \tag{16.10}$$

を得る．これは，図16.4(a)の応力成分 $\sigma_x, \sigma_y, \tau_{xy}$ が与えられた応力状態における円の方程式であり，図16.4(b)のように，点 $\mathrm{C}((\sigma_x + \sigma_y)/2, 0)$ を中心とし，半径 $R = \sqrt{(\sigma_x - \sigma_y)^2/4 + \tau_{xy}^2}$ の円で示される．このような応力の図示法を**モールの応力円**（Mohr's stress circle）という．

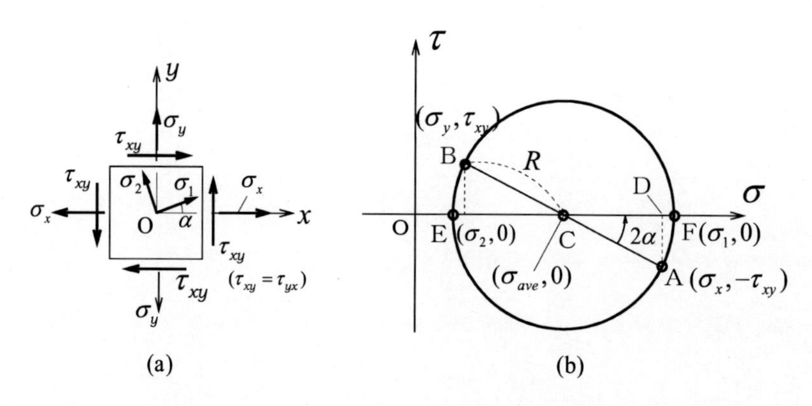

図16.4 平面応力状態とモールの応力円（$\sigma_x > \sigma_y$）

モールの応力円の作成法は，

1）垂直応力 σ を横軸に，せん断応力 τ を縦軸にとる $\sigma-\tau$ 座標を描く．

2）x 軸を表す点 A（$\sigma_x, -\tau_{xy}$），y 軸を表す点 B（σ_y, τ_{xy}）をプロットし，両点を直線で結ぶ．

3）線分 AB と σ 軸の交点 C を中心に，線分 CA または線分 CB を半径とする円を描く．

である．なお，C の座標は，$(\sigma_{ave}, 0) = ((\sigma_x + \sigma_y)/2, 0)$，円の半径 R は $\sqrt{\dfrac{(\sigma_x - \sigma_y)^2}{4} + \tau_{xy}^2}$ となる．

【例題 16.1】

平面応力状態にある薄板に σ_x=60MPa, σ_y=15MPa, τ_{xy}=40MPa が作用するとき，式（16.6），（16.7）などにより主応力 σ_1, σ_2, 主応力の方向 α_1 を求めよ．また，モールの応力円によっても求めよ．

【解】 式（16.7），（16.8）の第 1 式より

$$\sigma_{1,2} = \frac{\sigma_x + \sigma_y}{2} \pm \sqrt{\frac{(\sigma_x - \sigma_y)^2}{4} + \tau_{xy}^2} = \frac{60 + 15}{2} \pm \sqrt{\frac{(60 - 15)^2}{4} + 40^2}$$
$$= 83.4,\ -8.39\ \text{MPa},$$
$$\tan 2\alpha_1 = \frac{2\tau_{xy}}{\sigma_x - \sigma_y} = \frac{2 \times 40}{60 - 15} = 1.778 \quad \therefore\ \alpha_1 = 30.3^\circ$$

次に，モールの応力円を考える．なお，以下の応力の単位はすべて [MPa] とする．はじめに，横軸を σ，縦軸を τ とし，$(\sigma_x, -\tau_{xy})$= (60, −40) の点 A および (σ_y, τ_{xy})= (15, 40) の点 B を書き込む（図 16.5 参照）．点 A と点 B を定規で結び，σ 軸との交点を C とする．次に，点 C を中心に 2 つの点 A, B を通る円を描く．これがモールの応力円である．モールの応力円の中心点 C は，$(\sigma_{ave}, 0)$ =$((\sigma_x + \sigma_y)/2, 0)$ = (37.5, 0) であり，円の半径 R は $R = \sqrt{\mathrm{CD}^2 + \mathrm{DA}^2} = \sqrt{22.5^2 + 40^2} = 45.89$ である．

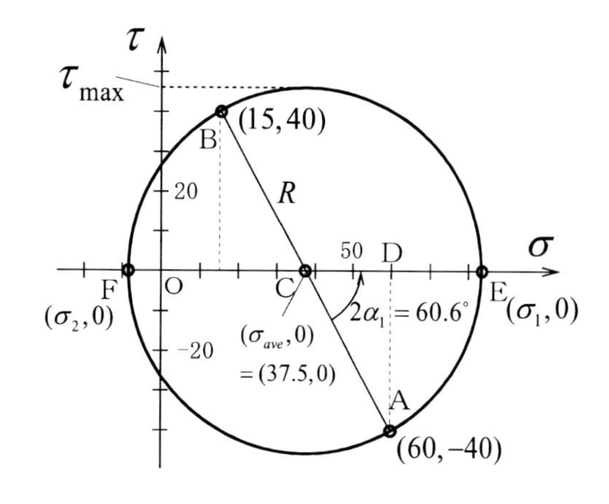

図 16.5 モールの応力円の例題

モールの応力円と σ 軸との交点 E, F が最大主応力 σ_1 および最小主応力 σ_2 である．最大せん断応力 $\tau_{\max}$ は，モールの応力円の最上部から σ 軸に平行線を引いて τ 軸と交わる点の座標値を読み取ればよい．また，線分 CA が σ 軸となす角が $2\alpha_1$ である．以上より，$\sigma_1 = \sigma_{ave} + R = 37.5 + 45.89$ =83.4，$\sigma_2 = \sigma_{ave} - R = 37.5 - 45.89 = -8.39$，$2\alpha_1 = \tan^{-1}(40/(60 - 37.5)) = 60.6^\circ$，$\tau_{\max} = R = 45.9$ となる．

16.4 薄肉圧力容器

石油，ガス，水などの気体や液体を貯蔵するタンクや各種圧力容器の形状は，球形や円筒形の場合が多く，卵の殻のように，壁の肉厚 t がこれらの容器の半径 r に比べて十分に薄い構造となっ

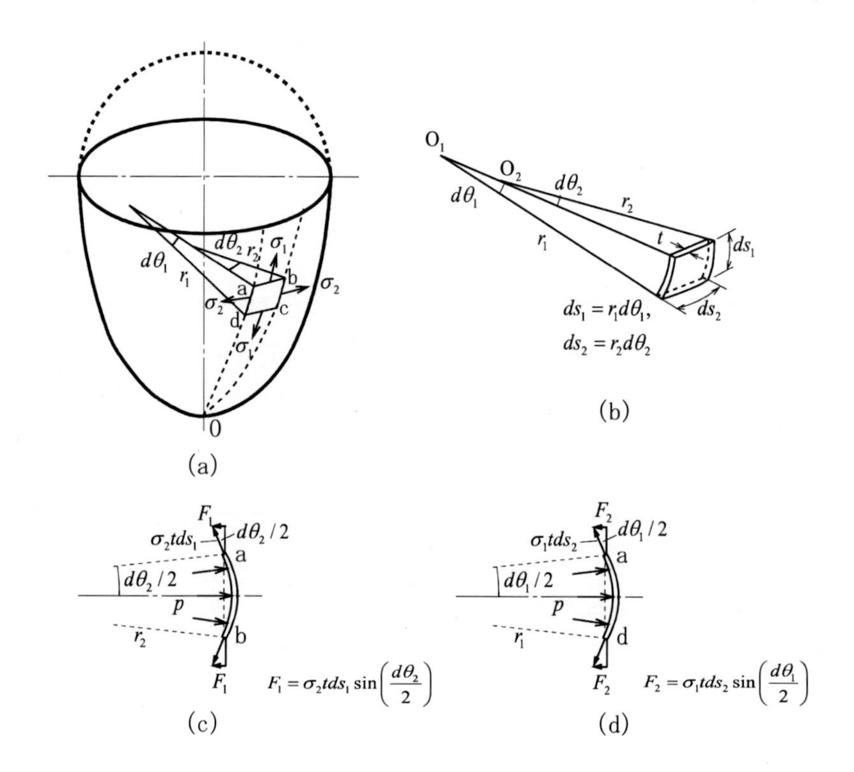

図 16.6 圧力容器の応力

ている（おおよそ，$t/r < 20$）．このような容器を**圧力容器**（pressure vessel）といい，以下，薄肉の圧力容器に内圧が作用する場合の応力やひずみなどを求める．

内圧が作用した状態で，図 16.6(a) に示す一般的な形状の回転対称シェル（殻）を考える．ここで，シェルの単位面積あたりの荷重（圧力）p は円周方向で一定値を有するが，回転軸方向に沿って同一でなくてもよい．このとき，p ：圧力，t： シェルの厚さ，σ_1 : 軸応力（子午線に沿って作用する応力），σ_2 ; 円周方向または接線方向の応力（フープ（円周）応力とよばれることもある），r_1 : 子午線の曲率半径，r_2 : 円周方向の曲率半径とする． 圧力容器には 2 つの曲率があり，その r_1 および r_2 の値は，容器の形状によって定まることに留意しよう．

図 16.6(a) の点 a, b, c, d によって定義される微小要素に作用する力のつり合いを考える．要素に作用する圧力 p の法線成分（表面に対して直角方向に作用する成分）は

$$p\left\{2r_1\sin\left(\frac{d\theta_1}{2}\right)\right\}\cdot\left\{2r_2\sin\left(\frac{d\theta_2}{2}\right)\right\}$$

である．一方で，容器の軸応力と円周応力の法線成分（図 16.6(c), (d) を参照）は

$$2\sigma_2 t ds_1 \sin\left(\frac{d\theta_2}{2}\right) + 2\sigma_1 t ds_2 \sin\left(\frac{d\theta_1}{2}\right)$$

である．これらの 2 力はつり合うので等置し，微小量の極限 $d\theta_i/2 \approx ds_i/(2r_i)$ および $\sin d\theta_i \approx d\theta_i$（$i = 1, 2$）に注意して計算すると

$$\frac{\sigma_1}{r_1} + \frac{\sigma_2}{r_2} = \frac{p}{t} \tag{16.11}$$

を得る．以下，式（16.11）を球殻および薄肉円筒に適用する場合を考える．

（1）**球殻の場合**

図 16.7(a) に示すような半径 r の球殻の場合は，対称性より $r_1 = r_2 = r$, $\sigma_1 = \sigma_2 = \sigma$ なので，式（16.11）より

$$\frac{2\sigma}{r} = \frac{p}{t} \quad \therefore\ \sigma = \frac{pr}{2t} = \frac{pd}{4t} \tag{16.12}$$

となる．

次に，球殻は 2 次元状の応力分布（平面応力）をしているので円周方向（図 16.7(a) の 1,2 方向）のひずみ成分は

$$\varepsilon_1 = \frac{1}{E}(\sigma_1 - \nu\sigma_2) = \frac{(1-\nu)}{2Et}pr, \quad \varepsilon_2 = \varepsilon_1 \tag{16.13}$$

と得られる．したがって，球殻の半径の増加量 dr は $r\varepsilon_1$ であり，球殻の容積の変化率は

$$\frac{dV}{V} = \frac{(4/3)\pi(r + r\varepsilon_1)^3 - (4/3)\pi r^3}{(4/3)\pi r^3} = (1+\varepsilon_1)^3 - 1 \approx 3\varepsilon_1 = \frac{3(1-\nu)pr}{2Et} \tag{16.14}$$

と求められる．

（2）**薄肉円筒の場合**

図 16.7(b) に示すような半径 r（直径 d）の薄肉円筒の場合は，$r_2 = r$, $r_1 = \infty$ と考えると式（16.11）より円周方向の応力 σ_2（$=\sigma_r$）は

$$\frac{\sigma_2}{r} = \frac{p}{t} \quad \therefore\ \sigma_2 = \frac{pr}{t} = \frac{pd}{2t} \tag{16.15}$$

となる．

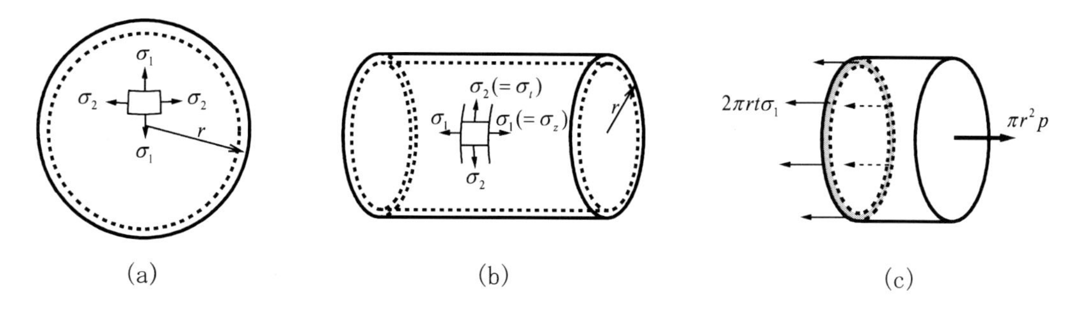

図 16.7 球殻および薄肉円筒

軸方向の応力 σ_1（$=\sigma_z$）については，図 16.7(c) に示すように，薄肉円筒の軸方向の力のつり合いを考えて求める．すなわち，細い円輪状の部分の力 $\sigma_1 \times (2\pi rt)$ と側板を押し広げようとする力 $\pi r^2 p$ とが等しいと考えて

$$\sigma_1 \times (2\pi rt) = \pi r^2 p \quad \therefore\ \sigma_1 = \frac{pr}{2t} = \frac{pd}{4t} \tag{16.16}$$

となる．以上より，$\sigma_2 = 2\sigma_1$ であり，円周方向の応力が軸方向応力の2倍になっていることがわかる．

軸方向のひずみ ε_z および円周方向のひずみ ε_t は，平面応力状態での変形なので

$$\varepsilon_z = \frac{1}{E}(\sigma_z - \nu\sigma_t) = \frac{(1-2\nu)pr}{2Et}, \quad \varepsilon_t = \frac{1}{E}(\sigma_t - \nu\sigma_z) = \frac{(2-\nu)pr}{2Et} \tag{16.17}$$

となる．半径方向の伸び dr および円筒の伸び dl は

$$dr = r\varepsilon_t = \frac{(2-\nu)pr^2}{2Et}, \quad dl = l\varepsilon_z = \frac{(1-2\nu)prl}{2Et} \tag{16.18}$$

と得られる．これより，円筒の容積の変化率は

$$\frac{dV}{V} = \frac{\pi(r+\varepsilon_t r)^2(l+\varepsilon_z l) - \pi r^2 l}{\pi r^2 l} = (1+\varepsilon_t)^2(1+\varepsilon_z) - 1 \approx 2\varepsilon_t + \varepsilon_z = \frac{(5-4\nu)pr}{2Et} \tag{16.19}$$

と求められる．

【例題 16.2】

厚さ t=5mm，内径 d_i=1250mm の薄肉円筒に p=1MPa の内圧が作用するときに生じる円周方向応力 σ_2 を計算しよう．

【解】 円周方向応力は，式（16.15）より，$d_i \approx d$ として

$$\sigma_2 = \frac{pd}{2t} = \frac{1[\mathrm{MPa}] \times 1.25}{2 \times 0.005} = 125\mathrm{MPa}$$

第16章の問題

16.1 図 16.8 のように互いに直交する2面にそれぞれ

$$\sigma_x = 50\mathrm{MPa}, \ \sigma_y = 10\mathrm{MPa}, \ \tau_{xy} = 10\mathrm{MPa}$$

の応力が作用するとき最大主応力 σ_1 の大きさとその方向 α を求めよ．なお，モールの応力円でも解いてみよ．(σ_1=52.4MPa, α=13.3°)

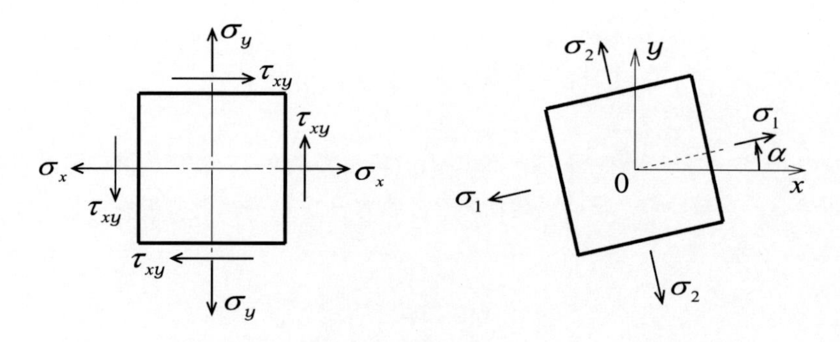

図 16.8

16.2 直径30mmの軟鋼丸棒にねじりモーメントT=196Nmおよび曲げモーメントM=294Nmが作用したとき，丸棒の外表面における最大主応力σ_1と最大主せん断応力τ_1の値を求めよ．(σ_1=122MPa, τ_1=66.7MPa）

16.3 平面応力状態において，図16.9のようにσ_x=70MPa, $\sigma_y = -30$MPa, τ_{xy}=50MPaが作用している．このとき，σ_xの作用面から反時計方向に30°傾いた面に働く応力σ_X, τ_{XY}を応力の座標変換式およびモールの応力円を利用して求めよ．また，主応力σ_1, σ_2と最大せん断応力$\tau_{\max}$を求めよ．(σ_X=88.3MPa, $\tau_{XY} = -18.3$MPa （負の大きさは時計回りを示す），σ_1=90.7MPa, $\sigma_2 = -50.7$MPa, $\tau_{\max}$=70.7MPa）

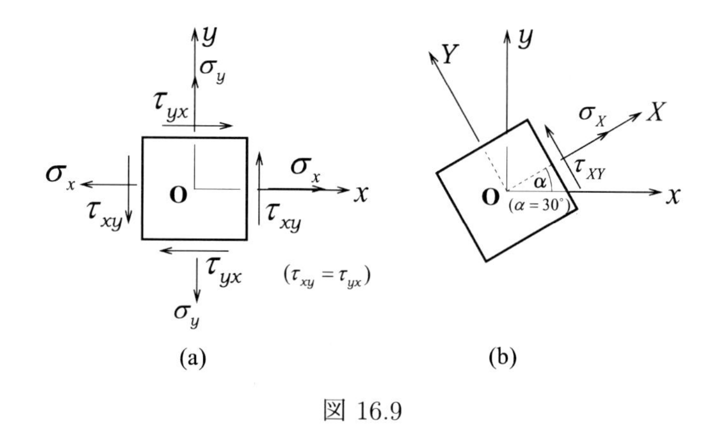

図 16.9

16.4 図16.10に示す内圧pを受ける半径rの薄肉の球形の圧力容器では，その対称性から図のようにあらゆる方向にσ_tの応力が生ずる．この球形の圧力容器の板厚をtとしたとき以下の問いに答えよ．

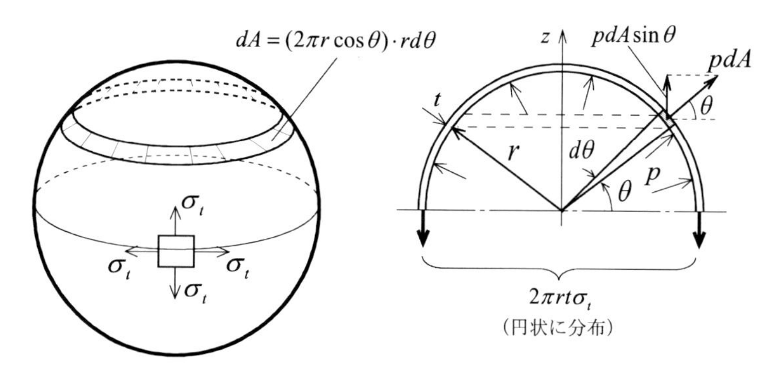

図 16.10

（1）左側の図の微小な帯状の部分に作用する内圧による力の上向き成分をθ, $d\theta$, rおよびpを用いて表せ．

（2）（1）の結果を積分した式と，切断面に作用する下向きの応力σ_tに基づく力とを等しく置き，σ_tを求めよ．($\sigma_t = pr/(2t)$)

16.5　図16.11のように，内径 d_i，外径 d_0 の中空丸棒に曲げモーメント M=600Nm，ねじりモーメント T=800Nm が同時に作用するとき，**最大せん断応力説**（maximum shear stress theory）[1] によって棒の外径 d_0 を求めよ．ただし，$m = d_i/d_0 = 0.5$，材料の許容せん断応力は τ_a=50MPa とする．（ヒント：丸棒表面の最大曲げ応力 $\sigma_b = M/Z$，最大ねじり応力 $\tau_t = M/Z_p$ を求める．ここで，Z：中空丸棒の断面係数，Z_p：中空丸棒の極断面係数である．次に，中空丸棒表面の最大主応力 $\sigma_1 = \dfrac{1}{2}\sigma_b + \dfrac{1}{2}\sqrt{\sigma_b^2 + 4\tau_t^2}$，最小主応力 $\sigma_2 = \dfrac{1}{2}\sigma_b - \dfrac{1}{2}\sqrt{\sigma_b^2 + 4\tau_t^2}$ を求める．このとき，最大せん断応力 τ_1 は，$\tau_1 = \dfrac{\sigma_1 - \sigma_2}{2}$ となる．以上より，$\tau_1 = \tau_a$ として d_0 を求めればよい.）（d_0=47.7mm）

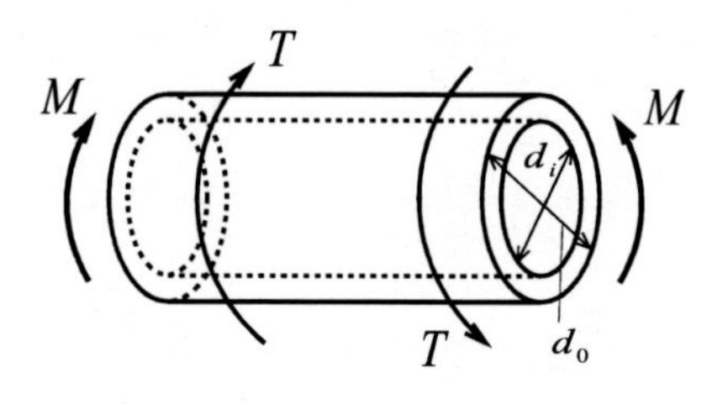

図 16.11

16.6　平均内径 d=2000mm の薄肉円筒に p=2.5MPa の内圧が作用している．円筒材料の引張り強さ σ_u を 784MPa，安全率を S=4 として円筒の肉厚 t を求めよ.（t=12.8mm）

16.7　平均半径 r=10cm，肉厚 t=2.5mm の球殻に p=2MPa の内圧が作用している．E=206GPa, ν=0.3 としたときの円周応力 σ，半径の増加 dr，容積の増加割合 dV/V を求めよ.（σ=40MPa, dr=0.0136mm, dV/V=0.0408% ）

[1] これは，クーロン（Coulomb）やトレスカ（Tresca）の提案した説で，物体内に生じる最大せん断応力 $\tau_{\max}$ が，せん断降伏応力 τ_s に達すれば降伏するという説である．この説は，延性材料に対して実験結果と一致するため，強度設計の破損基準としてよく用いられている．

第17章　柱の座屈

17.1　弾性座屈とオイラーの公式

機械構造物においては，軸圧縮力を受ける真直な棒と考えられる部品や部材が使用され，このような棒を**柱**（column）という．特に細長い柱（長柱という）では，軸圧縮力を受ける場合に，柱が単に圧縮されるのではなく，横に大きくたわんで荷重を支えられなくなることが起きる．これを**座屈**（buckling）といい，不安定な変形に分類される．座屈が生じると，大きな曲げ変形状態となり，圧縮力が降伏点よりもはるかに小さくても破損が生じることに注意が必要である．

座屈は，オイラー（L. Euler，1707-1783）により解析されている．図 17.1 に示すように，一端を固定し，他端が自由端となっている片持はりの先端に圧縮力が作用し，先端が δ だけたわんだ場合を考える．固定端 A から x の距離にある位置には，曲げモーメント $M=-P(\delta-y)$ が作用するから，はりのたわみ方程式（10.5）を用いると

$$\frac{d^2y}{dx^2}=-\frac{M}{EI}=\frac{P}{EI}(\delta-y) \tag{17.1}$$

ここで，$\alpha^2=P/(EI)$ を導入し，式（17.1）を書き換えると

$$\frac{d^2y}{dx^2}+\alpha^2y=\alpha^2\delta \tag{17.2}$$

(a)　(b)

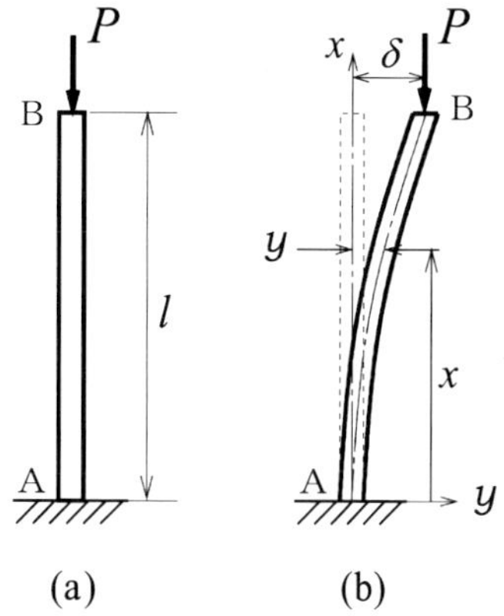

図 17.1 圧縮荷重を受ける長柱

となる．式（17.2）は，

$$y''+\alpha^2y=R(x) \tag{17.3}$$

の形の非同次形の定数係数 2 階常微分方程式である．この方程式の解は，右辺がゼロのときの一般解（y_1, y_2）と特殊解から成り，c_1, c_2 を任意定数として

$$y=c_1y_1+c_2y_2+y_1\int\frac{-R(x)y_2}{W(y_1,y_2)}dx+y_2\int\frac{R(x)y_1}{W(y_1,y_2)}dx,\quad W(y_1,y_2)=y_1y_2'-y_1'y_2$$

である．式（17.3）の一般解（同次解）は，ばねの振動の方程式と同じであるから，$y_1=\sin\alpha x$, $y_2=\cos\alpha x$ であり，また，$R(x)=\alpha^2\delta$（一定値）とすれば，式（17.2）の解は

$$y=c_1\sin\alpha x+c_2\cos\alpha x+\delta \tag{17.4}$$

となる.（あるいは，以下の簡便な特殊解の導出も考えられる．仮に式（17.2）の d^2y/dx^2 の項をゼロとみなし，y を求めるとただちに特殊解 $y=\delta$ が得られる．一方，この解 $y=\delta$ は，d^2y/dx^2=0 を満たすから，解として採用できる.）

$x = 0$ で $y = 0$, $dy/dx = 0$ の条件より

$$c_2 = -\delta, \quad c_1 = 0, \quad \therefore\ y = \delta(1 - \cos\alpha x) \tag{17.5}$$

と得られる．さらに，$x = l$ で $y = \delta$ の条件を式（17.5）に代入すると

$$\delta = \delta(1 - \cos\alpha l)$$

となる．これより，

$$\cos\alpha l = 0 \quad \therefore\ \alpha l = \frac{n\pi}{2}\ (n = 1, 3, 5, \cdots) \tag{17.6}$$

$n = 1$ のときの P を P_{cr} とおくと，$\alpha^2 = P_{cr}/(EI)$ であるから

$$P_{cr} = \frac{\pi^2 EI}{4l^2} \tag{17.7}$$

を得る．したがって，式（17.7）で与えられる荷重が作用すると，図 17.1(b) のような横に大きな変形が生じると考えればよい．この P_{cr} を**オイラーの座屈荷重**（Euler's buckling load）という．

座屈荷重 P_{cr} に応じた座屈応力 σ_{cr} は

$$\sigma_{cr} = \frac{P_{cr}}{A} = \frac{\pi^2 EI}{4Al^2} = \frac{\pi^2 EAk^2}{4Al^2} = \frac{\pi^2 E}{4(l/k)^2} = \frac{\pi^2 E}{4\lambda^2} \tag{17.8}$$

ここで，k は $I = Ak^2$ と定義される**断面2次半径**（radius of gyration of area）であり，$\lambda = l/k$ を**細長比**（slenderness ratio）という．

ほかの支持条件の場合の座屈荷重の最小値も同様に求められる．その結果を図 17.2 にまとめて示す．

端末条件	一端固定，他端自由	両端回転支持	一端固定，他端支持	両端固定
座屈荷重：P_{cr}	$P_{cr} = \dfrac{\pi^2 EI}{4l^2}$	$P_{cr} = \dfrac{\pi^2 EI}{l^2}$	$P_{cr} = \dfrac{2.046\pi^2 EI}{l^2}$	$P_{cr} = \dfrac{4\pi^2 EI}{l^2}$
端末係数：C	1/4	1	2	4
換算長さ：l_0	$2l$	l	$0.7l$	$l/2$

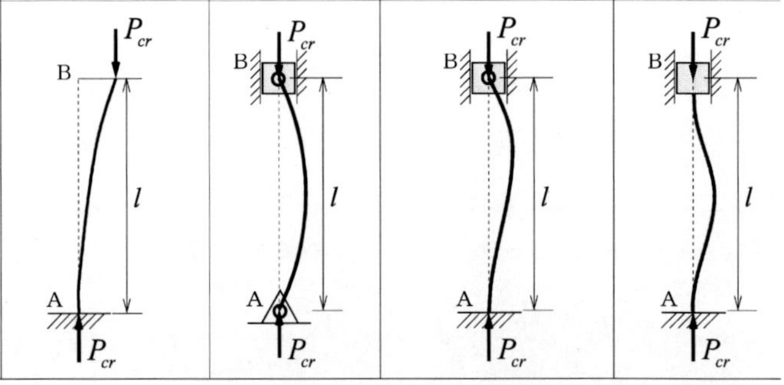

図 17.2 各種境界条件のもとでの座屈荷重

この図より座屈荷重は

$$\left.\begin{aligned}
&P_{cr} = \frac{C\pi^2 EI}{l^2} = \frac{\pi^2 EI}{l_0^2},\ (l_0 = \frac{l}{\sqrt{C}}),\\
&\text{自由端・固定端；}C = 1/4,\ l_0 = 2l,\quad \text{回転端・回転端；}C = 1,\ l_0 = l,\\
&\text{回転端・固定端；}C \approx 2,\ l_0 = 0.7l,\quad \text{固定端・固定端；}C = 4,\ l_0 = l/2
\end{aligned}\right\} \tag{17.9}$$

と表される．ここで，C を**端末係数**（coefficient of fixity），l_0 を**相当長さ**（reduced length）という． この端末係数を取り入れた座屈応力は，式（17.8）にならうと

$$\sigma_{cr} = C\frac{\pi^2 E}{\lambda^2} = \frac{\pi^2 E}{\lambda_0^2} \tag{17.10}$$

となる．ここで，$\lambda_0 = \lambda/\sqrt{C} = l_0/k$ を**相当細長比**（reduced slenderness ratio）という．式（17.10）より，オイラーの座屈理論による座屈応力 σ_{cr} は λ_0^2 に反比例することがわかる．

17.2　座屈の実験式

オイラーの式は，座屈荷重に達するまで柱は弾性変形するものとして求めており，細長比がある値以上の場合には座屈現象をよく説明できる．しかし，柱が短くなっても座屈が起こり，この場合には材料の塑性などの複雑な要因を考慮しなければならない．このため，中程度の λ に対して以下のような実験公式が古くから提案されている．

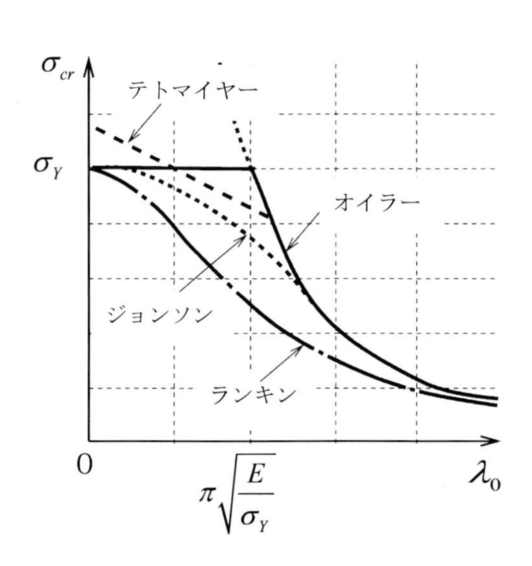

・ランキンの式の定数

材料	σ_0(MPa)	a_0	λ_0
軟鋼	333	1/7500	<90
硬鋼	481	1/5000	<85
鋳鉄	549	1/1600	<80
木材	49	1/750	<60

・テトマイヤーの式の定数

材料	σ_0(MPa)	a_0	λ_0
軟鋼	304	0.0368	<105
硬鋼	328	0.00185	< 90
木材	28.7	0.00626	<100

図 17.3 座屈荷重の実験式 (表中の定数は参考文献 11）より引用)

（1）ランキン（Rankine）の式

$$\frac{\sigma}{\sigma_0} = \frac{1}{1 + a_0\lambda_0^2} \tag{17.11}$$

ここで，σ_0 は材料の圧縮強さ，a_0 は実験定数である．

（2）テトマイヤー（Tetmajer）の式

$$\frac{\sigma}{\sigma_0} = 1 - a_0\lambda_0 \tag{17.12}$$

ここで，σ_0, a_0 は実験定数であり，両端支持に対する σ_0, a_0 を図 17.3 に示す．

（3）ジョンソン（Johnson）の式

$$\frac{\sigma}{\sigma_Y} = 1 - \frac{\sigma_Y}{4\pi^2 E}\lambda_0^2 \tag{17.13}$$

ここで，σ_Y は圧縮による降伏応力である．このジョンソンの式は実験結果とよく一致する．

図17.3は，相当細長比 λ_0 を横軸に，座屈応力 σ_{cr} を縦軸にとって以上の3つの実験式とオイラーの座屈式を示したもので，表中には実験定数も示している．

【例題 17.1】

両端回転支持で長さ l=3m の木材の柱がある．断面は1辺が h=160mm の正方形である．この柱に負荷できる安全な軸圧縮荷重 P_{cr} を求めよ．安全率 S=10，木材のヤング率を E=9.8GPa とする．

【解】　安全率 S を考慮した両端回転支持のオイラー座屈荷重は

$$SP_{cr} = \frac{\pi^2 EI}{l^2} \quad \therefore P_{cr} = (1/S)\frac{\pi^2 EI}{l^2} = (1/S)\frac{\pi^2 E(h^4/12)}{l^2}$$

$$= (1/10) \times \frac{\pi^2 \times 9.8 \times 10^9 \times 0.16^4}{12 \times 3^2} = 58.692 \times 10^3\text{N} \approx 58.7\text{kN}$$

【例題 17.2】

両端固定の軟鋼製丸棒で P_{cr}=80kN の軸圧縮荷重を安全に支えるために必要な丸棒の直径 d および細長比 λ を求めよう．ただし，柱の長さ l=2m, 安全率は S=3, ヤング率は E=206GPa とする．

【解】　安全率 S を考慮した両端固定柱のオイラー座屈荷重は

$$SP_{cr} = \frac{4\pi^2 EI}{l^2} = \frac{4\pi^2 E(\pi d^4/64)}{l^2} \quad \therefore d = \left(\frac{16Sl^2 P_{cr}}{\pi^3 E}\right)^{1/4}$$

数値を代入して $d = \left(\dfrac{16 \times 3 \times 2^2 \times 80 \times 10^3}{\pi^3 \times 206 \times 10^9}\right)^{1/4} = 0.03938\text{m} \approx 39.4\text{mm}$

丸棒の断面2次半径 k は，$k = \sqrt{\dfrac{I}{A}} = \sqrt{\dfrac{(\pi d^4/64)}{\pi d^2/4}} = \dfrac{d}{4}$ である．したがって，細長比 λ は

$$\lambda = \frac{l}{k} = \frac{4l}{d} = \frac{4 \times 2}{0.0394} \approx 203$$

第17章の問題

17.1　直径 d の中実長柱と，内径 d，外形 D の断面を有する中空柱とにおいて両方の座屈荷重を等しくするためには d/D をいくらにすればよいか．ただし，両方の柱は長さ, 材料とも同一であるものとし，オイラーの式が適用できるものとする．$(d/D = 0.841)$

17.2 長さ l=2m の軟鋼製円柱で 98kN の軸方向荷重を受けるのに必要な直径 d を求めよ．ただし，円柱棒は両端固定端で，安全率（S=座屈荷重／作用荷重）は S=5，縦弾性係数は E=206GPa とする．（d=47.1mm）

17.3 両端が回転自由であって長さ l が直径 d の 20 倍の鋳鉄製円柱がある．この円柱の座屈応力をオイラー，ランキンの式を用いて求め，それらを比較せよ．ただし，E=98GPa とする．（オイラー：σ_{cr}=151MPa, ランキン：σ_{cr}=110MPa）

17.4 For the simple pin-connected truss as shown in Fig.17.4, the members AC and BC are slender pin-ended steel bars having identical corss-sections. Find the value of the angle θ, defining the direction of the applied force P, required to make the critical value of this force as large as possible. Assume buckling in the plane of the figure. （ヒント：両部材が同時に座屈荷重に達するような角度 θ を求めればよい．）（$\tan\theta = 1/3$, i.e. $\theta = 18.43°$）

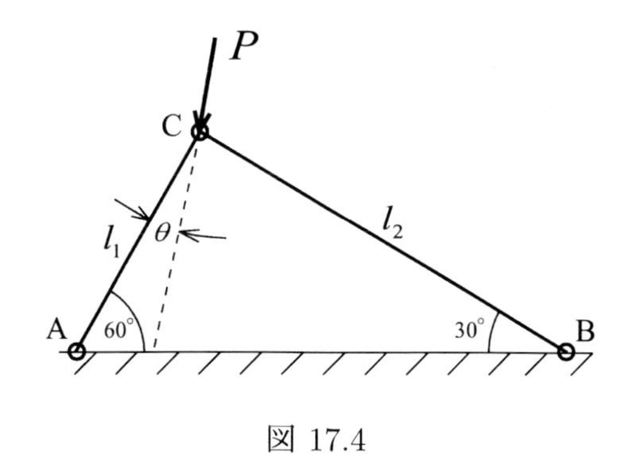

図 17.4

17.5 幅 0.04m, 高さ 0.1m, 長さ l=3m の長方形断面の柱がある．この柱は両端回転自由とし，オイラーの式を適用して座屈応力 σ_{cr} を求めよ．ただし，E=206GPa とする．（注：長方形断面では，断面 2 次モーメント I の値が小さい方向に座屈することに注意すること）（σ_{cr}=30.12MPa）

17.6 図 17.5 のような同一材料（E=72GPa）の直径 d の丸棒で構成されるトラス ACB の先端 C に荷重 P が負荷されている．部材 BC の座屈を考えて，許容荷重が P=2kN となるように部材 BC の直径 d を求めよ．ただし，l=1m とする．（d=20.1mm）また，安全率 S を S=3 としたときには，直径はいくらになるか．（d=26.4mm）（ヒント：部材力 P_{BC} を図のように圧縮力と仮定し，点 C での力のつり合い式を考えて P_{BC} を求める．その後，部材 BC を回転自由の柱と考えて座屈荷重を決定すればよい．）

17.7 図 17.6 のような，長さ l=5m, 直径 d=30mm の円形断面を持つ長柱が，20℃において上部剛性壁と δ=0.3mm のすきまを空けて取り付けられている．この長柱が座屈を起こすときの温度をオイラーの式を用いて求めよ．ただし，円柱の両端は回転端で，材料の線膨張係数を α=1.16×10^{-5}/℃とする．（ヒント：上端が剛性壁に接する温度上昇分 ΔT_1 と接触後の温度上昇分 ΔT_2 とに分け

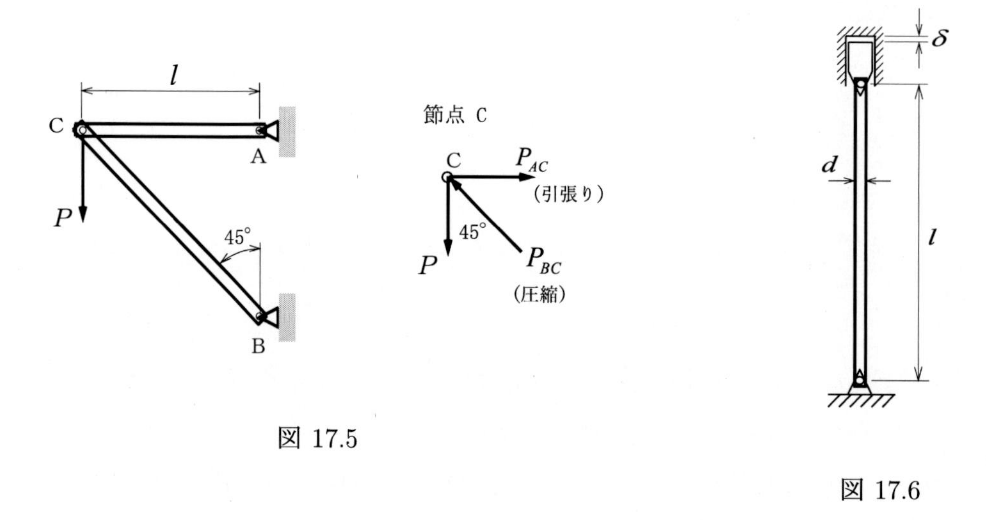

図 17.5

図 17.6

て考えるとよい.)(T=27.1℃)

17.8 図17.7(a)のような，長さlの両端固定の柱の座屈荷重P_{cr}を求めよ.(ヒント：図17.7(b)のように，両端に反モーメントM_0が生じる．このM_0を考慮して17.1節の長柱のように解析するとよい.)($P_{cr} = 4\dfrac{\pi^2 EI}{l^2}$)

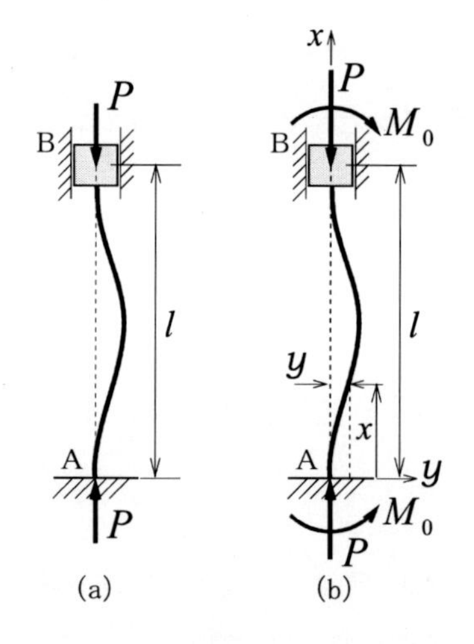

図 17.7

第18章　薄肉曲がりはりのたわみ

18.1　ピストンリング，ばね座金の変形

15 章の練習問題においては，簡単な曲がりはりのたわみについて考えたが，ここでは，やや複雑な計算を伴う場合のカスティリアノの定理による曲がりはりの変形を考える．解析例として，よく見かける機械部品であるピストンリングやばね座金を取り上げる．また，ばね座金では，ねじれを伴う面外変形も含めた曲がりはりについても考察する．なお，ここでも，曲がりはりの断面の大きさは曲率半径に比べて十分に小さいものと仮定する．

【例題 18.1】

図 18.1 のように，厚さ h のピストンリングの切り口に荷重 P を加えた場合の切り口の変位 v と最大応力 $\sigma_{\max}$ を求めよ．

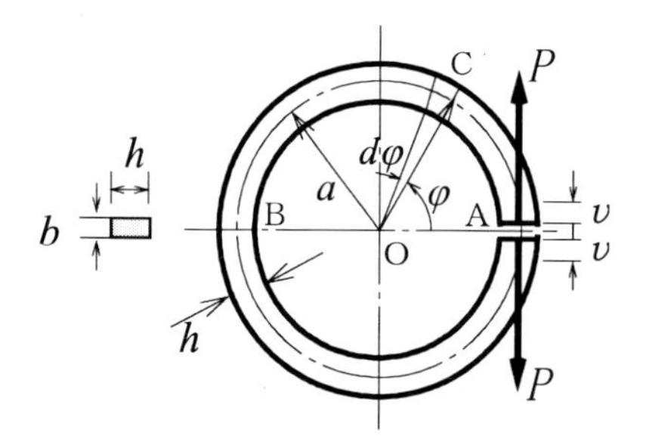

図 18.1 ピストンリングの変形

【解】 水平から φ の角にある任意位置 C では，微小要素 $ad\varphi$ に曲げモーメント $M = Pa(1-\cos\varphi)$ が作用する．したがって，ピストンリングの上半分が有するひずみエネルギーは

$$U = \frac{1}{2EI}\int_0^{\pi} M^2 a d\varphi$$

となる．そこで，点 B を固定端とみなしてカスティリアノの定理を適用すれば

$$v = \frac{\partial U}{\partial P} = \frac{a}{EI}\int_0^{\pi} M\frac{\partial M}{\partial P}d\varphi = \frac{Pa^3}{EI}\int_0^{\pi}(1-\cos\varphi)^2 d\varphi$$

となる．ここで，付録 A.1（2）の Wallis 積分を利用して

$$\int_0^{\pi}(1-\cos\varphi)^2 d\varphi = \int_0^{\pi}\left(2\sin^2(\varphi/2)\right)^2 d\varphi = 4\int_0^{\pi}\sin^4\frac{\varphi}{2}d\varphi = 8\int_0^{\pi/2}\sin^4\theta d\theta$$
$$= 8\cdot\frac{3\cdot 1}{4\cdot 2}\cdot\frac{\pi}{2} = \frac{3\pi}{2}$$

となるから，結局

$$v = \frac{3\pi Pa^3}{2EI} = \frac{18\pi P}{Eb}\left(\frac{R}{h}\right)^3$$

と得られる．また，最大応力は B における断面に生じ

$$\sigma_{\max} = \frac{M_{\max}}{Z} = \frac{2Pa}{bh^2/6} = \frac{12Pa}{bh^2}$$

となる．

【例題 18.2】

図 18.2(a) は，平均半径 a，$b \times h$ の長方形断面のばね座金である．このばね座金は，δ の大きさの初期ねじれがある．このとき，図のような圧縮荷重 P を加えて座金を平らにするときの P の大きさを求めよ．なお，この座金のポアソン比は ν=0.3 とし，h=5mm, b=10mm, a=35mm, δ=5mm, E=206GPa とする．

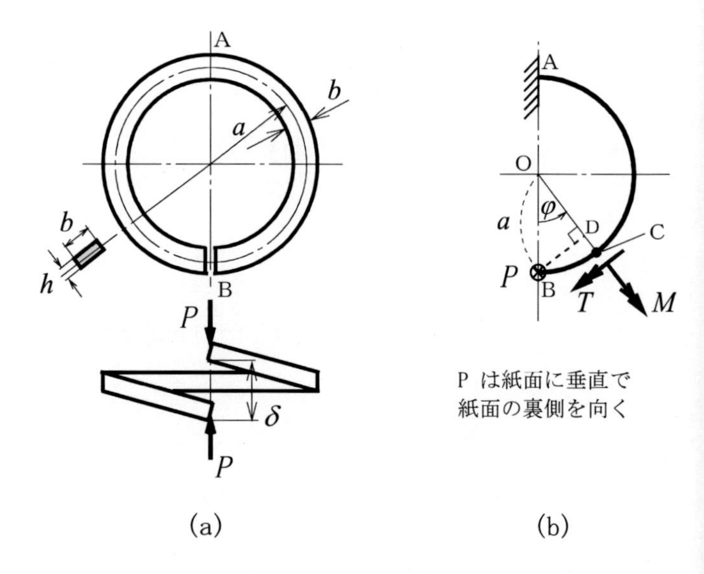

図 18.2 ばね座金の変形

【解】 点 A を固定端と見なし，座金の右半分だけを取り出して考えよう．図 18.2(b) はこの右半分をばね座金を上から見た図であり，点 B には，P により $\delta/2$ のたわみ（このような変形の様式を**面外変形**（out of plane deformation）という）が生じているものと考えられる．

OP から反時計方向に角 φ だけ離れた任意位置を点 C とすると，この点 C には荷重 P による曲げとねじれが生ずる．このとき，荷重 P による曲げを考えると，図の BD（$= a\sin\varphi$）がモーメントの腕の長さとなる．また，P によるねじれを考えた場合のねじりモーメントの腕の長さは，図の CD($= a(1-\cos\varphi)$) となる．したがって点 C に生じる曲げモーメントとねじりモーメントは

$$M = Pa\sin\varphi, \quad T = Pa(1-\cos\varphi)$$

と表される．これより，ばね座金の右半分のひずみエネルギーは

$$U = \frac{1}{2EI}\int_0^{\pi} M^2 a d\varphi + \frac{1}{2GI_p}\int_0^{\pi} T^2 a d\varphi = \frac{P^2a^3}{2EI}\int_0^{\pi}\sin^2\varphi d\varphi + \frac{P^2a^3}{2GI_p}\int_0^{\pi}(1-\cos\varphi)^2 d\varphi$$

となる．ここに，EI は曲げ剛性，GI_p はねじり剛性である．次に，荷重点 B に対してカスティリアノの定理を考えると

$$\frac{\delta}{2} = \frac{\partial U}{\partial P} = \frac{Pa^3}{EI}\int_0^{\pi}\sin^2\varphi d\varphi + \frac{Pa^3}{GI_p}\int_0^{\pi}(1-\cos\varphi)^2 d\varphi$$

を得る．上式の三角関数の積分を**例題 18.1** と同様に評価すると

$$\frac{\delta}{2} = \frac{\pi Pa^3}{2}\left(\frac{1}{EI} + \frac{3}{GI_p}\right)$$

を得る．さらに，$2G(1+\nu) = E$ の関係（式（1.9）参照）を考慮して荷重 P を求めると

$$P = \frac{E\delta}{\pi a^3}\frac{1}{\left(\dfrac{1}{I} + \dfrac{6(1+\nu)}{I_p}\right)}$$

となる．すなわち，この荷重 P の大きさでばね座金を圧縮すれば，δ の初期ねじれの大きさの変位を得ることができる．

なお，長方形断面では，**例題 6.1** および式（5.2）を参照して

$$I = \frac{bh^3}{12}, \quad I_p = bh^3 \left\{ \frac{1}{3} - 0.21\frac{h}{b} + 0.0175\left(\frac{h}{b}\right)^5 \right\} \quad (h < b)$$

である．以上の結果に，与えられた数値を代入して計算すると

$$\begin{aligned} P &= \frac{E\delta}{\pi a^3} \frac{bh^3}{\left(12 + \dfrac{6(1+\nu)}{1/3 - 0.21(h/b) + 0.0175(h/b)^5}\right)} \\ &= \frac{206 \times 10^9 \times 0.005}{\pi \times 0.035^3} \times \frac{0.01 \times 0.005^3}{\left(12 + \dfrac{6 \times (1+0.3)}{1/3 - 0.21 \times (0.005/0.01) + 0.0175 \times (0.005/0.01)^5}\right)} \\ &= 207.44\text{N} \approx 207\text{N} \end{aligned}$$

第 18 章の問題

18.1 図 18.3 に示すように半径 R の棒の一端 A を固定し他端 B に垂直荷重 P を吊り下げたとき，荷重端 B および中央点 C の垂直変位を求めよ．ただし，棒の断面の高さは曲率半径 R に比べて小さいものとする．また，断面の垂直力を無視する．（ヒント：δ_C を求めるには，点 C に下向きの仮想荷重 Q を加える．）$\left(\delta_B = \dfrac{3\pi PR^3}{2EI}, \ \delta_C = \left(1 + \dfrac{\pi}{4}\right)\dfrac{PR^3}{EI}, \ \dfrac{\delta_C}{\delta_B} \approx 0.38\right)$

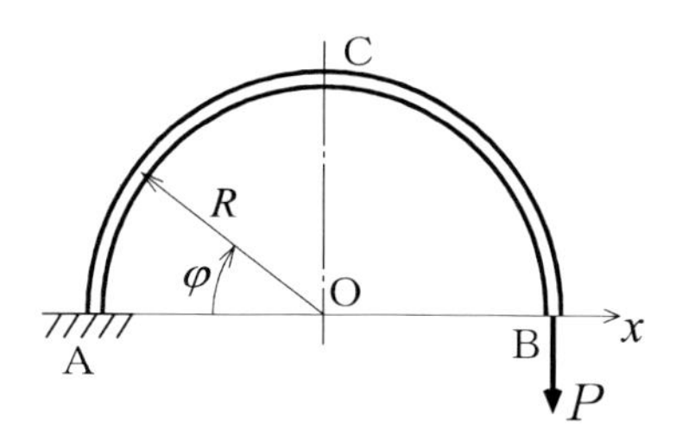

図 18.3

18.2 図 18.4 のような形状の薄肉リングで直線部の中央 A，B に垂直荷重 P を上下対称に加えるとき，点 A, C の曲げモーメント M_A, M_C を求めよ．（ヒント：図のように薄肉リングの 1/4 部分を考え，点 C を固定点とみなし，点 A に不静定曲げモーメント M_A を仮定する．）

$$\left(M_A = \frac{l^2 + \pi lr + 2r^2}{2(2l + \pi r)}P, \quad M_C = M_A - P(l + r)/2 = -\frac{l^2 + 2lr + (\pi - 2)r^2}{2(2l + \pi r)}P\right)$$

18.3 **問題 18.2** で，荷重点 AB の間隔の増加量 δ_{AB} を求めよ．（ヒント：1/4 部分の薄肉リングのひずみエネルギーを U とおくと，$\delta_{AB} = 4\partial U/\partial P$ により得られる．）

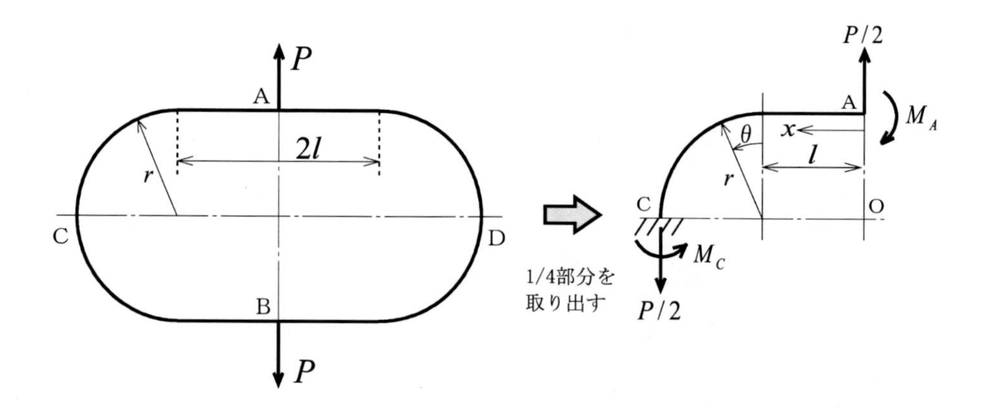

図 18.4

$$(\delta_{AB} = \frac{2l^4 + 4\pi r l^3 + 24r^2l^2 + 6\pi r^3 l + 3(\pi^2 - 8)r^4}{12EI(2l + \pi r)}P)$$

18.4 図 18.5 のはりの点 C のたわみを求めよ．ただし，はりの断面に対し，曲率半径 R は十分に大きいものとする.（ヒント：カスティリアノの定理を利用するとよい．すなわち，BC 部のモーメント $M_{BC} = Wx$，AB 部のモーメント $M_{AB} = W(l + R\sin\theta)$ として $U =$（BC 部のひずみエネルギー）＋（AB 部のひずみエネルギー）から考えよ.）$(\delta_c = \dfrac{Wl^3}{3EI} + \dfrac{\pi WR}{4EI}(2l^2 + 8Rl/\pi + R^2))$

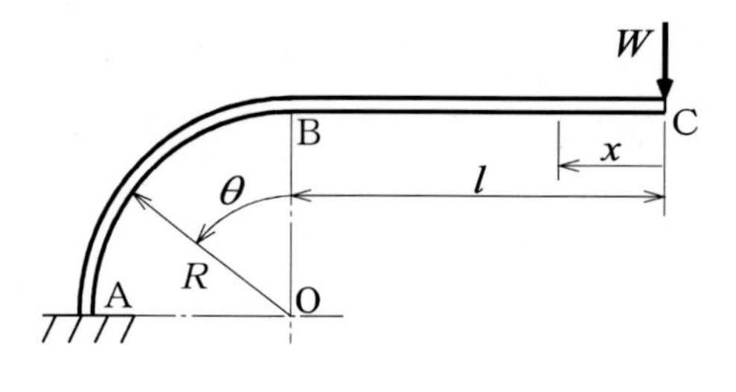

図 18.5

18.5 図 18.6 のように 1/4 円弧はりの一端 A が固定され，他端 B に面外垂直荷重が作用したとき B 端のたわみを求めよ．ただし，断面中心の曲率半径を R とし，R は断面寸法に比べて大きいものとする.（ヒント：任意点 C における曲げモーメントとねじりモーメントを考えカスティリアノの定理を用いよ.）

$(\delta_B = \left\{\pi/4 + (1 + \nu)(3\pi/4 - 2)\right\}\dfrac{WR^3}{EI})$

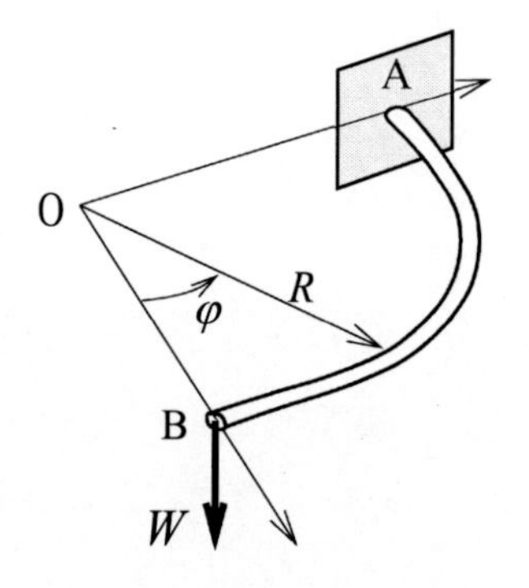

図 18.6

18.6 図 18.7 のような切れ目のある円輪に一様な圧力 p が作用したとき，切れ目の口の開き量を求めよ． ただし，円輪の厚さを h とし $R \gg h$ であり，円輪の幅（紙面奥行きの寸法）を 1 とする．

（ヒント：切り口部に仮想荷重を考えてカスティリアノの定理を用いよ.）$(\delta_y = \dfrac{3\pi pR^4}{EI})$

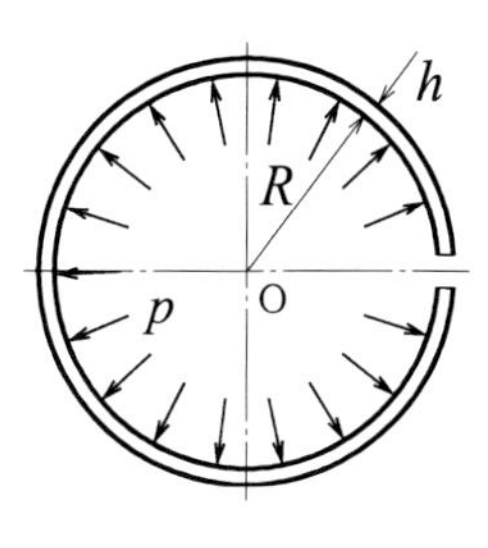

図 18.7

18.7 図 18.8(a) のような半径 a の円輪に，直径に沿って引張荷重 P が作用している．以下の問いに答えよ．

(1) 図 18.8(b) に示すように点 A に作用する曲げモーメントを M_A とし，1/4 円弧を考えてカスティリアノの定理の定理を用いて M_A を求めよ．($M_A = \left(\dfrac{1}{2} - \dfrac{1}{\pi}\right) Pa = 0.182Pa$)

(2) 荷重点変位 u_B（直径 BB′ の拡がり）を求めよ．($u_B = \left(\dfrac{\pi}{4} - \dfrac{2}{\pi}\right) \dfrac{Pa^3}{EI} = 0.149\dfrac{Pa^3}{EI}$)

(3) 許容応力 σ_a=140MPa，平均半径 a=175mm，断面寸法 b=60mm （奥行き寸法），h=12mm の矩形断面としたときに，円輪に負荷し得る荷重 P_a を求めよ．(ヒント：点 A，点 B の応力を評価し，その値の大きい方を採用して荷重 P_a を求める．)（P_a=3.62kN）

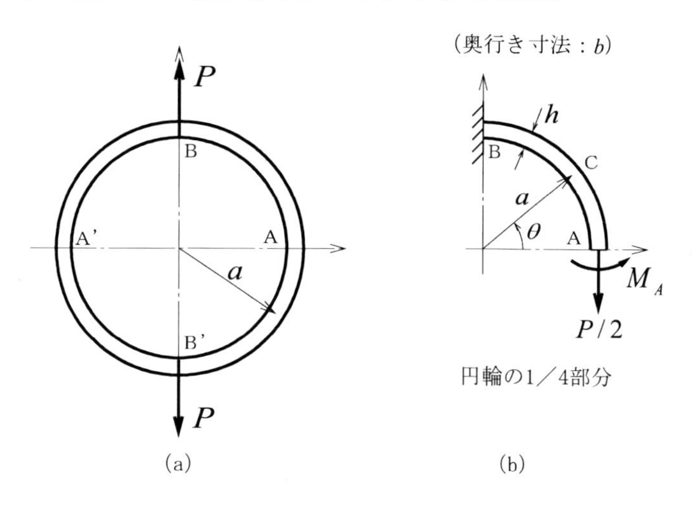

図 18.8

18.8 A steel ring of 175mm mean radius and of uniform rectangular section 60mm wide and 12mm thick is shown in the Fig.18.9(a). A rigid bar is fitted across diameter AA′, and a tensile force P is applied to the ring as shown.

(1) Determine the horizontal force Q and the bending moment M_A acting on A. ($Q = \dfrac{4-\pi}{\pi^2-8}P = 0.459P$, $M_A = -\dfrac{\pi^2 - 2\pi - 4}{2(\pi^2-8)}Pa = -0.111Pa$)

(2) Assuming an allowable stress of σ_a=140MPa, determine the maximum allowable force P_a that

can be carried by the ring. ($P_{\max}$=7.63kN. This value is 2.1 times higher than that of the ring without the rigid bar. See also problem **18.7**.)

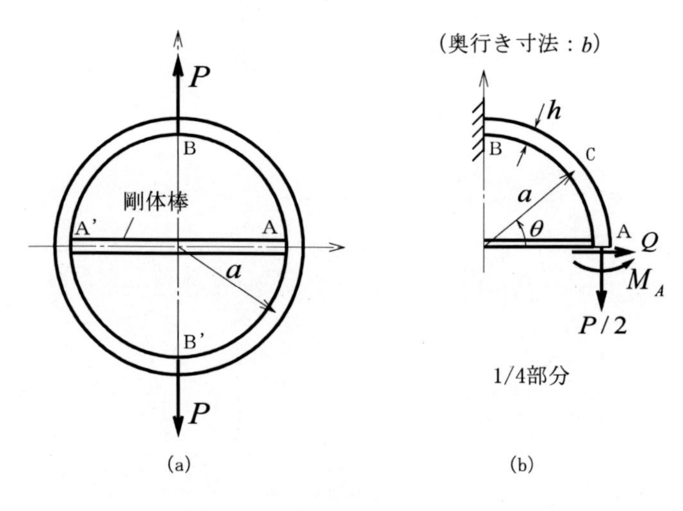

図 18.9

問題解答

（本書では，数値計算の際には，有効数字を 3～4 桁程度で処理している）

第1章　引張りと圧縮－1 解答

【1.1】　$\sigma = \dfrac{P}{\pi d^2/4} = \dfrac{4 \times 4.9 \times 10^3}{\pi \times 0.01^2} = 62.39 \times 10^6 \mathrm{N/m^2} \approx 62.4\mathrm{MPa}$

（注：応力の単位は一般に MPa（$10^6\mathrm{N/m^2}$）で表すことが多いので，長さの単位を m，力の単位を N に直して計算するとよい.）

【1.2】　$E = \dfrac{\sigma}{\varepsilon} = \dfrac{P/A}{\lambda/l}$.　$\therefore\ \lambda = \dfrac{Pl}{AE} = \dfrac{\sigma l}{E} = \dfrac{62.4 \times 10^6 \times 0.5}{206 \times 10^9} = 1.514 \times 10^{-4}\mathrm{m} \approx 0.151\mathrm{mm}$

【1.3】　直径の減少量を δ，横方向ひずみを ε' とすると

$$\varepsilon' = \frac{\delta}{d},\quad \nu = \frac{\varepsilon'}{\varepsilon} = \frac{(\delta/d)}{\lambda/l} = \frac{\delta l}{\lambda d}$$

したがって

$$\delta = \nu\frac{\lambda d}{l} = 0.3 \times \frac{1.514 \times 10^{-4}[\mathrm{m}] \times 10[\mathrm{mm}]}{0.5[\mathrm{m}]} = 9.084 \times 10^{-4} \approx 9.08 \times 10^{-4}\mathrm{mm}$$

【1.4】　力のつり合いより

$R_A + R_B = P \quad \cdots(1)$

点 C における変位量は，AC 部の伸びと BC 部の縮みであり，それらの絶対値は等しいから

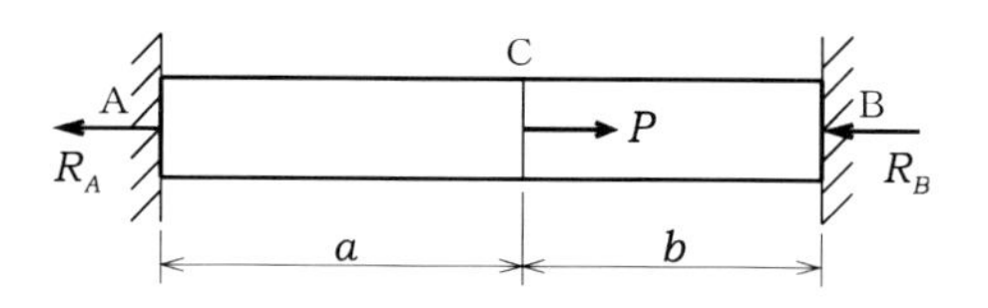

$\dfrac{R_A a}{AE} = \dfrac{R_B b}{AE} \to R_A a = R_B b \quad \cdots(2)$

式（1），(2) より

$R_A = \dfrac{b}{a+b}P,\quad R_B = \dfrac{a}{a+b}P$

ここで P=9800N, a=200mm, b=100mm とおけば

$R_A = \dfrac{1}{3} \times 9800 \approx 3267\mathrm{N},\quad R_B = \dfrac{2}{3} \times 9800 \approx 6533\mathrm{N}$

【1.5】

AB 部：P_2 と P_3 は同じ大きさで逆向きなので相殺し，$P_1 =$ 4kN の引張り力を受ける．このときの伸びを δ_1 とおく．

BC 部：P_1 と P_3 が相殺して伸縮なし．

CD 部：$P_3 = 3\mathrm{kN}$ の圧縮力を受け，縮みを δ_3 とおく．

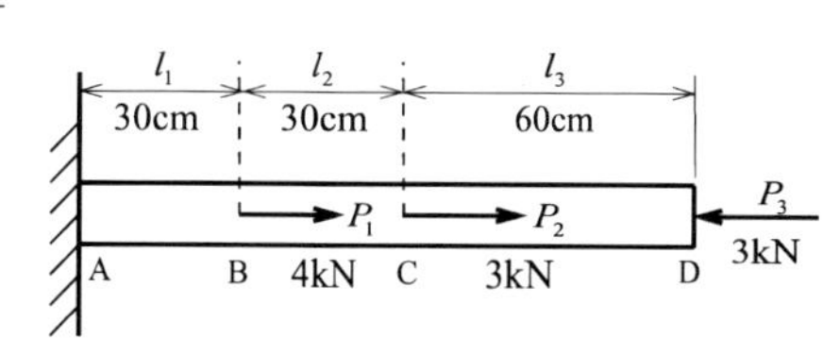

すると，全体の伸び δ は

$$\delta = \delta_1 - \delta_3 = \frac{P_1 l_1}{AE} - \frac{P_3 l_3}{AE} = \frac{1}{AE}(P_1 l_1 - P_3 l_3)$$
$$= \frac{1}{0.5 \times 10^{-4} \times 206 \times 10^9}(4 \times 10^3 \times 0.3 - 3 \times 10^3 \times 0.6) = -5.825 \times 10^{-5}\text{m}$$
$$\approx -0.0583\text{mm}$$

【**1.6**】全体の伸び：λ, A_1 部の伸び：λ_1, A_2 部の伸び：λ_2 とすれば

$$\lambda = \lambda_1 + \lambda_2, \quad \lambda_1 = \frac{Pl_1}{A_1 E}, \quad \lambda_2 = \frac{Pl_2}{A_2 E} \quad \therefore\ \lambda = \frac{P}{E}\left(\frac{l_1}{A_1} + \frac{l_2}{A_2}\right)$$

【**1.7**】**問題 1.4** の結果をもとに，重ね合わせ法により考える．軸力 P_1 のみが作用する場合を考えると，左右の壁からの反力は**問題 1.4** の結果より

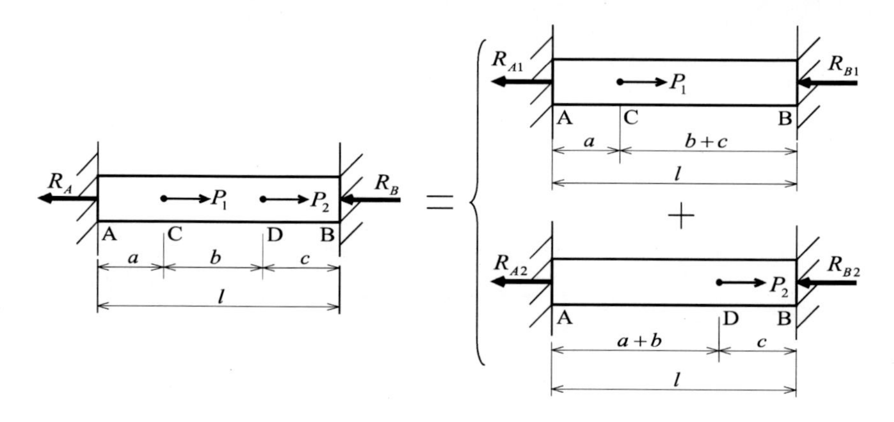

$$R_{A1} = \frac{b+c}{l}P_1, \quad R_{B1} = \frac{a}{l}P_1$$

同様に，P_2 のみが作用する場合には，反力は

$$R_{A2} = \frac{c}{l}P_2, \quad R_{B2} = \frac{a+b}{l}P_2$$

P_1, P_2 が同時に作用する場合には，以上の結果を加えればよく

$$R_A = R_{A1} + R_{A2} = \frac{b+c}{l}P_1 + \frac{c}{l}P_2, \quad R_B = R_{B1} + R_{B2} = \frac{a}{l}P_1 + \frac{a+b}{l}P_2$$

【**1.8**】 力のつり合いより $P = R_1 + R_2 \cdots (1)$

AB 部材の伸び λ_1 と BC 部材の伸び λ_2 とが等しいから $\dfrac{R_1 l_1}{A_1 E_1} = \dfrac{R_2 l_2}{A_2 E_2} \cdots$ (2) これより，

$$R_1 = \frac{P}{1 + \dfrac{l_1}{l_2}\dfrac{A_2 E_2}{A_1 E_1}}, \quad R_2 = P - R_1 = \frac{1}{1 + \dfrac{l_1}{l_2}\dfrac{A_2 E_2}{A_1 E_1}} \cdot \frac{l_1}{l_2}\frac{A_2 E_2}{A_1 E_1} \cdot P$$

【1.9】引張り前の体積を V_0, 引張り後の体積を V とおくと，長さは $l_0 \to l_0(1+\varepsilon)$，直径は $d_0 \to d_0(1-\nu\varepsilon)$ へと変化する．

この結果

$$V_0 = \frac{\pi d_0^2 l_0}{4},\quad V = \frac{\pi d_0^2(1-\nu\varepsilon)^2 l_0(1+\varepsilon)}{4}$$

となる．したがって，体積変化率 (体積ひずみ) ε_v は，ε の 2 次以上の項を微小項として省略して

$$\varepsilon_v = \frac{V-V_0}{V_0} = (1-\nu\varepsilon)^2(1+\varepsilon)-1 \approx (1-2\nu\varepsilon)(1+\varepsilon)-1 \approx (1-2\nu)\varepsilon$$

これより，$\nu = 0.5$ のときには体積変化を生じないことがわかる．

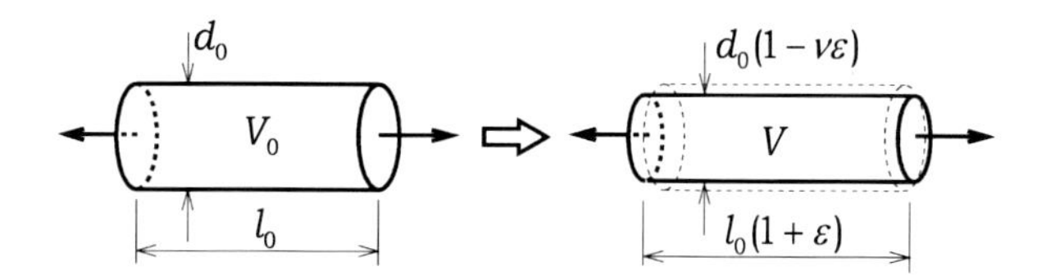

【1.10】 ピンに生じるせん断応力を τ とし，せん断面が 2 つあることに留意すると

$$P = 2 \times \frac{\pi d^2}{4}\tau$$

が成り立つ．これより，直径 d は

$$d = \sqrt{\frac{2P}{\pi\tau}} = \sqrt{\frac{2\times 45\times 10^3}{\pi\times 46\times 10^6}} = 0.02496\text{m} \approx 25.0\text{mm}$$

また，軸径 $d = 30$mm, 許容せん断応力 $\tau_a = 80$MPa の場合の引張り力 P を求めると，$\tau \to \tau_a$ として

$$P = 2\times\frac{\pi d^2}{4}\tau_a = 2\times\frac{\pi\times 0.03^2}{4}\times 80\times 10^6 = 113.097\times 10^3\text{N} = 113\text{kN}$$

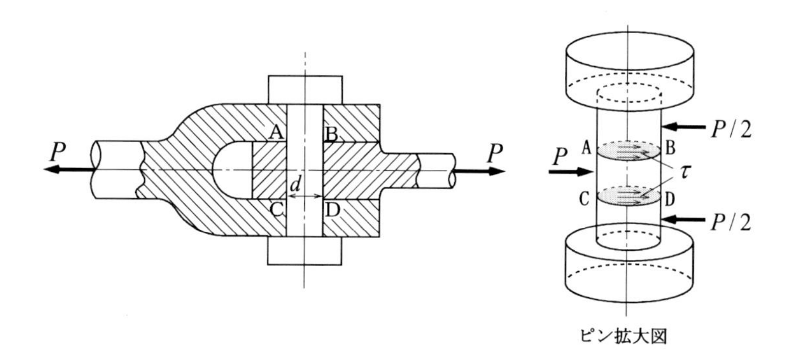

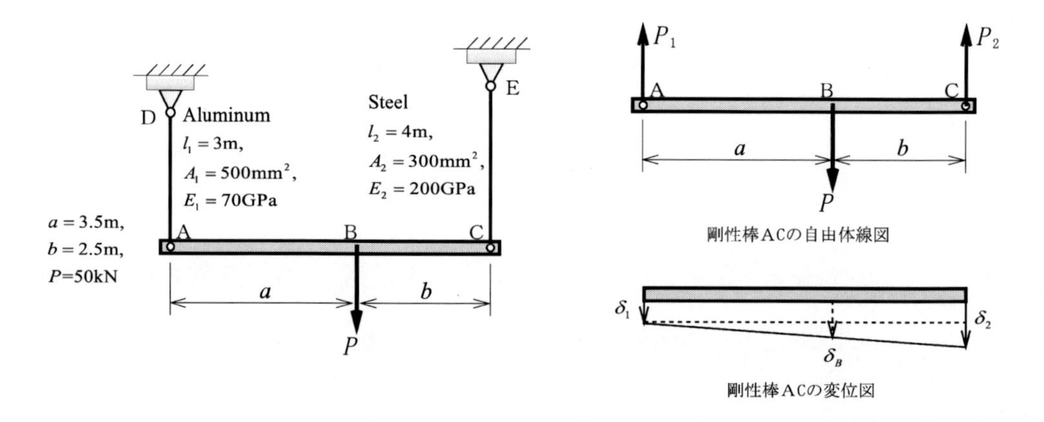

【**1.11**】　図のように，アルミ棒に作用する引張り力を P_1，鋼製棒に作用する引張り力を P_2 とすると，図の自由体線図を参考に，剛体棒の点Aに関するモーメントつり合い式および力のつり合い式を考えると

$$-Pa + P_2(a+b) = 0 \quad \therefore\ P_2 = \frac{a}{a+b}P,\quad P_1 = P - P_2 = P - \frac{a}{a+b}P = \frac{b}{a+b}P$$

となる．ここで，**自由体線図**（free body diagram）とは，考えている物体の支点を仮想的に切り離し，その代わりに支点からの反力を書き加えた図のことである．このように宙に浮いた物体に外力や反力を書き加えることにより，つり合い式が考えやすくなる．

以上より，アルミ棒および鋼製棒の伸び λ_1，λ_2 は

$$\lambda_1 = \frac{P_1 l_1}{A_1 E_1} = \frac{Pbl_1}{(a+b)A_1E_1} = \frac{50\times10^3\times2.5\times3}{(3.5+2.5)\times500\times10^{-6}\times70\times10^9} = 1.7857\times10^{-3}\text{m}$$
$$\approx 1.79\text{mm},$$
$$\lambda_2 = \frac{P_2 l_2}{A_2 E_2} = \frac{Pal_2}{(a+b)A_2E_2} = \frac{50\times10^3\times3.5\times4}{(3.5+2.5)\times300\times10^{-6}\times200\times10^9} = 1.9444\times10^{-3}\text{m}$$
$$\approx 1.94\text{mm}$$

したがって，点Aの下方変位 δ_1 は λ_1 に等しく，点Cの下方変位 δ_2 は λ_2 に等しい．

剛体棒ACの変位はAC間で直線状に変化するから，荷重点Bの変位 δ_B は

$$\delta_B = \delta_1 + (\delta_2 - \delta_1)\frac{a}{a+b} = 1.786 + (1.944 - 1.786)\times\frac{3.5}{3.5+2.5} \approx 1.88\text{mm}$$

となる．

第2章　引張りと圧縮－2 解答

【2.1】 AB部材に生じる引張り力を Q_{AB}, AC部材に生じる圧縮力を Q_{AC} とすれば，節点Aの力のつり合いより

$$W = Q_{AB}\sin\theta, \quad Q_{AB}\cos\theta = Q_{AC}$$

$$\therefore \quad Q_{AB} = \frac{W}{\sin\theta}(\text{引張り}), \quad Q_{AC} = W\cot\theta(\text{圧縮})$$

また，Q_{AB}, Q_{AC} による部材ABの伸び λ_{AB}，部材ACの縮み λ_{AC} は，フックの法則より

$$\lambda_{AB} = \frac{Q_{AB}}{A_{AB}E}l = \frac{Wl}{A_{AB}E}\cdot\frac{1}{\sin\theta}, \quad \lambda_{AC} = \frac{Q_{AC}}{A_{AC}E}l\cos\theta = \frac{Wl}{A_{AC}E}\cdot\frac{\cos^2\theta}{\sin\theta}$$

と得られる．

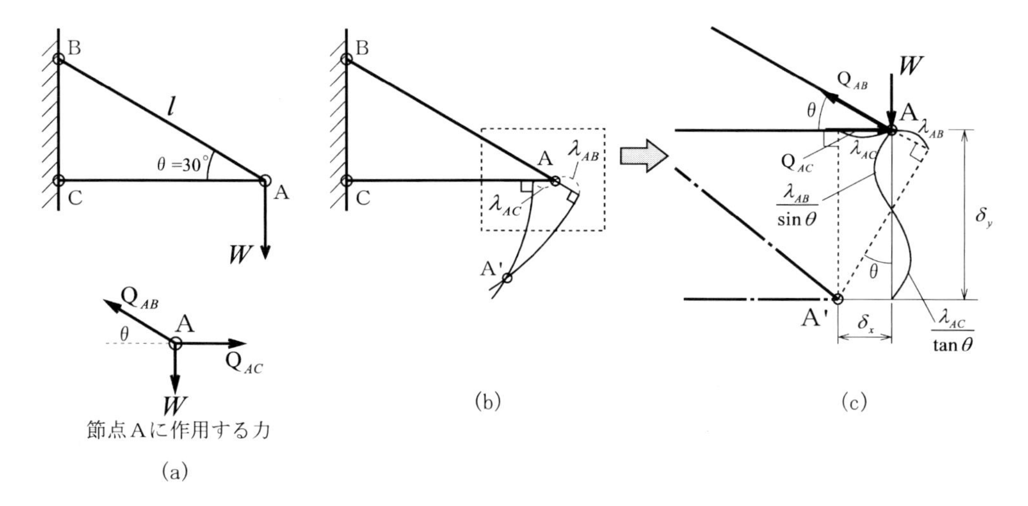

変形後の荷重点位置をA′とする．図(b)に示すように，A′は部材ABが λ_{AB} だけ伸びた点および部材ACが λ_{AC} だけ縮んだ点の両者を満足する点であるから，それは，点Bおよび点Cを中心に描いた円弧の交点である．しかし，変形が小さければ，ABを λ_{AB} だけ伸ばした点から垂線を引き，また，ACを λ_{AC} だけ縮めた点から垂線を引いてその2本の垂線の交点を変形後の位置A′と考えてもよい（図(c)参照）．

そこで，変形後も θ は変化しないものと考え，荷重点Aの水平，垂直方向変位を δ_x, δ_y とすれば，図(c)より

$$\delta_x = \lambda_{AC} = \frac{Wl}{A_{AC}E}\cdot\frac{\cos^2\theta}{\sin\theta}, \quad \delta_y = \frac{\lambda_{AB}}{\sin\theta} + \frac{\lambda_{AC}}{\tan\theta} = \frac{Wl}{E\sin^2\theta}\left(\frac{1}{A_{AB}} + \frac{\cos^3\theta}{A_{AC}}\right)$$

となる．数値を代入すれば

$$Q_{AB} = \frac{9800}{\sin 30^\circ} = 19600\text{N} \approx 19.60\text{kN}, \quad Q_{AC} = \frac{9800}{\tan 30^\circ} = 16974\text{N} \approx 16.97\text{kN},$$

$$\delta_x = \frac{9800 \times 1}{200 \times 10^{-6} \times 206 \times 10^9} \cdot \frac{\cos^2 30^\circ}{\sin 30^\circ} = 3.5680 \times 10^{-4}\text{m} \approx 0.357\text{mm},$$

$$\delta_y = \frac{9800 \times 1}{206 \times 10^9 \times \sin^2 30^\circ} \cdot \left(\frac{1}{400 \times 10^{-6}} + \frac{\cos^3 30^\circ}{200 \times 10^{-6}}\right) = 1.0937 \times 10^{-3}\text{m} \approx 1.09\text{mm}$$

【2.2】 円輪の幅を t, 厚さを1とする．すると，図のような微小要素 dm の外向きの遠心力 $r\omega^2 dm$ の上方成分 $r\omega^2 dm \sin\theta$ の総和が応力による力 $2\sigma(t \cdot 1)$ とつり合う（ここで $(t \cdot 1)$ は応力の作用面の面積である）．すなわち

$$\int_0^\pi r\omega^2 dm \sin\theta = 2\sigma(t \cdot 1)$$

ここで，dm は微小要素の質量であり，$dm = \rho r d\theta t \cdot 1$ で計算される．したがって，つり合い式は

$$\rho r^2 \omega^2 t \int_0^\pi \sin\theta d\theta = 2\sigma t \to \rho r^2 \omega^2 t \Big[-\cos\theta\Big]_0^\pi = 2\sigma t \quad \therefore\ \sigma = \rho r^2 \omega^2$$

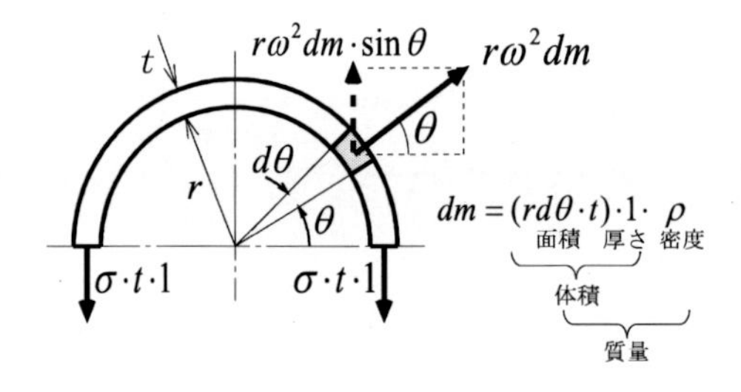

回転数 n[rpm] と角速度 ω[rad/s] には，$\omega = \dfrac{2\pi n}{60}$ の関係があるから

$$\sigma = \rho r^2 \left(\frac{2\pi n}{60}\right)^2 \quad \therefore\ n = \frac{60}{2\pi} \cdot \frac{1}{r} \cdot \sqrt{\frac{\sigma}{\rho}} = \frac{30}{\pi} \cdot \frac{1}{r} \cdot \sqrt{\frac{\sigma}{\rho}}\ [\text{rpm}]$$

ここで，$\sigma \to \sigma_a$ と置き換えて $\sigma_a = 190 \times 10^6\text{N/m}^2, r = 0.15\text{m}$, $\rho = 7.85 \times 10^3\text{kg/m}^3$ のときには

$$n = \frac{30}{\pi} \cdot \frac{1}{0.15} \cdot \sqrt{\frac{190 \times 10^6}{7.85 \times 10^3}} = 9904.3 \approx 9904\ \text{rpm}$$

となる．

【2.3】 ボルトの引張り応力を σ_B，円筒の圧縮応力（の絶対値）を σ_C とすれば，軸力を F として，つり合い式は

$$\sigma_B = \frac{F}{A_B}, \quad \sigma_C = \frac{F}{A_C} \quad \therefore\ \sigma_B A_B = \sigma_C A_C \cdots (1)$$

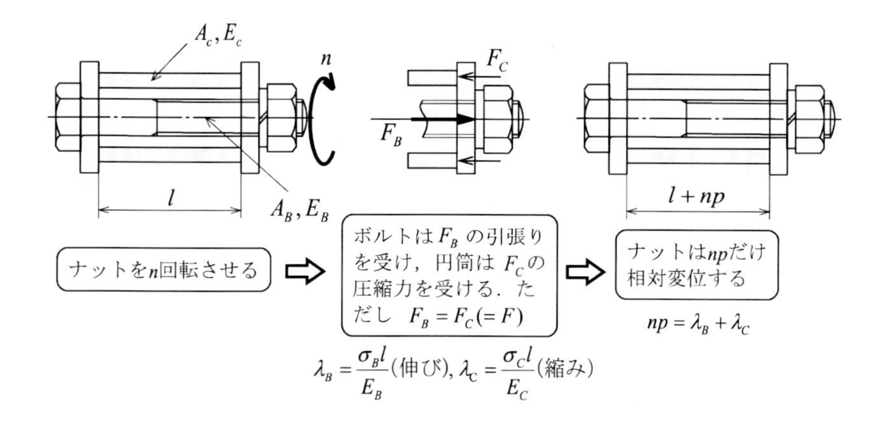

と表される． また，n：ナットの回転数 (=1/4)，p：ピッチ (=1mm) として，ナットの相対変位 $\lambda(= np)$ は，図のようにボルトの伸び $\lambda_B = \sigma_B l/E_B$ と円筒の縮み $\lambda_C = \sigma_C l/E_C$ の和に等しいから

$$np = \lambda_B + \lambda_C \quad \therefore \ \frac{\sigma_B}{E_B} l + \left(\frac{\sigma_C}{E_C} l\right) = \frac{p}{4} \cdots (2)$$

式 (1), (2) より

$$\sigma_B = \frac{E_B E_C A_C}{E_B A_B + E_C A_C} \cdot \frac{p}{4l}, \quad \sigma_C = \frac{E_B E_C A_B}{E_B A_B + E_C A_C} \cdot \frac{p}{4l}$$

数値を代入すれば（長さの単位は m として計算）

$$\begin{aligned}\sigma_B &= \frac{19.6 \times 10^{10} \times 9.8 \times 10^{10} \times 15 \times 10^{-4}}{19.6 \times 10^{10} \times 6 \times 10^{-4} + 9.8 \times 10^{10} \times 15 \times 10^{-4}} \cdot \frac{0.001}{4 \times 0.5} \\ &= 54.44 \times 10^6 \mathrm{N/m^2} \approx 54.4\mathrm{MPa}, \\ \sigma_C &= \frac{19.6 \times 10^{10} \times 9.8 \times 10^{10} \times 6 \times 10^{-4}}{19.6 \times 10^{10} \times 6 \times 10^{-4} + 9.8 \times 10^{10} \times 15 \times 10^{-4}} \cdot \frac{0.001}{4 \times 0.5} \\ &= 21.77 \times 10^6 \mathrm{N/m^2} \approx 21.8\mathrm{MPa}\end{aligned}$$

となる．

【2.4】 棒全体が ΔT だけ温度上昇すると，これによって生ずる伸び λ_T は，$\lambda_T = \Delta T \alpha(2l) = 2\alpha\Delta T l$ である．実際には，この伸びは生じておらず，壁からの反力 R によってこの大きさだけ縮められていると考えられる．この反力 R による縮み量 λ_R は，$A_2 = 2A_1$ を考慮して，$\lambda_R = \dfrac{Rl}{A_1 E} + \dfrac{Rl}{A_2 E} = \dfrac{3Rl}{2A_1 E}$．したがって，$\lambda_T = \lambda_R$ であるから

$$2\alpha\Delta T l = \frac{3Rl}{2A_1 E} \quad \therefore \ R = \frac{4\alpha\Delta T A_1 E}{3}$$

棒に生じる応力は，圧縮力 R を区間 AB，BC の断面積で割ればよいから

$$\sigma_{AB} = \frac{R}{A_1} = \frac{4}{3}\alpha\Delta T E, \quad \sigma_{BC} = \frac{R}{A_2} = \frac{R}{2A_1} = \frac{2}{3}\alpha\Delta T E$$

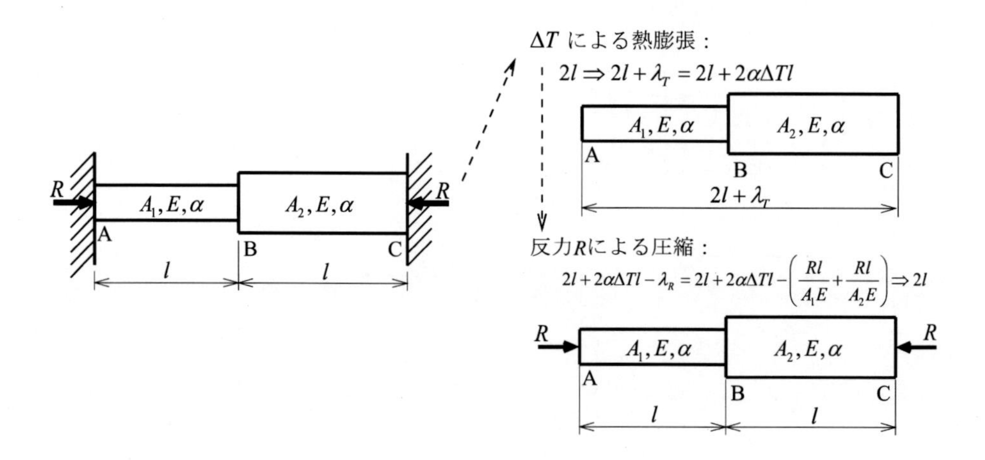

【2.5】 接触するまでの温度上昇 T_0 とすきま δ の関係は

$$\delta = \alpha T_0 l_1 + \alpha T_0 l_2 = \alpha T_0 (l_1 + l_2) \quad \therefore\ T_0 = \frac{\delta}{\alpha(l_1 + l_2)}$$

となる．この接触後にさらに T_1 だけ温度上昇すると，棒は，$T_1\alpha(l_1+l_2+\delta)$ だけ伸びるが，この伸びは剛体壁からの反力 (R とする) によりゼロに抑制される．一方，R による縮みは，$\delta_1 = \alpha T_0 l_1$, $\delta_2 = \alpha T_0 l_2$ として $\dfrac{R(l_1+\delta_1)}{A_1E} + \dfrac{R(l_2+\delta_2)}{A_2E}$ により計算されるから，これらの伸びと縮みを等しいと考えて

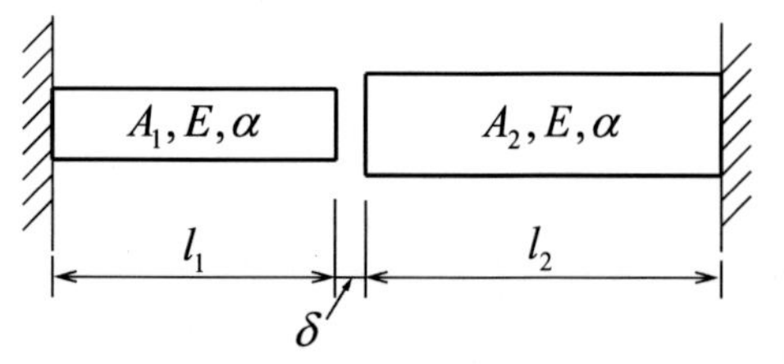

$$T_1\alpha(l_1 + l_2 + \delta) = \frac{R(l_1+\delta_1)}{A_1E} + \frac{R(l_2+\delta_2)}{A_2E}$$

ここで，δ_1, $\delta_2 \ll l_1, l_2$ なので，δ_1, δ_2 を含む項を省略し

$$T_1\alpha(l_1 + l_2) = \frac{Rl_1}{A_1E} + \frac{Rl_2}{A_2E} \quad \therefore\ R = \frac{A_1A_2ET_1\alpha(l_1+l_2)}{A_2l_1 + A_1l_2}$$

として反力 R が得られる．応力 σ_1, σ_2 を求めるには，この反力 R を断面積 A_1, A_2 で割ればよく，

$$\sigma_1 = \frac{A_2ET_1\alpha(l_1+l_2)}{A_2l_1 + A_1l_2}, \quad \sigma_2 = \frac{A_1ET_1\alpha(l_1+l_2)}{A_2l_1 + A_1l_2}$$

と得られる．

【2.6】

(1) 壁からの圧縮力 R によって，寸法の誤り Δl 分だけ棒が縮むと考えられるから

$$\frac{Rl_1}{A_1E} + \frac{Rl_2}{A_2E} = \Delta l$$

が成り立つ．これより，圧縮力 R は，$R = E\Delta l/(l_1/A_1 + l_2/A_2)$ を得る．

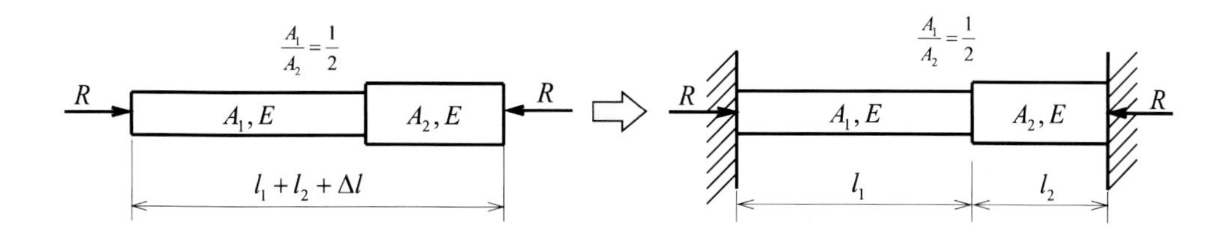

(2) 各棒に生じる応力は，圧縮力 R をそれぞれの断面積 A_1, A_2 で割ればよく

$$\sigma_1 = \frac{R}{A_1} = \frac{E\Delta l}{l_1 + l_2(A_1/A_2)} = \frac{206 \times 10^9 \times 0.75 \times 10^{-3}}{0.6 + 0.3 \times (1/2)} = 206\text{MPa},$$
$$\sigma_2 = \frac{R}{A_2} = \frac{E\Delta l}{l_1(A_2/A_1) + l_2} = \frac{206 \times 10^9 \times 0.75 \times 10^{-3}}{0.6 \times 2 + 0.3} = 103\text{MPa}$$

を得る．

【2.7】 図 (b)（羽根の拡大図）に示すように，羽根の任意位置 x より右方に，流通座標 ξ を定義する．なお，$0 \leq \xi \leq a + l - x$ である．このとき，位置 ξ にある微小質量 $\rho A d\xi$ の角加速度は $(x+\xi)\omega^2$ であるから，微小質量から生じる微小遠心力 dF は，$dF = (\rho A d\xi) \cdot (x+\xi)\omega^2$ である．したがって，位置 C の応力は，この微小遠心力の総和を羽根の断面積 A で割ればよいから

$$\sigma = \frac{1}{A}\int_0^{a+l-x} (\rho A d\xi) \cdot (x+\xi)\omega^2 = \rho\omega^2 \int_0^{a+l-x} (x+\xi) d\xi = \rho\omega^2 \left[x\xi + \frac{\xi^2}{2} \right]_0^{a+l-x}$$
$$= \rho\omega^2 \left\{ x(a+l-x) + \frac{1}{2}(a+l-x)^2 \right\} = \frac{1}{2}\rho\omega^2 \left\{ (a+l)^2 - x^2 \right\}$$

を得る．

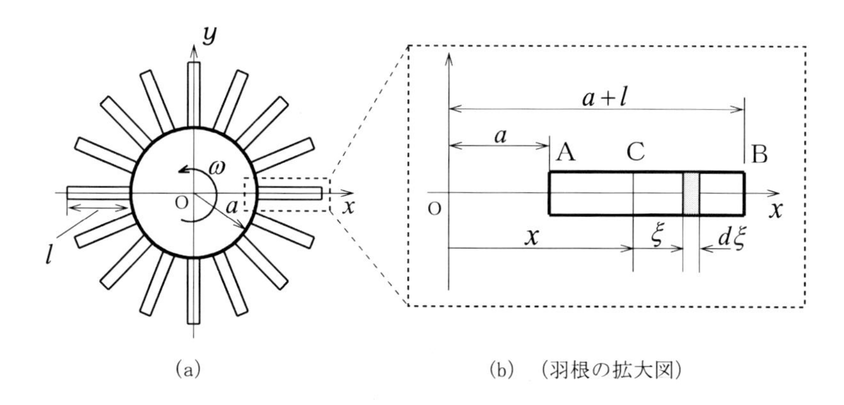

(a)　　(b)（羽根の拡大図）

また，位置 C の微小部 dx の微小伸び $d\lambda$ は $\dfrac{\sigma}{E}dx$ であるから，羽根全体の伸びは微小部の伸びの和（積分）により求められ

$$\lambda = \int_a^{a+l} \frac{\sigma}{E} dx = \frac{\rho\omega^2}{2E} \int_a^{a+l} \left\{ (a+l)^2 - x^2 \right\} dx = \frac{\rho\omega^2}{2E} \left[(a+l)^2 x - \frac{1}{3}x^3 \right]_a^{a+l}$$
$$= \frac{\rho\omega^2 l^2}{6E}(3a+2l)$$

となる．

（注：以上に示した手順は，微小部（dx や $d\xi$）に生じている現象（今の場合は，応力やフックの法則による伸び）を考え，その微小部から得られる物理量の総和（積分）によって解を求めるということに基づいている．この考え方は，材料力学に限らず，ほかの工学的，物理的な現象にも適用されている．是非，この手法に慣れよう.）

第3章　棒の複雑な問題，軸のねじり－1 解答

【**3.1**】 鋼線 CD の引張り力を Q_1，鋼線 EF の引張り力を Q_2 とすると，剛体棒 A B の点 A まわりのモーメントのつり合いから

$Wl = Q_1 l_1 + Q_2 l_2 \cdots\cdots (1)$

一方，剛体棒 AB は点 A まわりに回転するから鋼線 CD の伸び λ_1 と鋼線 EF の伸び λ_2 の間には，回転角が小さいとき $\lambda_1/l_1 = \lambda_2/l_2$ の関係がある．したがって，$\lambda_2 = (l_2/l_1)\lambda_1 = 3\lambda_1$ となるから

$$\frac{Q_2 L_2}{A_2 E_2} = 3\frac{Q_1 L_1}{A_1 E_1} \cdots\cdots (2)$$

式 (2) より, $E_1 = E_2$ として

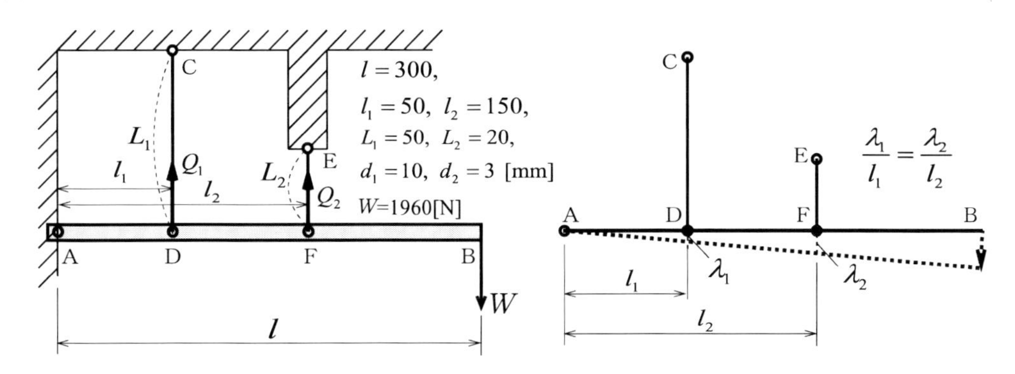

$$Q_2 = 3\frac{A_2 L_1}{A_1 L_2} Q_1 = 3 \times \frac{(\pi/4) \times 0.003^2 \times 0.05}{(\pi/4) \times 0.01^2 \times 0.02} \times Q_1 = 0.675 Q_1$$

これを式（1）に代入して

$$Q_1 = \frac{Wl}{l_1 + 0.675 l_2} = \frac{1960 \times 0.3}{0.05 + 0.675 \times 0.15} = 3888\text{N} \approx 3.89\text{kN},$$

$$\sigma_1 (= \sigma_{CD}) = \frac{Q_1}{A_1} = \frac{3888}{(\pi/4) \times 0.01^2} = 49.499 \times 10^6 \text{N/m}^2 \approx 49.5\text{MPa},$$

$$Q_2 = 0.675 \times 3.89 = 2.63\text{kN},$$

$$\sigma_2 (= \sigma_{EF}) = \frac{Q_2}{A_2} = \frac{2.63 \times 10^3}{(\pi/4) \times 0.003^2} \approx 372 \times 10^6 \text{N/m}^2 = 372\text{MPa}$$

【**3.2**】 x の位置の断面積を A_x とすると，$A_x = \pi d^2/4 = \dfrac{\pi}{4}\left(\dfrac{(h-x)d_0}{h}\right)^2$ である．これより下方の部分の体積は，$A_x(h-x)/3$ であり，その重量は $\rho g A_x (h-x)/3$ である．

これを断面積 A_x で割れば応力 σ_x が得られ，$\sigma_x = \rho g(h-x)/3$ となる．したがって，最大応力は $x=0$ に生じ，$\sigma_{\max} = \rho gh/3$ となる．

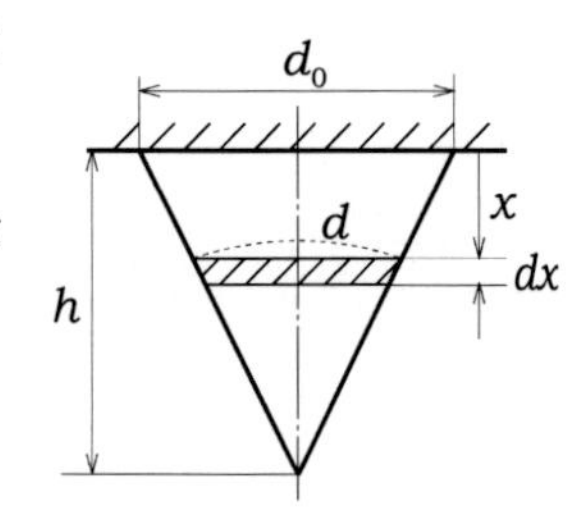

dx 部の伸び $d\lambda$ は，$d\lambda = \dfrac{\sigma_x}{E}dx = \dfrac{\rho g(h-x)dx}{3E}$ と表されるから，全体の伸びは

$$\lambda = \frac{\rho g}{3E}\int_0^h (h-x)dx = \frac{\rho g}{3E}\left[hx - \frac{x^2}{2}\right]_0^h = \frac{\rho gh^2}{6E}$$

と得られる．

【3.3】　底面から x の位置にある部分の断面積は $A = \left\{b-(b-a)\dfrac{x}{h}\right\}^2$ である．したがって，

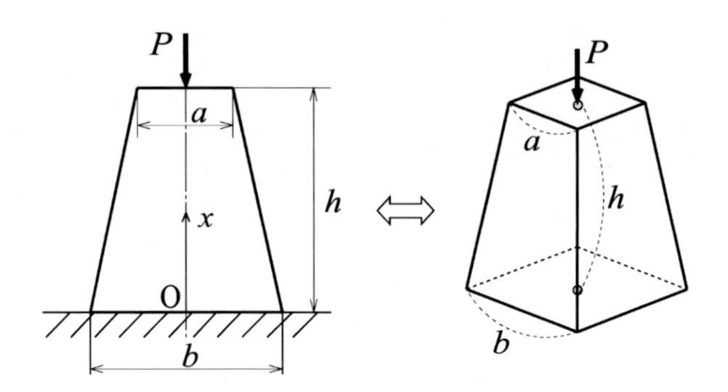

$$\text{縮み：}\ \lambda = \frac{P}{E}\int_0^h \frac{dx}{A(x)} = \frac{P}{E}\int_0^h \frac{dx}{\left\{b-(b-a)\dfrac{x}{h}\right\}^2} = \frac{Ph}{E(b-a)}\left(\frac{1}{a}-\frac{1}{b}\right) = \frac{Ph}{Eab}$$

P=2400kN, h=5m, a=0.5m, b=1m を代入して $\lambda = \dfrac{2400\times10^3\times5}{24\times10^9\times0.5\times1} = 1\times10^{-3}\text{m} = 1.0\text{mm}$

【3.4】　作用トルクを T，許容せん断応力を τ_a，丸棒の直径を d とすると，$T = \dfrac{\pi d^3\tau_a}{16}$ より $d = \left(\dfrac{16T}{\pi\tau_a}\right)^{1/3}$ となる．T=980Nm，τ_a=39.2×10^6 N/m^2 を代入すると

$$d = \left(\frac{16\times980}{\pi\times39.2\times10^6}\right)^{1/3} = 0.05031\text{m} \approx 50.3\text{mm}$$

【3.5】　この軸に生じる比ねじれ角 θ は，式（3.5）より

$$\theta = \frac{\phi}{l} = \frac{1.9\times\pi/180}{3} = 0.01105\ \text{rad/m}$$

したがって，最大せん断応力 τ は，式（3.6）より

$$\tau = Gr\theta = 80\times10^9\times(0.08/2)\times0.01105 = 35.36\times10^6\text{N/m}^2 \approx 35.4\text{MPa}$$

と得られる.

このときのねじりモーメントは，式（3.8）より

$$T = GI_p\theta = 80 \times 10^9 \times \frac{\pi \times 0.08^4}{32} \times 0.01105 = 3554.8 \approx 3.55 \times 10^3\text{Nm}$$

となる.

【3.6】 ねじりモーメント T の負荷点で丸棒を左右の2つに分割して考える．このとき，左右の丸棒に作用するねじりモーメント T_A, T_B は，加えたねじりモーメント T に等しいから

$$T = T_A + T_B \cdots (1)$$

また，トルク作用点では左右の棒のねじり角 ϕ が等しいことより

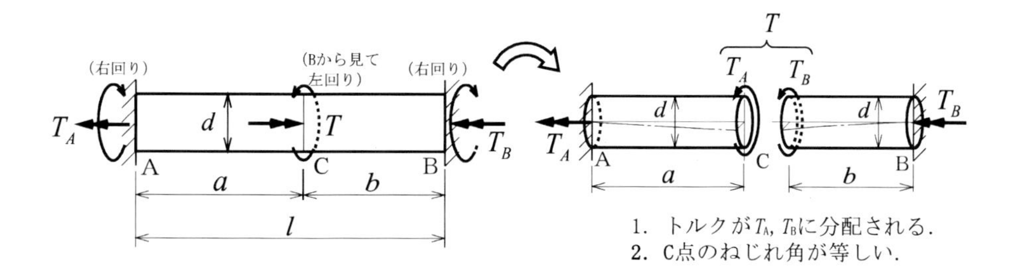

$$\phi = \frac{T_A a}{GI_p} = \frac{T_B b}{GI_p} \to T_A = \frac{b}{a}T_B \cdots (2)$$

したがって，式（1），(2）より

$$T_A = \frac{Tb}{a+b},\ T_B = \frac{Ta}{a+b}$$

各区間の応力は，$\tau_A = T_A/Z_p, \tau_B = T_B/Z_p$ により，また，ねじり角 ϕ は式（2）を用いると

$$\tau_A = \frac{16Tb}{\pi d^3(a+b)},\quad \tau_B = \frac{16Ta}{\pi d^3(a+b)}(= \tau_{\max}),\quad \phi = \frac{T}{GI_p}\frac{ab}{(a+b)} = \frac{32T}{\pi d^4 G} \cdot \frac{ab}{a+b}$$

と得られる．ここで，Z_p は極断面係数であり，直径 d の丸棒では $Z_p = \pi d^3/16$ である．なお，$a > b$ を仮定しているので，$\tau_A < \tau_B$ となり，棒 CB に最大せん断応力が生じる.

第4章　軸のねじり－2 解答

【4.1】　一般に，許容せん断応力を τ_a としたとき，トルク T を受ける丸棒の軸径は，式 (3.9) から $d = \left(\dfrac{16T}{\pi\tau_a}\right)^{1/3}$ と計算される．ここで，$T = 60P/(2\pi n)$ を代入して

$$d = \left(\frac{16}{\pi\tau_a}\cdot\frac{60P}{2\pi n}\right)^{1/3}$$

$P = 2.2\text{kW}$, n=1800rpm, $\tau_a = 19.6\times10^6\ \text{N/m}^2$ を代入すると

$$d = \left(\frac{16}{\pi\times19.6\times10^6}\times\frac{60\times2200}{2\pi\times1800}\right)^{1/3} = 0.01447\text{m} \approx 14.5\text{mm}$$

【4.2】 中空軸の内径および外径を d_i, d_0 とする．中空軸をねじった時に生じる最大応力 $\tau_{\max}$ $(=\tau_a)$ とトルクの関係は，Z_p を極断面係数（$Z_p = I_p/(d_0/2)$）として，式 (4.4) より

$$\tau_a = \frac{T}{Z_p} = \frac{16d_0T}{\pi(d_0^4-d_i^4)}$$

であるから，$m = d_i/d_0$，$T = 60P/(2\pi n)$ とおいて

$$d_0 = \left(\frac{16T}{\pi\tau_a(1-m^4)}\right)^{1/3} = \left(\frac{16}{\pi\tau_a(1-m^4)}\cdot\frac{60P}{2\pi n}\right)^{1/3}$$

これに与えられた数値を代入すると

$$d_0 = \left(\frac{16}{\pi\times19.6\times10^6\times(1-0.65^4)}\cdot\frac{60\times2200}{2\pi\times1800}\right)^{1/3} = 0.01546\text{m} = 15.46\text{mm},$$
$$d_i = 0.65\times15.46 \approx 10.05\text{mm}$$

【4.3】　以下，点Bの方向から見て左回りを正のトルク，正のねじれ角とする．

(1) 解1　図のように，点Cに T, 点Dに $-T$ を受ける2つの問題の重ね合わせとして問題を考える．すると，**問題3.5** の結果から，それぞれの棒のトルクやねじれ角は図のようになる．トルクやねじれ角はそれぞれの場合を加えればよく，図のような分布となる．

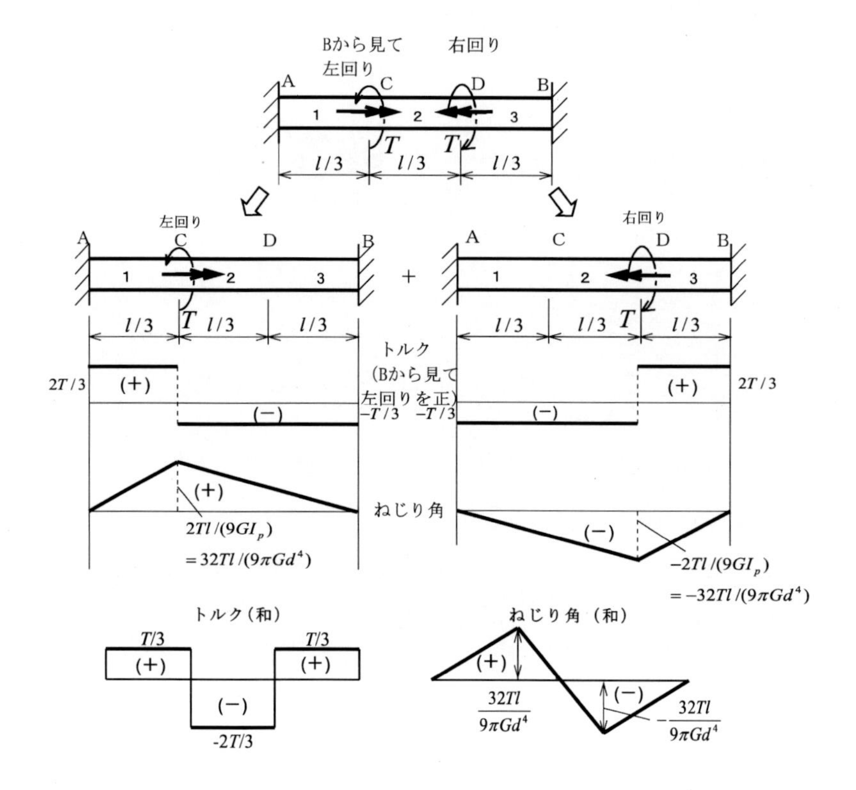

(2) 解2　点C，点Dに作用するトルクTを図のように棒AC, CD, DBに分配されるものと考え，また，棒CDのトルクのつり合い式を考えると

$$T = T_{C1} + T_{C2} \cdots (1),\quad T = T_{D1} + T_{D2} \cdots (2),\quad T_{C2} = T_{D1} \cdots (3)$$

次に点C，点D，点Bのねじれ角を考える．点Bから見て左回りを正として

棒ACの点Cのねじれ角：$\phi_{1C} = (T_{C1}(l/3))/(GI_p)$,

棒CDの点Dのねじれ角：$\phi_{2D} = -(T_{D1}(l/3))/(GI_p)$,

棒DBの点Bのねじれ角：$\phi_{3B} = (T_{D2}(l/3))/(GI_p)$

である．したがって，ねじれ角の動きを見ると A(ゼロ) $\to C(\phi_{1C}) \to D(\phi_{2D}) \to B(\phi_{3B})$ となり，

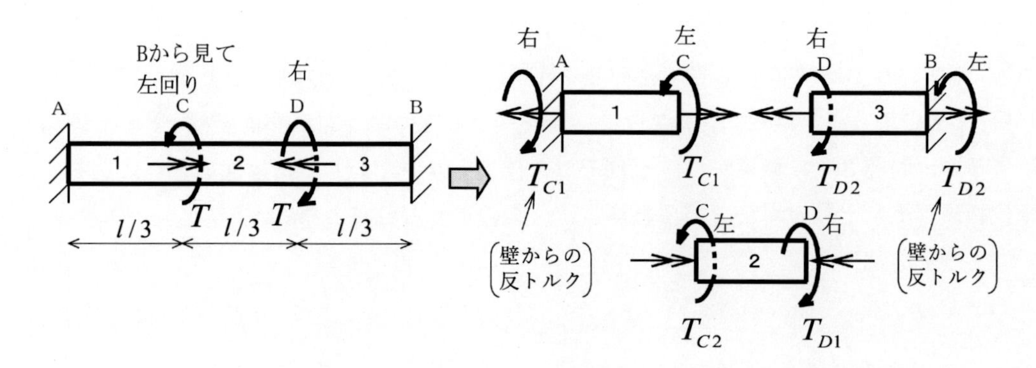

点Bは固定点であるから

$$\phi_{1C} + \phi_{2D} + \phi_{3B} = 0 \quad \therefore \quad \frac{T_{C1}l}{3GI_p} - \frac{T_{D1}l}{3GI_p} + \frac{T_{D2}l}{3GI_p} = 0 \quad \cdots (4)$$

以上より，式（1）～（4）を連立して $T_{C1}, T_{C2}, T_{D1}, T_{D2}$ を求めると

$$T_{C1} = T/3, \ \ T_{C2} = T_{D1} = 2T/3, \ \ T_{D2} = T/3$$

を得る．点Cのねじれ角 $\phi_C = \phi_{1C}$ は，$\phi_1 = T_{C1}(l/3)/(GI_p) = 32Tl/(9\pi Gd^4)$ となる．

【4.4】 計算に必要な式は

$$\text{楕円断面棒最大せん断応力}:\tau_1 = \frac{2T}{\pi ab^2}, \ \ 2a\,\text{直径棒最大せん断応力}:\tau_2 = \frac{16T}{\pi a^3},$$

$$2b\,\text{直径棒最大せん断応力}:\tau_3 = \frac{16T}{\pi b^3}$$

したがって，$a/b = \alpha$ として $\tau_1 : \tau_2 : \tau_3 = \dfrac{1}{\alpha} : \dfrac{1}{\alpha^3} : 1$ となる．

比ねじれ角については

$$\text{楕円断面棒比ねじれ角}:\theta_1 = \frac{a^2+b^2}{\pi a^3 b^3}\frac{T}{G}, \ \ 2a\,\text{直径棒比ねじれ角}:\theta_2 = \frac{2T}{\pi a^4 G},$$

$$2b\,\text{直径棒比ねじれ角}:\theta_3 = \frac{2T}{\pi b^4 G}$$

したがって $T/\theta_1 : T/\theta_2 : T/\theta_3 = \dfrac{1}{\alpha(1+\alpha^2)} : \dfrac{1}{\alpha^4} : 1$ となる．

以上の結果を図示すると以下のようになる．

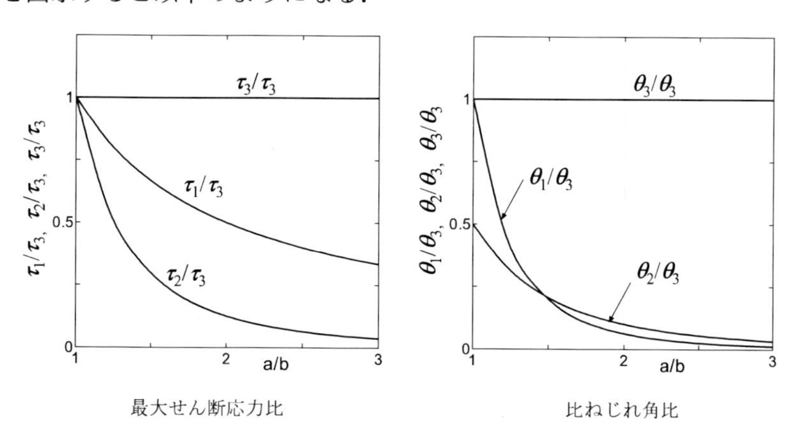

最大せん断応力比　　　　比ねじれ角比

【4.5】 中実丸棒，中空丸棒の最大せん断応力 $\tau_{S\max}, \tau_{H\max}$ は，式（3.9），式（4.4）より

$$\tau_{S\max} = \frac{16T}{\pi d^3}, \quad \tau_{H\max} = \frac{16T}{\pi d_0^3(1-m^4)}$$

となる．題意よりこの両者は等しい．そこで，この等式より d_0 を求めると

$$d_0 = \frac{d}{(1-m^4)^{1/3}}$$

一方，2つの棒の長さが同一なので，棒の重量比は断面積の比から計算され

$$\frac{W_H}{W_S} = \frac{\dfrac{\pi}{4}(d_0^2 - d_i^2)}{\dfrac{\pi}{4}d^2} = \frac{d_0^2(1-m^2)}{d^2} = \frac{1-m^2}{(1-m^4)^{2/3}} = \frac{(1-m^2)^{1/3}}{(1+m^2)^{2/3}} = \frac{(1-0.5^2)^{1/3}}{(1+0.5^2)^{2/3}} \approx 0.783$$

【4.6】 図のように，区間ACに作用するトルク T_{AC} は，Bから見て右回りに $80-20=60$Nm となるから，この区間のせん断応力 τ_{AC} は

$$\tau_{AC} = \frac{16T_{AC}}{\pi d^3} = \frac{16 \times 60}{\pi \times 0.03^3} = 11.318 \times 10^6 \text{N/m}^2 \approx 11.3\text{MPa}$$

同様に，区間CBに作用するトルク T_{CB} は，Bから見て右回りに80Nmであり，この区間のせん断応力 τ_{CB} は

$$\tau_{CB} = \frac{16T_{CB}}{\pi d^3} = \frac{16 \times 80}{\pi \times 0.03^3} = 15.09 \times 10^6 \text{N/m}^2 \approx 15.1\text{MPa}$$

となる．

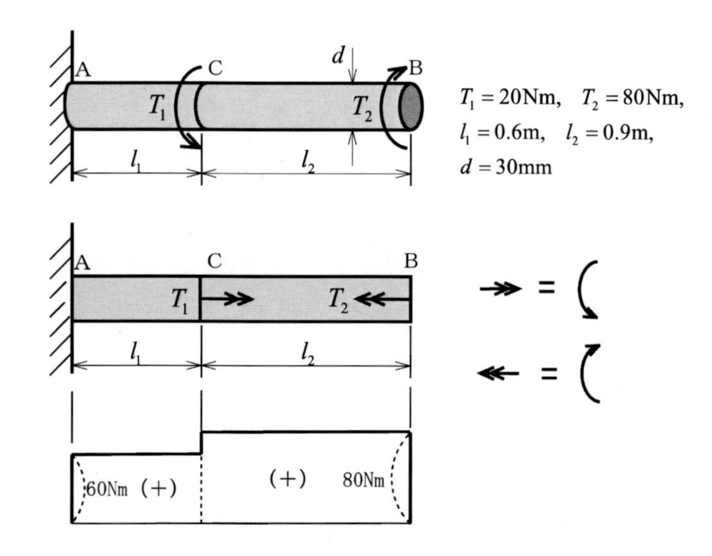

なお，図中の2重矢印は，トルクの回転の向きにしたがって表示されるベクトルである．この表し方は，第18章に示すように曲げモーメントの表示にも用いることができる．ねじれ角 ϕ は，区間ACおよび区間CBのねじれ角の和として計算され

$$\phi = \frac{T_{AC}l_1}{GI_p} + \frac{T_{CB}l_2}{GI_p} = \frac{1}{G(\pi d^4/32)}(T_{AC}l_1 + T_{CB}l_2)$$

$$= \frac{32}{27 \times 10^9 \times \pi \times 0.03^4}(60 \times 0.6 + 80 \times 0.9) = 0.0503 \text{ rad} = 2.88^\circ$$

【4.7】

(1) 図を参考に，テーパ棒の長さの比より

$$\frac{d_1 - d_2}{2} : l = \frac{d - d_1}{2} : l - x$$

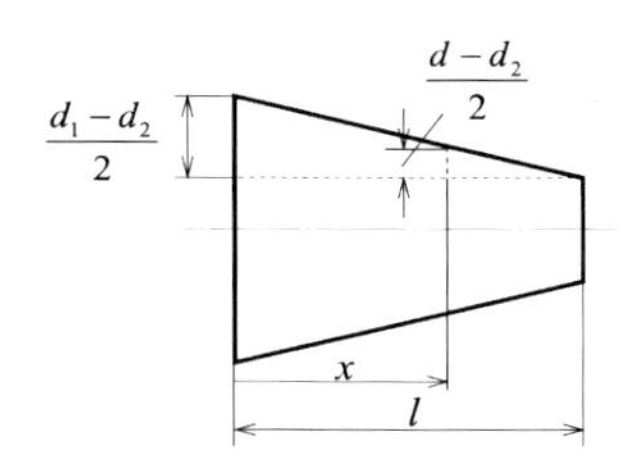

が成立する．これより，$d = d_1 - \dfrac{(d_1 - d_2)x}{l}$ が得られる．

(2) 実際に積分すると

$$
\begin{aligned}
\phi &= \frac{32T}{\pi G}\int_0^l \frac{1}{d^4}dx = \frac{32T}{\pi G}\int_0^l \frac{1}{\{d_1 - (d_1 - d_2)x/l\}^4}dx \\
&= \frac{32T}{\pi G}\left[-\frac{1}{3}\cdot\frac{-l}{d_1 - d_2}\cdot\frac{1}{\{d_1 - (d_1 - d_2)x/l\}^3}\right]_0^l \\
&= \frac{32Tl}{3\pi G}\cdot\frac{d_1^3 - d_2^3}{d_1^3 d_2^3 (d_1 - d_2)} = \frac{32Tl}{3\pi G}\cdot\frac{d_1^2 + d_1 d_2 + d_2^2}{d_1^3 d_2^3}
\end{aligned}
$$

を得る．

【4.8】 ギアBにおいて軸に作用するトルクを T_1，ギアCにおいて軸に作用するトルクを T_2，全トルクを T とすると $T = T_1 + T_2$ である．これより，図からわかるように，軸BCには T_2，軸ABには T のトルクが作用している．また，毎分 n 回転する軸の動力 P[W] と作用トルク T[Nm] の間には $T = 60P/(2\pi n)$ の関係がある．

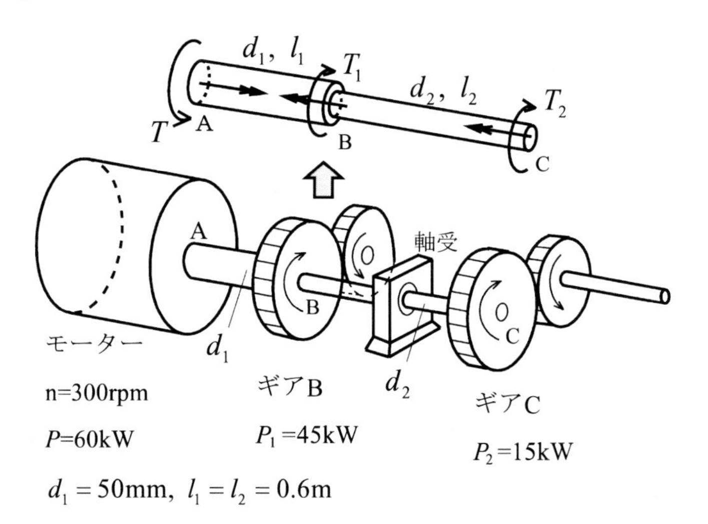

さて，軸ABと軸BCに生じる最大せん断応力 τ_1, τ_2 は，$\tau_1 = \dfrac{16T}{\pi d_1^3}$，$\tau_2 = \dfrac{16T_2}{\pi d_2^3}$ であるが，この両者が等しくなるときの軸径 d_2 は

$$
\frac{16T}{\pi d_1^3} = \frac{16T_2}{\pi d_2^3} \quad \rightarrow \quad d_2 = \left(\frac{T_2}{T}\right)^{1/3} d_1 = \left(\frac{W_2}{W}\right)^{1/3} d_1 = \left(\frac{15}{60}\right)^{1/3} \times 50 = 31.5\text{mm}
$$

と求められる．

一方，全ねじり角 ϕ は，軸 AB および軸 BC のねじり角の和となるから

$$\phi = \frac{32Tl_1}{\pi G d_1^4} + \frac{32T_2 l_2}{\pi G d_2^4}$$

であるが，作用トルク T, T_2 は

$$T = \frac{60P}{2\pi n} = \frac{60 \times 60 \times 10^3}{2\pi \times 300} = 1909.9\text{Nm}, \quad T_2 = \frac{60P_2}{2\pi n} = \frac{60 \times 15 \times 10^3}{2\pi \times 300} = 477.5\text{Nm}$$

となる．したがって，

$$\phi = \frac{32 \times 1909.9 \times 0.6}{\pi \times 82 \times 10^9 \times 0.05^4} + \frac{32 \times 477.5 \times 0.6}{\pi \times 82 \times 10^9 \times 0.0315^4} = 0.0589\text{rad} = 3.38^\circ$$

第5章　軸のねじり－3 解答

【5.1】 円形断面棒および楕円断面棒の最大せん断応力と比ねじれ角を，それぞれ $\tau_{c\,\max}$, θ_c および $\tau_{e\,\max}$, θ_e とする．また，d : 円の直径，$2a$: 楕円の長軸の長さ，$2b$: 楕円の短軸の長さとすると，式 (3.7) , (5.1) より

$$\tau_{c\,\max} = \frac{16T}{\pi d^3},\quad \theta_c = \frac{32T}{\pi d^4 G},\quad \tau_{e\,\max} = \frac{2T}{\pi ab^2},\quad \theta_e = \frac{a^2+b^2}{\pi a^3 b^3}\cdot\frac{T}{G}$$

である．

断面積が等しいことより，$d^2 = 4ab$ であるから

$$\frac{\tau_{c\,\max}}{\tau_{e\,\max}} = \frac{2b}{d} = \sqrt{\frac{b}{a}},\quad \frac{\theta_c}{\theta_e} = \frac{2ab}{a^2+b^2}$$

【5.2】 式 (5.2) より，$\tau_{r\,\max} = (k_1)_{a=b}T/a^3 = 4.8T/a^3$ となる．したがって

正方形断面：最大せん断応力 $\tau_{r\,\max} = 4.8\dfrac{T}{a^3}$

円形断面：最大せん断応力 $\tau_{c\,\max} = \dfrac{16T}{\pi a^3}$ $\therefore$ $\dfrac{\tau_{r\,\max}}{\tau_{c\,\max}} = \dfrac{4.8}{16/\pi} = 0.942$

これより，正方形断面棒は，円形断面棒に対して約 27%$(a^2/(\pi a^2/4) = 4/\pi \approx 1.27)$ の断面積の増加となる一方，最大せん断力については約 6%の低下となっていることがわかる．

【5.3】 密巻きばねとして考え，断面に作用するせん断力を，ねじりモーメント WR による分と荷重 W による分との和と考えると，式 (5.4) より

$$\tau_{\max} = \frac{16WR}{\pi d^3}\left(1+\frac{d}{4R}\right) = \frac{16\times117.6\times0.025}{\pi\times0.006^3}\left(1+\frac{0.006}{4\times0.025}\right)$$
$$= 73.48\times10^6\mathrm{N/m^2} \approx 73.5\mathrm{MPa}$$

なお，この $\tau_{\max}$ はコイルばね素線の中心軸に最も近い内側の点に生じ，外側ではせん断力は $\tau = \dfrac{16WR}{\pi d^3}\left(1-\dfrac{d}{4R}\right) \approx 65.2\mathrm{MPa}$ となる．

ワールの式を用い，$c = 2R/d = (2\times25)/6 = 8.333$ として，

$$\tau_{\max} = \frac{16WR}{\pi d^3}\left(\frac{4\times8.333-1}{4\times8.333-4}+\frac{0.615}{8.333}\right) = 81.53\times10^6\mathrm{N/m^2} \approx 81.5\mathrm{MPa}$$

【5.4】 W の位置のねじれ角を ϕ_1 とすると，W の位置のねじりによるたわみは $\delta_1 = \phi_1 L$ となる．

一方，トルク WL によるねじれ角 ϕ_1 は

$$\phi_1 = \frac{32(WL)l}{\pi d^4 G},\quad G = 80\text{GPa} \text{ とすれば } \phi_1 = \frac{32 \times 49 \times 0.1 \times 0.5}{\pi \times 0.01^4 \times 80 \times 10^9} = 0.0312\text{rad}$$

$$\therefore\ \delta_1 = \phi_1 L = 0.0312 \times 100 = 3.12\text{mm}$$

一方，丸棒が荷重 W を受けることによって生ずるたわみ δ_2 は，片持はりのたわみと考えられるから

$$\delta_2 = \frac{Wl^3}{3EI} = \frac{49 \times 0.5^3}{3 \times 206 \times 10^9 \times (\pi \times 0.01^4)/64} = 0.02019\text{m} = 20.19\ \text{mm}$$

$$\therefore\ \delta = \delta_1 + \delta_2 = 3.12 + 20.19 = 23.31\text{mm}$$

【5.5】　(1) ねじりモーメントは，図 (c) より，$T = 2\pi \int_0^a \tau r^2 dr$ と求められるが，これを，区間 $0 \le r \le \rho$，$\rho \le r \le a$ ごとに積分すればよい．すなわち

$$\begin{aligned} T &= 2\pi \int_0^a \tau r^2 dr = 2\pi \int_0^\rho \tau_s \frac{r}{\rho} r^2 dr + 2\pi\tau_s \int_\rho^a r^2 dr \\ &= \frac{\pi}{2}\tau_s \rho^3 + \frac{2}{3}\pi\tau_s(a^3 - \rho^3) = \frac{\pi}{6}\tau_s(4a^3 - \rho^3) \end{aligned}$$

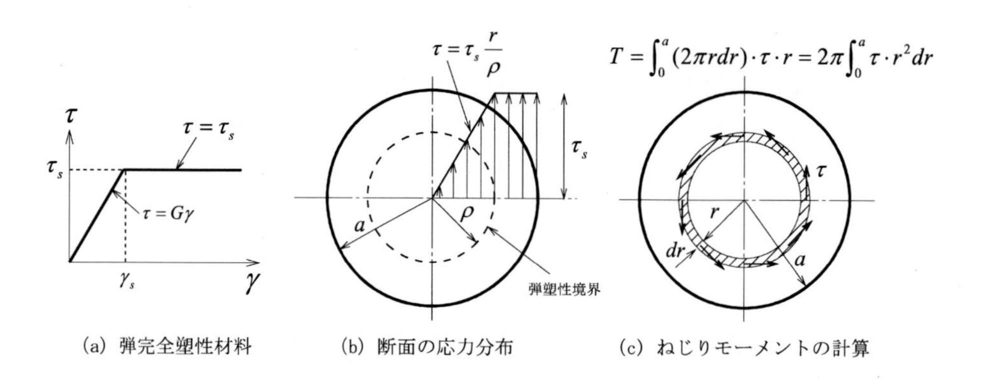

(a) 弾完全塑性材料　(b) 断面の応力分布　(c) ねじりモーメントの計算

(2) $\gamma = r\theta$ の関係を弾塑性境界位置 $r = \rho$ で適用すると，$\gamma_s = \rho\theta$．したがって，$\rho = \dfrac{\gamma_s}{\theta}$ となる．この結果を (1) に代入すると

$$T = \frac{\pi}{6}a^3\tau_s\left\{4 - \left(\frac{\gamma_s}{a\theta}\right)^3\right\}$$

を得る．

断面全体に塑性域が拡がるときのねじりモーメントを**極限ねじりモーメント**（fully plastic moment）T_0 とよぶ．この T_0 は，上式において $\theta \to \infty$（あるいは $\rho \to 0$）とすることによって得られ，$T_0 = (2/3)\pi a^3 \tau_s$ となる．これは，丸棒表面が塑性変形を開始するときのねじりモーメント $T_e = (\pi/2)a^3\tau_s$ に比べて，約 33%大きい．

第6章　断面の性質 解答

【6.1】 図のように図形を分割すると，図心の位置 $e_2 = \overline{Y}$ は，

$$\overline{Y} = \frac{A_1\bar{Y}_1 + A_2\bar{Y}_2}{A_1 + A_2} = \frac{ah\cdot(a/2) + (b-h)h\cdot(h/2)}{ah + (b-h)h} = \frac{a^2 + h(b-h)}{2\{a + (b-h)\}}$$
$$= \frac{20^2 + 2\times(20-2)}{2\times\{20 + (20-2)\}} = 5.737 \approx 5.74\mathrm{cm}$$

である．

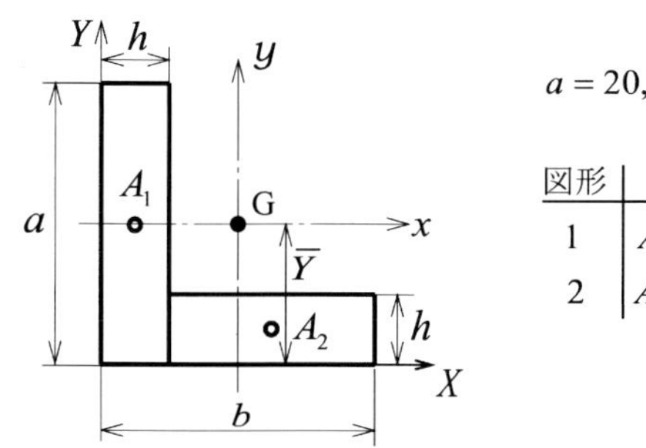

$a = 20,\ b = 20,\ h = 2\,[\mathrm{cm}]$

図形	面積	図心（$\bar{X}, \bar{Y}$）
1	$A_1 = ah$	$(h/2, a/2)$
2	$A_2 = (b-h)h$	$((b+h)/2, h/2)$

X 軸および x 軸に関する断面2次モーメントについては，平行軸の定理を利用して

$$I_X = \frac{ha^3}{12} + ha\cdot(a/2)^2 + \frac{(b-h)(h/2)^3}{12} + (b-h)\cdot(h/2)^2 = \frac{h}{3}\left\{a^3 + h^2(b-h)\right\}$$
$$= \frac{2}{3}\times\left\{20^3 + 2^2\times(20-2)\right\} = 5381.3 \approx 5381\mathrm{cm}^4$$
$$I_x = I_X - A\overline{Y}^2 = 5381.3 - (40+36)\times 5.737^2 = 2879.9 \approx 2880\mathrm{cm}^4$$

（ここでは，**丸め誤差**（round-off error）（四捨五入や切り上げ，切り捨てを行うことにより数値計算結果に誤差が生じること）を防ぐために，有効数字（通常は3桁程度）を少し多めに用いて次の計算に進んでいる.）

【6.2】　(1) 図 (a) において，原点 O から y の高さにある微小部分の幅を b とすると

$$\sqrt{2}l : b = \frac{l}{\sqrt{2}} : \left(\frac{l}{\sqrt{2}} - y\right) \quad \therefore\ b = \sqrt{2}l - 2y$$

となる．したがって，正方形 abcd の x 軸に関する断面2次モーメントは，$dA = bdy$ として

$$I_x = \int_A y^2 dA = 2\int_0^{l/\sqrt{2}} y^2\left(\sqrt{2}l - 2y\right)dy = 2\left[\frac{\sqrt{2}l}{3}y^3 - \frac{1}{2}y^4\right]_0^{l/\sqrt{2}} = \frac{l^4}{12}$$

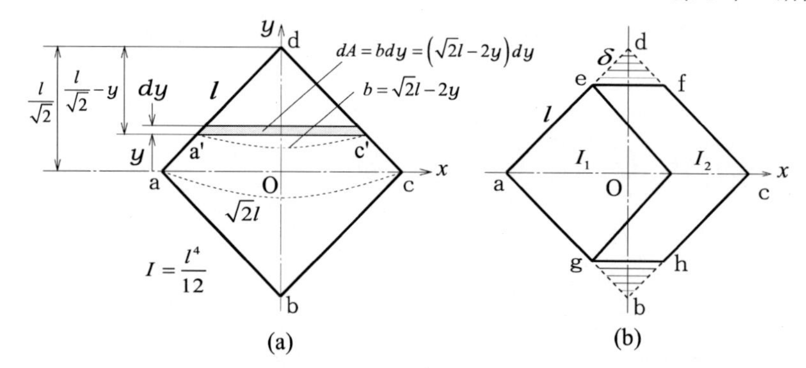

(2) 切り落とした図形aefchgのxに関するI'は，図(b)より$I' = \dfrac{\overline{ae}^4}{12} + \dfrac{\overline{ef} \times \overline{ge}^3}{12}$. さらに，$\alpha = \delta/l$とおくと，$\overline{ae} = l - \delta = l(1-\alpha)$, $\overline{ef} = \sqrt{2}\alpha l$, $\overline{ge} = \sqrt{2}(1-\alpha)l$ として

$$I' = \frac{l^4}{12}(1-\alpha)^4 + \frac{\sqrt{2}\alpha l}{12}\left\{\sqrt{2}(1-\alpha)l\right\}^3 = \frac{l^4}{12}(1-\alpha)^3(1+3\alpha)$$

(3) 断面係数Z'は，(2)のI'を中心Oから上辺efまでの距離（$=(1-\alpha)l/\sqrt{2}$）で割ればよいから

$$Z' = \frac{I'}{(1-\alpha)l/\sqrt{2}} = \frac{\sqrt{2}l^3}{12}(1-\alpha)^2(1+3\alpha)$$

$dZ'/d\alpha = 0$ より，$(1-\alpha)(1-9\alpha) = 0$. したがって，$\alpha = 1/9$のとき$Z'$は最大値をとる（物理的に無意味な$\alpha = 1$は除外する）．切り落とさないときの Z は $Z = \sqrt{2}l^3/12$ であるから

$$\frac{Z'_{\max}}{Z} = \left(1 - \frac{1}{9}\right)^2\left(1 + \frac{3}{9}\right) = 1.053$$

を得る．したがって，上下の角を削りとって高さを約11%低くすれば，断面積，断面2次モーメントともに小さくなるが，断面係数は約5%ほど大きくなって，はりの強さが増大する．

【6.3】

1) 下辺からYの位置にある微小幅dYの台形の横幅をb'とおくと$b' = b + b_1 - \dfrac{b_1}{h}Y$ となる．また，台形の面積Aは，$A = 1/2(b+b+b_1)h = \dfrac{h}{2}(2b+b_1)$ となる．したがって，図心位置e_1は，微小面積dAを$b'dY$とおいて

$$e_1 = \frac{1}{A}\iint YdA = \frac{2}{h(2b+b_1)}\int_0^h Yb'dY = \frac{2}{h(2b+b_1)}\int_0^h \left((b+b_1)Y - \frac{b_1}{h}Y^2\right)dY$$
$$= \frac{2}{h(2b+b_1)}\left[\frac{b+b_1}{2}Y^2 - \frac{b_1Y^3}{3h}\right]_0^h = \frac{2}{h(2b+b_1)}h^2\left(\frac{b+b_1}{2} - \frac{b_1}{3}\right) = \frac{h(3b+b_1)}{3(2b+b_1)}$$

2) X軸まわりの断面2次モーメントI_Xの計算

$$I_X = \iint Y^2 dA = \int_0^h Y^2\left(b + b_1 - \frac{b_1}{h}Y\right)dY = \left[(b+b_1)\frac{Y^3}{3} - \frac{b_1}{h}\frac{Y^4}{4}\right]_0^h = \frac{h^3}{12}(4b+b_1)$$

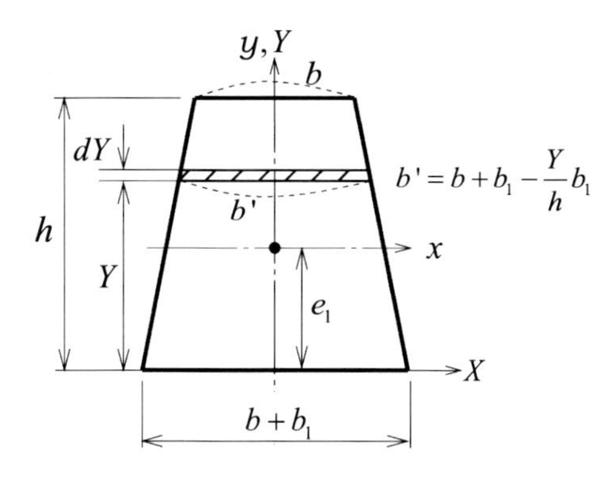

3) x 軸まわりの断面２次モーメント I_x の計算

$$I_x = I_X - e_1^2 A = \frac{h^3}{12}(4b+b_1) - \frac{h^2}{9}\frac{(3b+b_1)^2}{(2b+b_1)^2}\cdot\frac{h}{2}(2b+b_1)$$
$$= \frac{h^3}{12}(4b+b_1) - \frac{h^3}{18}\frac{(3b+b_1)^2}{(2b+b_1)} = \frac{6b^2+6bb_1+b_1^2}{36(2b+b_1)}h^3$$

【6.4】 円形断面 (半径を R とする) から角材を作り出すから，b, h には

$$\left(\frac{b}{2}\right)^2 + \left(\frac{h}{2}\right)^2 = R^2$$

の関係がある．

一方，断面係数 Z は，$Z = bh^2/6$ と表されるが，上の関係を代入すると

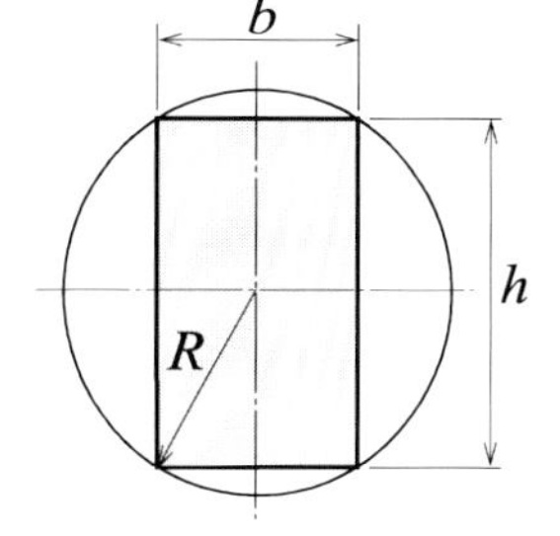

$$Z = \frac{bh^2}{6} = \frac{b}{6}(4R^2 - b^2)$$

となる．

この Z が b に関して最大であれば曲げに対して最も強い断面となる．したがって

$$\frac{dZ}{db} = 0$$

を満たす b を求めればよい．これを実際に計算すると $b = 2R/(\sqrt{3})$ を得る．この b のときには，$h = 2\sqrt{2/3}R$ であるから，b/h は

$$\frac{b}{h} = \frac{1}{\sqrt{2}}$$

となる．この比は，**白銀比**（silver ratio）とも呼ばれ，縦横の寸法 b, h に関して $h/2 : b = b : h$ を満たす比であることから，紙の寸法などにも用いられている．

【6.5】 図の z' 軸に関する一次モーメントを考える．T 字状の図を水平部分と垂直部分とに分け，それぞれの面積を $A_1(=bt)$, $A_2(=t(h-t))$ ，A_1, A_2 の z' 軸からの図心までの高さを $h_1 = h - t/2$,

$h_2 = (h-t)/2$ とする．したがって，図心位置 h_0 は

$$h_0 = \frac{A_1h_1 + A_2h_2}{A_1 + A_2} = \frac{bt\cdot(h-t/2) + t(h-t)\cdot(h-t)/2}{bt + t(h-t)} = \frac{b(2h-t)+(h-t)^2}{2(b+h-t)}$$

断面2次モーメント I_z については，図形 A_1, A_2 に関して平行軸の定理を考えればよく

$$I_z = \frac{bt^3}{12} + bt\bigl(h-h_0-t/2\bigr)^2 + \frac{t(h-t)^3}{12} + \frac{t}{4}(h-t)\bigl(2h_0-h+t\bigr)^2$$

【6.6】 (1) 図形1, 2, 3の面積および図心は，(z', y) 座標を用いて以下の表のようになる．

図形	面積（cm^2）	図心（z'_{Gi}）cm	図心 (y_{Gi})cm
図形1	48	-8	6
図形2	48	0	2
図形3	48	8	6

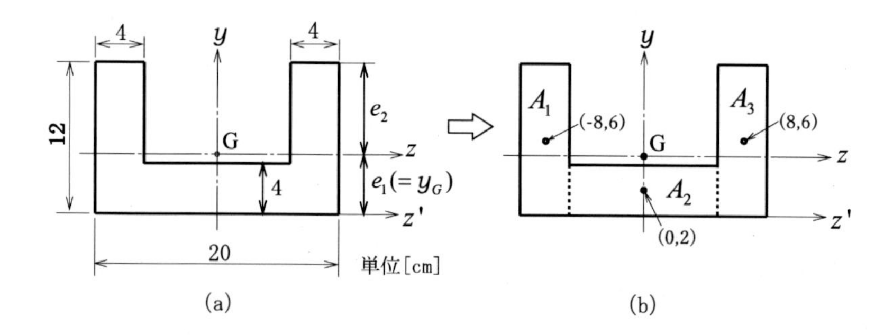

したがって，

$$y_G = \frac{1}{48+48+48}(48\times 6 + 48\times 2 + 48\times 6) = 4.667\text{cm}$$

なお，対称性より $z'_G = 0$ は明らかである．

(2) z' 軸に関する断面2次モーメント I_1, I_2, I_3 は，平行軸の定理を用いて

$$I_1 = \frac{4}{12}\times 12^3 + 6^2\times 48 = 2304\text{cm}^4,\quad I_2 = \frac{12}{12}\times 4^3 + 2^2\times 48 = 256\text{cm}^4,\quad I_3 = I_1$$

したがって，凹状図形の断面2次モーメント I は

$$I = I_1 + I_2 + I_3 = 2304 + 256 + 2304 = 4864\text{cm}^4$$

(3) 中立軸（z 軸）に関する断面2次モーメント I_G は，平行軸の定理を用いて

$$I_G = I - y_G^2 A = 4864 - 4.667^2\times(48\times 3) = 1727.6 \approx 1728\text{cm}^4$$

(4) 下辺，上辺までの距離 e_1, e_2 は，$e_1 = y_G = 4.667$cm, $e_2 = 12 - e_1 = 7.333$cm となるから，断面係数 Z_1, Z_2 は

$$Z_1 = \frac{I_G}{e_1} = \frac{1728}{4.667} \approx 370.3\text{cm}^3,\quad Z_2 = \frac{I_G}{e_2} = \frac{1728}{7.333} \approx 235.6\text{cm}^3$$

【6.7】 図のような極座標を用いると，$y = a\sin\theta,\, b = 2a\cos\theta$ であり，微小面積は $dA = bdy$ となる．そこで，A を半円の面積とすると，図心位置 e_1 は

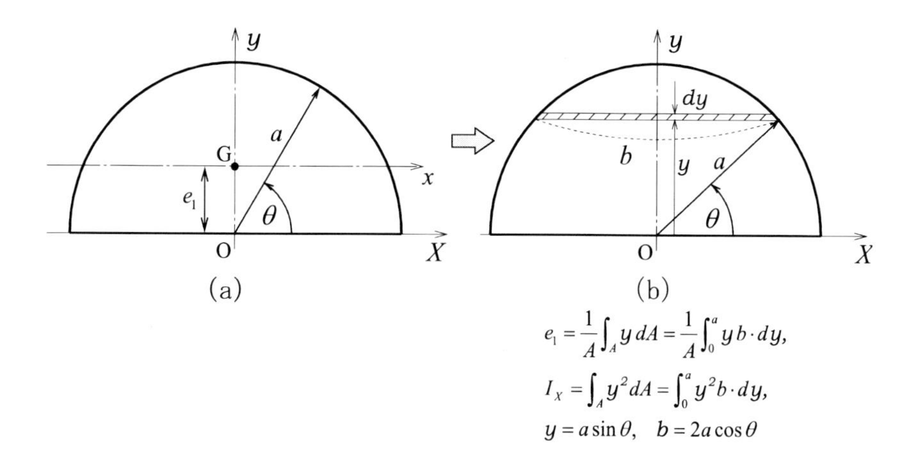

$$
\begin{aligned}
e_1 &= \frac{1}{A}\int_A ydA = \frac{1}{A}\int_0^a ybdy = \frac{1}{(\pi a^2)/2}\int_0^{\pi/2} a\sin\theta\cdot(2a\cos\theta)\cdot a\cos\theta d\theta \\
&= \frac{4a}{\pi}\int_0^{\pi/2}\sin\theta(1-\sin^2\theta)d\theta = \frac{4a}{\pi}\left\{\Big[-\cos\theta\Big]_0^{\pi/2} - \frac{2}{3}\right\} = \frac{4a}{3\pi} = 0.424a
\end{aligned}
$$

ここで，積分の第２項目には付録 A.1（2）の Wallis（ウォリス）の積分を用いた．

次に，X 軸まわりの断面２次モーメントは，同様に Wallis（ウォリス）の積分を用いて

$$
\begin{aligned}
I_X &= \int_A y^2 dA = \int_0^a y^2 bdy = \int_0^{\pi/2}(a\sin\theta)^2\cdot(2a\cos\theta)\cdot a\cos\theta d\theta \\
&= 2a^4\int_0^{\pi/2}\sin^2\theta(1-\sin^2\theta)d\theta = 2a^4\left(\frac{1}{2}\cdot\frac{\pi}{2} - \frac{3\cdot 1}{4\cdot 2}\cdot\frac{\pi}{2}\right) = \frac{\pi}{8}a^4
\end{aligned}
$$

となる．以上の結果と平行軸の定理を用いると，図心軸まわりの断面２次モーメント I_x は

$$
I_x = I_X - e_1^2 A = \frac{\pi}{8}a^4 - \left(\frac{4a}{3\pi}\right)^2\cdot\frac{\pi a^2}{2} = \left(\frac{\pi}{8} - \frac{8}{9\pi}\right)a^4 = 0.10976a^4 \approx 0.110a^4
$$

【6.8】 z 軸に関する断面２次モーメント I_z は

$$
I_z = 2\int_0^{a/2} y^2 hdy + 2\int_{a/2}^{b/2} y^2 zdy
$$

により求められる．ここで，第２項の積分に含まれる z は，図 (b) より

$$
\frac{b}{2} - y : z = \frac{b-a}{2} : h \ \rightarrow\ z = \frac{h}{b-a}(b-2y)
$$

と求められる．

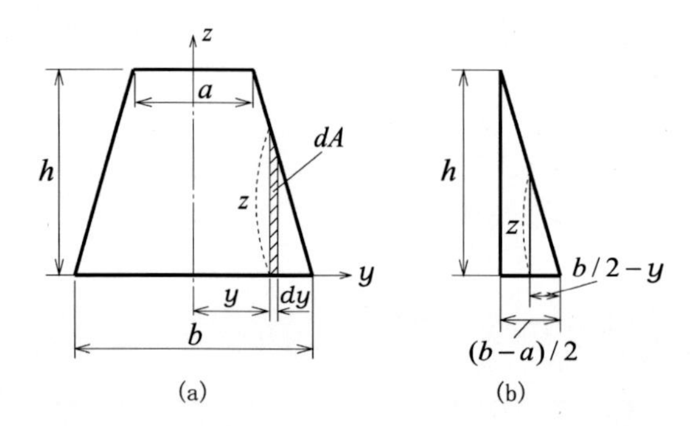

(a)　(b)

これより

$$I_z = 2h\int_0^{a/2} y^2 dy + 2\frac{h}{b-a}\int_{a/2}^{b/2} y^2(b-2y)dy = 2h\left[\frac{y^3}{3}\right]_0^{a/2} + \frac{2h}{b-a}\left[b\frac{y^3}{3} - \frac{y^4}{2}\right]_{a/2}^{b/2}$$

$$= \frac{a^3h}{12} + \frac{bh}{12(b-a)}(b^3-a^3) - \frac{h}{16(b-a)}(b^4-a^4)$$

$$= \frac{a^3h}{12} + \frac{h}{48(b-a)}(3a^4-4a^3b+b^4) = \frac{h}{48(b-a)}\left[4a^3(b-a)+3a^4-4a^3b+b^4\right]$$

$$= \frac{h}{48(b-a)}(b^4-a^4) = \frac{h}{48(b-a)}(b^2-a^2)(b^2+a^2)$$

$$= \frac{h}{48(b-a)}(b+a)(b-a)(b^2+a^2) = \frac{h}{48}(a+b)(a^2+b^2)$$

第7章　せん断力と曲げモーメント－1 解答

【7.1】　(a) 点Bのモーメントのつり合い式 $-R_A l + wl/2 \times 3l/4 = 0$，力のつり合い式 $R_A + R_B = wl/2$ より，支点反力は $R_A = 3wl/8,\ R_B = wl/8$ となる．せん断力，曲げモーメントは各区間で

$$0 \le x \le l/2\ :\ Q_1 = 3wl/8 - wx,\quad M_1 = (3wl/8)x - wx^2/2 = wx(3l - 4x)/8,$$

$$l/2 \le x \le l\ :\ Q_2 = -wl/8,\quad M_2 = wl(l - x)/8$$

ここで，$M_1 = -\dfrac{w}{2}\left(x^2 - \dfrac{3}{4}lx\right) = -\dfrac{w}{2}\left(x - \dfrac{3}{8}l\right)^2 + \dfrac{9}{128}wl^2$ と書き換えられるので，$x = 3l/8$ で，$M_{\max} = 9wl^2/128$ となる．または，$dM_1/dx = 0$ から $M_{\max}$ を求めることも可能である．

(b) 対称性から，直ちに支点反力は $R_A = W,\ R_B = W$ と得られる．せん断力，曲げモーメントは，各区間で

$$0 \le x \le a\ :\ Q_1 = W,\quad M_1 = Wa,\ \ a \le x \le l - a\ :\ Q_2 = 0,\quad M_2 = Wx - W(x - a)$$

$$= Wa,\ \ l - a \le x \le l\ :\ Q_3 = -W,\quad M_3 = W(l - x)$$

(c) 点Bのモーメントのつり合い式 $-R_A l + M_0 = 0$，力のつり合い式 $R_A + R_B = 0$ より，支点反力は $R_A = M_0/l,\ R_B = -M_0/l$ である．せん断力，曲げモーメントは，各区間で

$$0 \le x \le a:\ Q_1 = M_0/l,\ M_1 = M_0 x/l,\ a \le x \le l\ :\ Q_2 = M_0/l,\ M_2 = -M_0(l - x)/l$$

以上を図示すると以下のようになる．

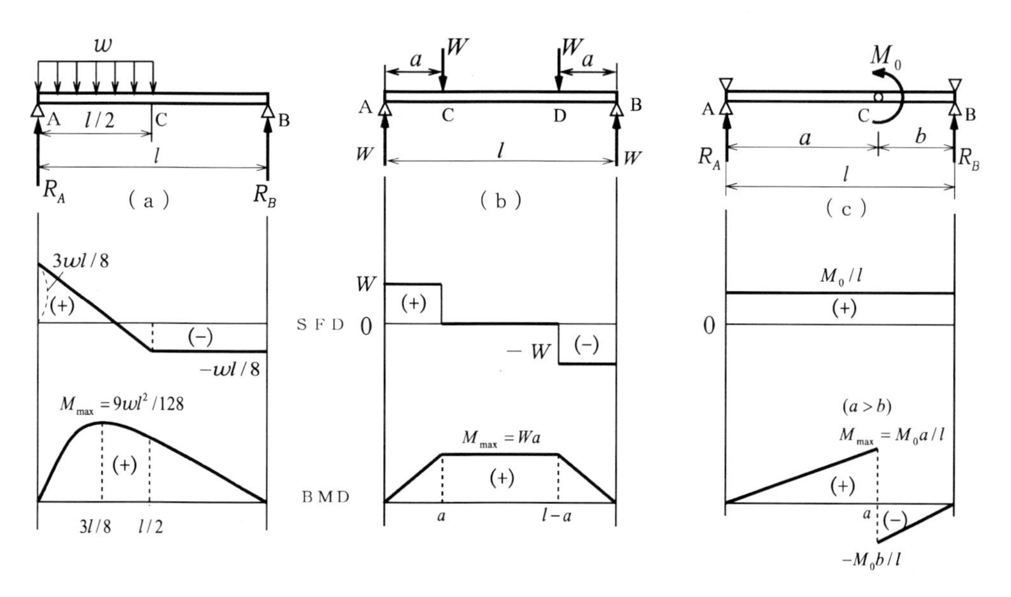

【7.2】　はりの両端における反力 $R_A,\ R_B$ は，点A, Bのモーメントつり合い式より

$R_A l = W_1(l - l_1) + W_2(l_3 + l_4) + W_3 l_4$, $R_B l = W_1 l_1 + W_2(l_1 + l_2) + W_3(l - l_4)$

これより $R_A = 22.4\text{kN}$, $R_B = 36.4\text{kN}$.

各区間の曲げモーメントの大きさ [kNm] は

区間 AC ： $M_1 = R_A x = 22.4x$,　区間 CD ： $M_2 = R_A x - 9.8(x-1) = 12.6x + 9.8$,

区間 DE ： $M_3 = R_A x - 9.8(x-1) - 19.6(x-3.5) = -7x + 78.4$,

区間 EB ： $M_4 = R_B(7-x) = 36.4(7-x)$

なお，各区間のせん断力の大きさ [kN] は

区間 AC ： $Q_1 = R_A = 22.4$,　区間 CD ： $Q_2 = R_A - W_1 = 22.4 - 9.8 = 12.6$,

区間 DE ： $Q_3 = R_A - W_1 - W_2 = 22.4 - 9.8 - 29.4 = -16.8$,

区間 EB ： $Q_4 = -R_B = -36.4$

各点の曲げモーメント [kNm] は $M_A = 0$, $M_C = 22.4$, $M_D = 53.9$, $M_E = 36.4$, $M_B = 0$ なので，W_2 の位置（点 D）で最大値 $M_{\max} = 53.9\text{kNm}$ をとることがわかる．

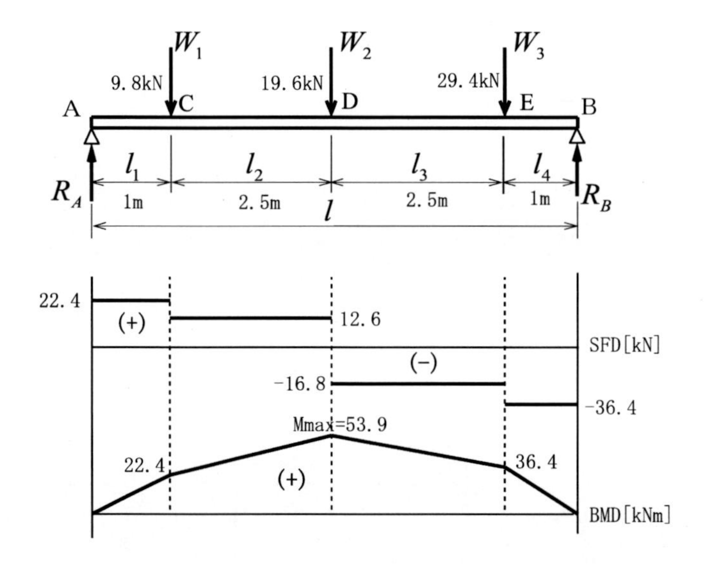

【7.3】　両端支持はりの場合，最大曲げモーメントおよび最大せん断力は荷重点に生じる．

このとき $Q_{\max} = \dfrac{l-x}{l}W$,　$M_{\max} = \dfrac{l-x}{l}xW$.

W が動くとき x が変化する．荷重が動く方向を考えてこの最大値は次のようになる．

$$(Q_{\max})_{\max} = (Q_{\max})_{x=0} = W,\quad (M_{\max})_{\max} = (M_{\max})_{x=l/2} = \frac{1}{4}Wl$$

このような，最大値の分布を描いた図を**最大せん断応力線図**（maximum shearing force diagram, MSFD），**最大曲げモーメント線図**（maximum bending moment diagram, MBMD）とよぶ．これらを図示すると以下のような図となる．

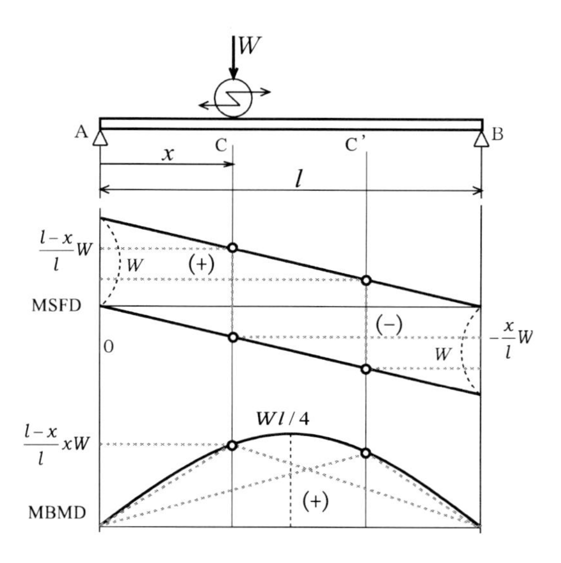

【7.4】（1）簡単のために，図のように台形状の分布荷重を上側の三角形部分と下側の長方形部分とに分けて考える．このとき，力のつり合いより

$$-R_A + \rho gdL + \frac{1}{2}\rho gL^2 - W - R_B = 0 \quad \therefore\ R_A + R_B = \rho gL\frac{2d+L}{2} - W$$

また，点Aまわりのモーメントつり合いより

$$\rho gdL\frac{L}{2} + \frac{\rho gL^2}{2}\frac{2L}{3} - Wa - R_BL = 0 \quad \therefore\ R_B = \rho gL\left(\frac{d}{2} + \frac{L}{3}\right) - W\frac{a}{L} \cdots (1)$$

これより，R_B がゼロになる W は

$$W = \frac{\rho gL^2}{a}\left(\frac{d}{2} + \frac{L}{3}\right) \cdots (2)$$

と得られる．

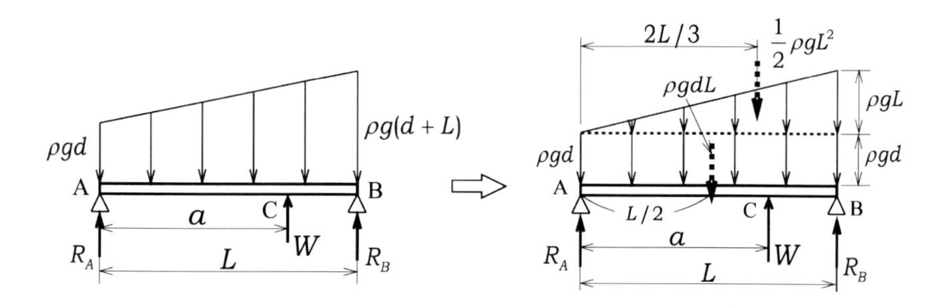

（2）この瞬間の支点反力 R_A は，力のつり合い式（1）に $R_A = 0$ および式（2）を代入して得られ，

$$R_A = \rho gL\left\{d + \frac{L}{2} - \frac{L}{a}\left(\frac{d}{2} + \frac{L}{3}\right)\right\}$$

となる．

【7.5】　はじめに，支点反力 R_A, R_B を求める．三角形状荷重の全荷重 $w_0 l/2$ が左支点 A より $l/3$ の位置に作用しているとみなし，点 B まわりのモーメントつり合いを考えると

$$-R_A l + (w_0 l/2)\times(2l/3) = 0 \quad \therefore\ R_A = w_0 l/3, \quad R_B = w_0 l/2 - R_A = w_0 l/6$$

を得る．

任意位置 x におけるせん断力 Q，曲げモーメント M を求めるために，図に示した**流通座標** ξ を導入する．すると，ξ の位置の微小荷重 $w_0(1-\xi/l)d\xi$ による寄与分を積分によって表すと

$$Q = R_A - \int_0^x w_0\left(1-\frac{\xi}{l}\right)d\xi, \quad M = R_A x - \int_0^x w_0\left(1-\frac{\xi}{l}\right)d\xi \times (x-\xi),$$

により求めることができる．これを実際に計算すると，せん断力は

$$Q = \frac{w_0 l}{3} - w_0\int_0^x (1-\xi/l)d\xi = \frac{w_0 l}{3} - w_0\left(x - \frac{x^2}{2l}\right) = \frac{w_0}{6l}(2l^2 - 6lx + 3x^2)$$

となる．これより，$Q_A = Q_{x=0} = w_0 l/3$, $Q_B = Q_{x=l} = -w_0 l/6$, $x = (1-1/\sqrt{3})l$ で $Q=0$ がわかる．曲げモーメントについても

$$\begin{aligned}M &= R_A x - \int_0^x w_0\left(1-\frac{\xi}{l}\right)(x-\xi)d\xi = \frac{w_0 l}{3}x - w_0\int_0^x\left(1-\frac{\xi}{l}\right)(x-\xi)d\xi \\ &= \frac{w_0 l}{3}x - w_0\left\{x^2 - \left(\frac{x}{l}+1\right)\frac{x^2}{2} + \frac{x^3}{3l}\right\} = \frac{w_0 l}{3}x - w_0\left(\frac{x^2}{2} - \frac{x^3}{6l}\right) = \frac{w_0 x}{6l}(l-x)(2l-x)\end{aligned}$$

と得られる．M は x の 3 次関数であり，$x=0, x=l$ で $M=0$ である．また，$Q=0$ となる位置（$x=(1-1/\sqrt{3})l$）で M は最大値をとり，その値は $M_{\max} = \dfrac{w_0 l^2}{9\sqrt{3}}$ である．

以上より，SFD，BMD は図のように表される．

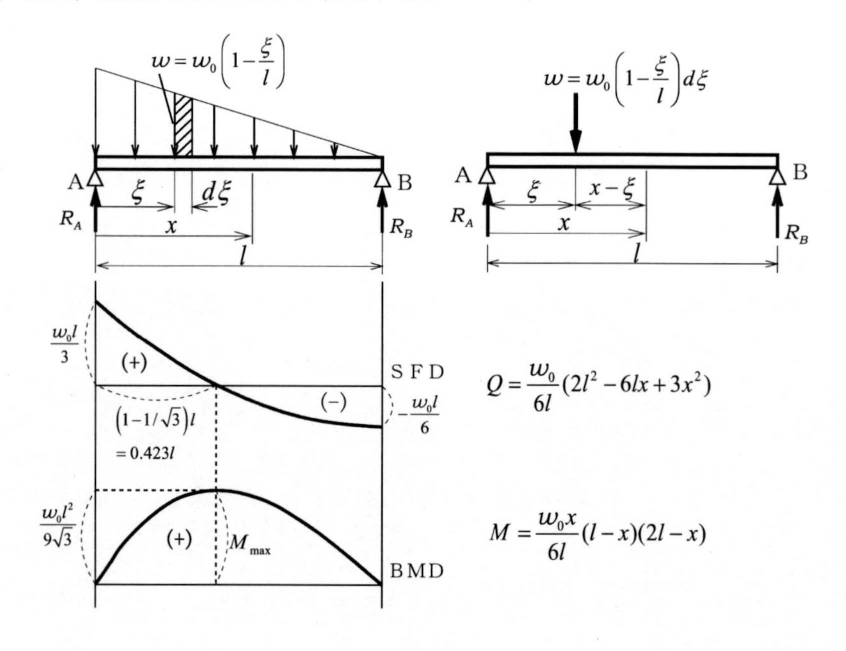

第8章　せん断力と曲げモーメント－2 解答

【8.1】　はり（a）については，7.2 節より

$$Q=-\frac{w_0}{2l}x^2,\quad M=-\frac{w_0}{6l}x^3,\quad |M_{\max}|=|(M)_{x=l}|=\frac{w_0}{6}l^2$$

はり（b）では，$Q=0$, $M=M_0$ である．以上より，(a), (b) の SFD，BMD を図示すれば以下のようになる．

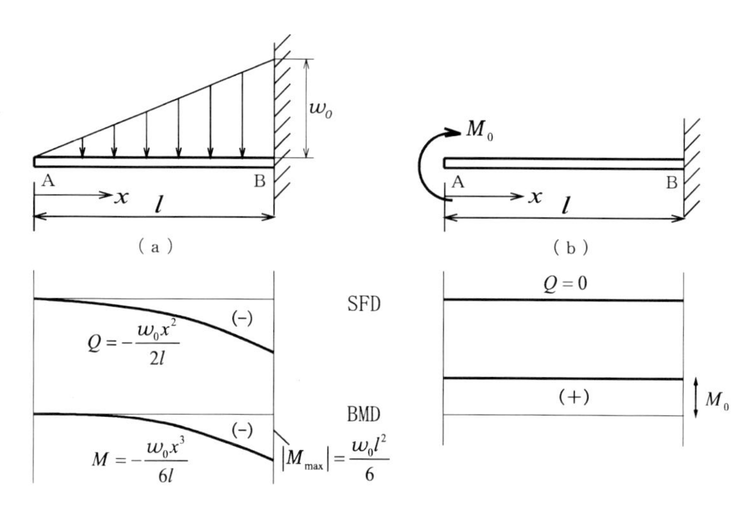

【8.2】　点 B まわりのモーメントのつり合い式は

$$-R_Al+\frac{w}{2}l^2=\frac{w}{2}(l_1-l)^2$$

$$\therefore\ R_A=\frac{w}{2l}\left\{l^2-(l_1-l)^2\right\}=\frac{wl_1(2l-l_1)}{2l}=\frac{196\times10\times(2\times8-10)}{2\times8}=735\mathrm{N}$$

$0\le x\le l_1$ では $M_1=R_Ax-\dfrac{wx^2}{2}$．最大曲げモーメント位置では $\dfrac{dM_1}{dx}=0$ である．したがって，$x=\dfrac{R_A}{w}=\dfrac{735}{196}=3.75\mathrm{m}$ で最大値をとり，その大きさは

$$M_{1\max}=\frac{R_A^2}{w}-\frac{w}{2}\cdot\frac{R_A^2}{w^2}=\frac{R_A^2}{2w}=\frac{735^2}{2\times196}\approx1378\mathrm{Nm}$$

$l\le x\le l_1$ では，$M_2=-\dfrac{w(l_1-x)^2}{2}$ であるから，M_2 は $x=l$ で絶対値の最大値をとり

$$M_{2\max}=-\frac{w}{2}(l_1-l)^2=-\frac{196}{2}\times(10-8)^2=-392\mathrm{Nm}$$

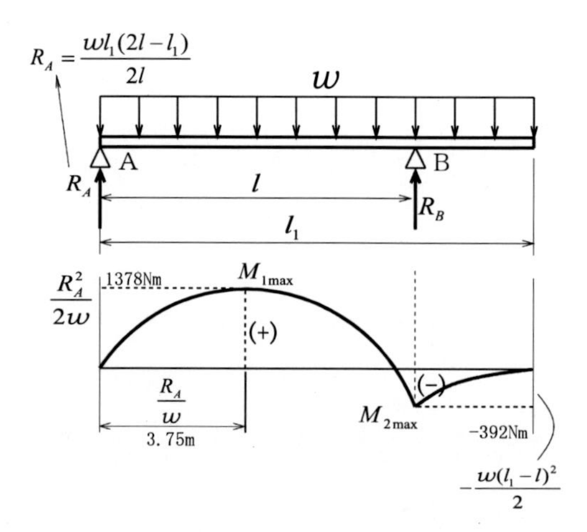

したがって，最大値は $M_{\max}=1378\text{Nm}$ となる．BMD は図のように表される．

【**8.3**】　左右の支点反力を R_A, R_B とすれば，力のつり合いより

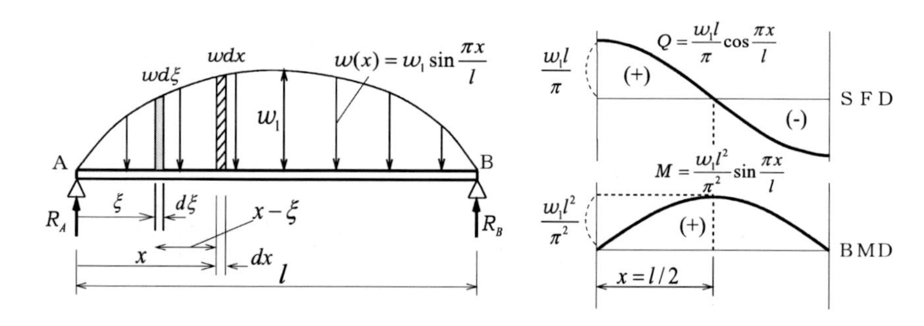

$$R_A+R_B=\int_0^l w(x)dx=w_1\int_0^l \sin\frac{\pi x}{l}dx=w_1\left[-\frac{l}{\pi}\cos\frac{\pi x}{l}\right]_0^l=2\frac{w_1 l}{\pi}$$

したがって，$R_A=R_B$ なので $R_A=R_B=\dfrac{w_1 l}{\pi}$ となる．

任意位置 x のせん断力 Q は，流通座標 ξ を導入して

$$Q=R_A-\int_0^x w_1\sin\frac{\pi\xi}{l}d\xi=\frac{w_1 l}{\pi}-w_1\left[-\frac{l}{\pi}\cos\frac{\pi\xi}{l}\right]_0^x=\frac{w_1 l}{\pi}\cos\frac{\pi x}{l}$$

同様に任意位置 x の曲げモーメント M は，微小荷重 $w(\xi)d\xi$ までの距離が $x-\xi$ であることに留意して

$$\begin{aligned}M&=R_A x-\int_0^x (x-\xi)w_1\sin\frac{\pi\xi}{l}d\xi=\frac{w_1 l}{\pi}x-w_1 x\int_0^x \sin\frac{\pi\xi}{l}d\xi+w_1\int_0^x \xi\sin\frac{\pi\xi}{l}d\xi\\&=\frac{w_1 l}{\pi}x-w_1 x\left[-\frac{l}{\pi}\cos\frac{\pi\xi}{l}\right]_0^x+w_1\left\{\left[\xi\cdot\left(-\frac{l}{\pi}\cos\frac{\pi\xi}{l}\right)\right]_0^x-\int_0^x\left(-\frac{l}{\pi}\cos\frac{\pi\xi}{l}\right)d\xi\right\}\\&=\frac{w_1 l}{\pi}x+\frac{w_1 l}{\pi}x\left(\cos\frac{\pi x}{l}-1\right)-\frac{w_1 l}{\pi}\cdot\left(x\cos\frac{\pi x}{l}\right)+\frac{w_1 l}{\pi}\left[\frac{l}{\pi}\sin\frac{\pi\xi}{l}\right]_0^x=w_1\frac{l^2}{\pi^2}\sin\frac{\pi x}{l}\end{aligned}$$

これより，最大曲げモーメントは $M_{\max}=w_1 l^2/\pi^2$ であり，BMD, SFD は図に示すようになる．

【8.4】 任意点Cと荷重Wまでのモーメントの腕の長さに注目すればよく，$M = Wr\cos\theta$．

【8.5】 支点B, Cの反力は$R_B = R_C = wL/2$であるから，各区間のせん断力，曲げモーメントは

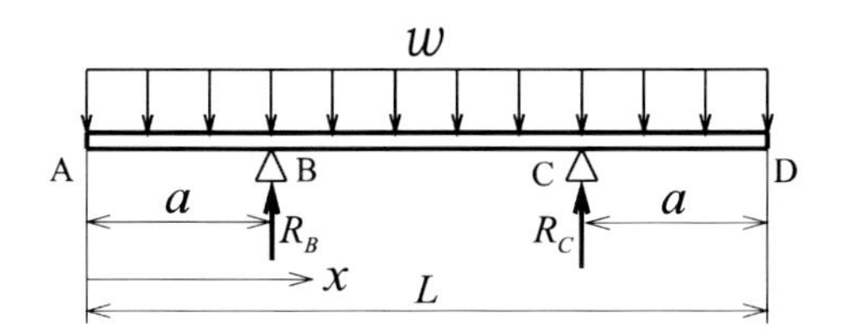

$$区間\ \mathrm{AB}\ (0 \le x \le a)\ :\ Q_1 = -wx,\quad M_1 = -\frac{wx^2}{2},$$

$$区間\ \mathrm{BC}\ (a \le x \le L-a)\ :\ Q_2 = \frac{wL}{2} - wx,\quad M_2 = -\frac{wx^2}{2} + \frac{wL}{2}(x-a),$$

$$区間\ \mathrm{CD}\ (L-a \le x \le L)\ :\ Q_3 = w(L-x),\quad M_3 = -\frac{w(L-x)^2}{2}$$

これより，SFD，BMDは図のようになる．

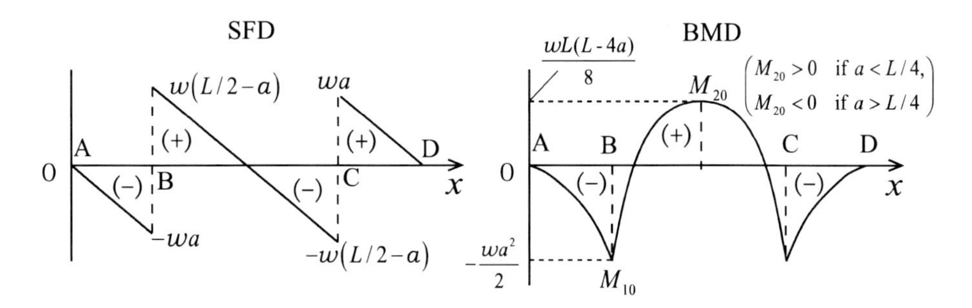

曲げモーメントは，はりの支持点と中央で極値をとり，それらは

$$M_{10} = -\frac{w}{2}a^2,\quad M_{20} = \frac{wL}{8}(L-4a)$$

となる．なお，M_{20}は，$a > L/4$のとき負，$a < L/4$のとき正である．ここで，はじめに$L/4$より大きいaを考え，その後に，M_{10}の絶対値を下げるためにaを小さくしていくと，$a = L/4$を境にM_{20}は負から正になり，それ以降，M_{20}の値は増加する．つまり，$|M_{10}| = M_{20}$となるaがモーメントを最小化することがわかる．これより

$$\frac{w}{2}a^2 = \frac{wL}{8}(L-4a)\ \rightarrow\ 4a^2 + 4aL - L^2 = 0\quad \therefore\ a = \frac{-1 \pm \sqrt{2}}{2}L$$

したがって，$a > 0$なので，$a = (\sqrt{2}-1)L/2 = 0.207L$を得る．

【8.6】 支点反力R_A, R_Bはともに$wl/6$となるのは容易にわかる．したがって，区間ごとのせん断力，曲げモーメントは

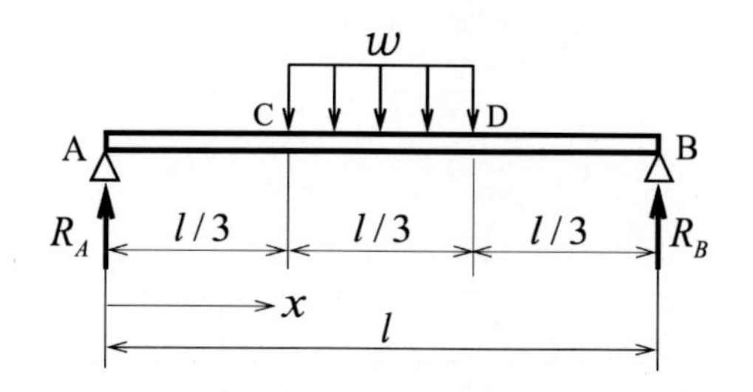

区間 AC ： $Q_{AC} = R_A = \dfrac{wl}{6},\ M_{AC} = R_A x = \dfrac{wl}{6}x$

区間 CD ： $Q_{CD} = \dfrac{wl}{6} - w\left(x - \dfrac{l}{3}\right) = \dfrac{w}{2}(l - 2x),\ M_{CD} = \dfrac{wl}{6}x - \dfrac{w}{2}\left(x - \dfrac{l}{3}\right)^2$

区間 DB ： $Q_{DB} = -\dfrac{wl}{6},\ M_{DB} = \dfrac{wl}{6}(l - x),$

（注：断面の右側に作用する荷重 $R_B = wl/6$ より評価）

ここで，$M_{CD} = -(w/2)(x - l/2)^2 + 5wl^2/72$ と変形すると，SFD，BMD は図のようになる．

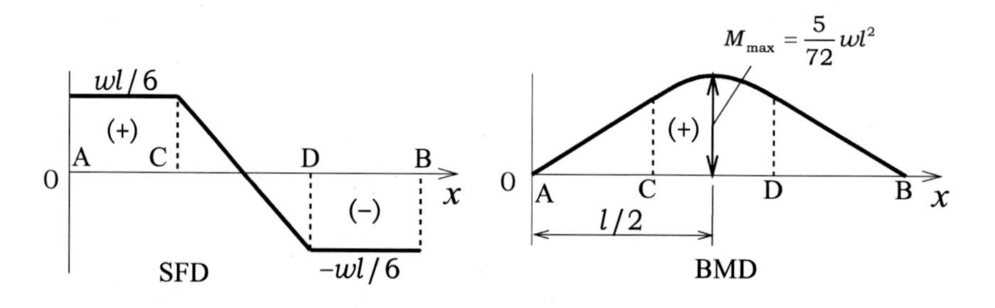

これより，$x = l/2$ の位置で $M_{\max} = \dfrac{5wl^2}{72}$ が生じていることがわかる．

【8.7】　はりの両端における反力を R_A[kN], R_B[kN] とすると，点 A, B まわりのモーメントつり合い式より

$$-6 \times 1 - 2 \times 3 + R_B \times 4 = 0,\quad -R_A \times 4 + 6 \times 3 + 2 \times 1 = 0,$$

$$\therefore\ R_A = 5\text{kN},\ R_B = 3\text{kN}$$

区間ごとのせん断力 Q[kN], 曲げモーメント M[kNm] は

区間 AC ： $Q_{AC} = R_A - 3x = 5 - 3x,\quad M_{AC} = R_A x - (3/2)x^2 = 5x - (3/2)x^2$

$= -\dfrac{3}{2}\left(x - \dfrac{5}{3}\right)^2 + 4.167,$　点 A で $Q_A = 5,\ M_A = 0,$

点 C で $Q_C = -1,\ M_C = 4,$

区間 CD ： $Q_{CD} = R_A - 6 = 5 - 6 = -1,\quad M_{CD} = R_A x - 6(x - 1) = -x + 6,$

点 D で，$Q_D = -1,\ M_D = 3,$

区間 DB ： $Q_{DB} = -R_B = -3,\quad M_{DB} = R_B(4 - x) = -3x + 12,$

点 B で，$Q_B = -3,\ M_B = 0$

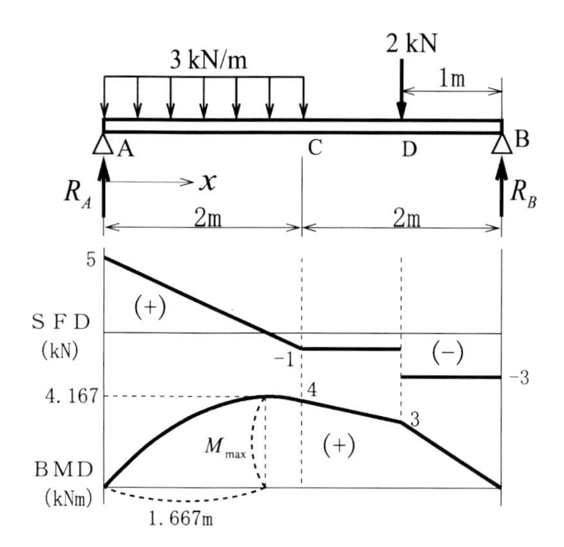

以上より，区間 AC の $x = 5/3 = 1.667$m の位置で $M_{\max}$=4.167kNm を生じることがわかる．また，SFD，BMD を図示すると図のようになる．

第9章　せん断力と曲げモーメント－3 解答

【9.1】 最大曲げ応力 $\sigma_{\max}$，最大せん断応力 $\tau_{\max}$ の計算に必要な式は

$$\sigma_{\max}=\frac{M_{\max}}{Z},\quad M_{\max}=\frac{wl^2}{2},\quad Z=\frac{I_y}{h/2}=\frac{bh^2}{6},$$
$$\tau_{\max}=\frac{Q_{\max}}{A},\quad Q_{\max}=wl,\quad A=bh$$

なお，$M_{\max}$, $Q_{\max}$ は固定端Bで生じる．以上より

$$\sigma_{\max}=\frac{M_{\max}}{Z}=\frac{wl^2/2}{bh^2/6}=\frac{98\times1^2}{2}\cdot\frac{6}{0.03\times0.02^2}=24.5\times10^6\mathrm{N/m^2}=24.5\mathrm{MPa},$$
$$\tau_{\max}=\frac{Q_{\max}}{A}=\frac{wl}{bh}=\frac{98\times1}{0.03\times0.02}=1.633\times10^5\mathrm{N/m^2}\approx0.163\mathrm{MPa}$$

【9.2】

$$(a)\text{ の場合の曲げモーメント：}M_A=\int_{-h/2}^{h/2}\frac{2\sigma_A}{h}y\times ybdy=\frac{bh^2}{6}\sigma_A,$$
$$(b)\text{ の場合の曲げモーメント：}M_B=\int_{-h/2}^{h/2}\sigma_B bydy=\frac{bh^2}{4}\sigma_B$$

$M_A=M_B=M$ として比をとれば，$\dfrac{\sigma_B}{\sigma_A}=\dfrac{4}{6}=\dfrac{2}{3}$

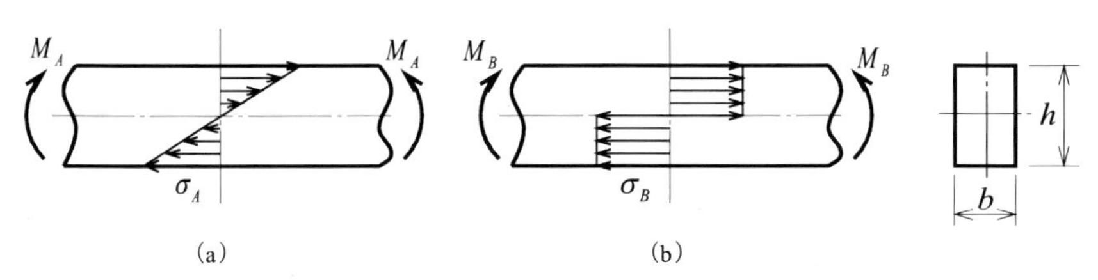

(a)　(b)

【9.3】 支点反力 R_A（上向きを仮定），R_B（下向きを仮定）を求めるために，点Bまわりのモーメントつり合いおよび力のつり合いを考えると

$$-R_Al+\frac{w_0l}{4}\times\left(\frac{l}{2}+\frac{l}{6}\right)-\frac{w_0l}{4}\times\frac{l}{2}\times\frac{2}{3}=0,\quad R_A-R_B=0$$

これより，$R_A=R_B=w_0l/12$ を得る．

任意位置 x のせん断力 S_x は，R_A と三角形状の分布荷重から

$$S_x=R_A-\frac{2w_0x}{l}\times\frac{x}{2}=\frac{w_0l}{12}-\frac{w_0x^2}{l}\quad(0\le x\le l/2)$$

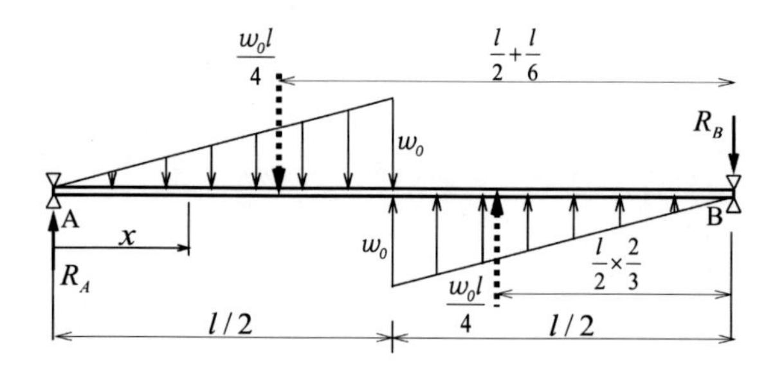

$S_x = 0$ となる x は，上式から $x = l/(2\sqrt{3})$ と求められる．さらに，$x = l/2$ の S_x も容易に求められ，$(S_x)_{x=l/2} = -w_0 l/6$ となる．

【9.4】　最大曲げモーメント $|M_{\max}| = Wl$ が生じる位置（$x = 0$）のはりの曲げ応力が許容曲げ応力に達する状態を考えればよい．したがって

$$\sigma_a = \frac{M_{\max}}{Z} = \frac{Wl}{Z} \quad \therefore\ W = \frac{\sigma_a Z}{l} = \frac{70\times 10^6 \times 0.02 \times 0.03^2/6}{1} = 210\text{N}$$

【9.5】　支点反力 R_A, R_B について，$R_A = R_B = P$ は自明であり，区間ごとの曲げモーメントは

区間 AC$(0 \leq x \leq l_1)$ ： $M_1 = Px$, 区間 CD$(l_1 \leq x \leq l - l_1)$ ： $M_2 = Px - P(x - l_1) = Pl_1$,

区間 DB$(l - l_1 \leq x \leq l)$ ： $M_3 = P(l - x)$

これを図示すると図のようになる．したがって，はりの中間部 CD には一定の曲げモーメント Pl_1 が生じていることがわかる．

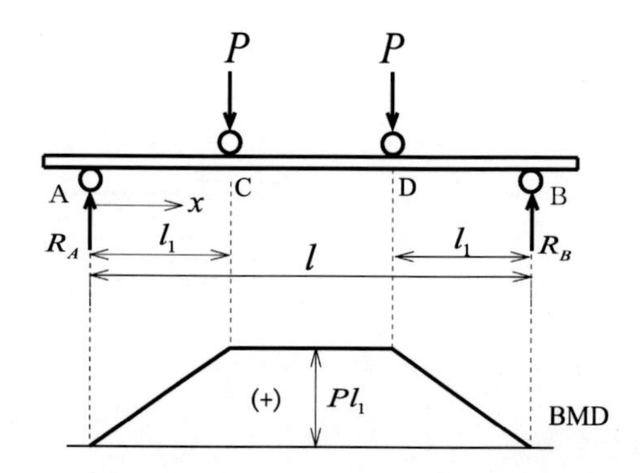

直径 d の丸棒に生じる区間 CD の最大曲げ応力は

$$(\sigma_c)_{\max} = \frac{M}{Z} = \frac{Pl_1}{(\pi d^3/32)} = \frac{32Pl_1}{\pi d^3} = \frac{32\times 1000 \times 2}{\pi \times 0.05^3} = 162.97\times 10^6[\text{N/m}^2] \approx 163\text{MPa}$$

辺の長さ h の正方形と直径 d の円とが同一断面積ならば

$$h^2 = \pi d^2/4 \quad \therefore\ h = \sqrt{\pi}d/2 = \sqrt{\pi}\times 50/2 \approx 44.31\text{mm}$$

したがって，辺の長さ h の正方形断面棒に生じる最大曲げ応力は

$$(\sigma_s)_{\max} = \frac{M}{Z} = \frac{Pl_1}{(h^3/6)} = \frac{6Pl_1}{h^3} = \frac{6 \times 1000 \times 2}{0.04431^3} = 137.94 \times 10^6 [\mathrm{N/m^2}] \approx 138\mathrm{MPa}$$

これより，同一の重量であれば，丸棒よりも正方形断面棒のほうが強度的に有利であることがわかる．

【9.6】 下辺に σ_a が生じる場合を考えると，$Z_1 = 370.3 \times 10^{-6}\mathrm{m}^3$ として

$$M_{\max 1} = \sigma_a Z_1 = 100 \times 10^6 \times 370.3 \times 10^{-6} \approx 37.0\mathrm{kNm}$$

上辺に σ_a が生じる場合は，$Z_2 = 235.6 \times 10^{-6}\mathrm{m}^3$ として

$$M_{\max 2} = \sigma_a Z_2 = 100 \times 10^6 \times 235.6 \times 10^{-6} \approx 23.6\mathrm{kNm}$$

以上より，曲げモーメントを増加させた場合，(当然だが) 中立軸からの距離が大きい上辺が先に σ_a に達することがわかる．したがって，はりに加えることのできる最大曲げモーメントは $M_{\max} = 23.6\mathrm{kNm}$ となる．

【9.7】 任意位置 x の曲げモーメントは $M = -wx^2/2$ であり，断面係数は $Z = bh^2/6$ であるので，曲げ応力は

$$\sigma = \frac{M}{Z} = \frac{|-wx^2/2|}{bh^2/6} = \frac{3wx^2}{bh^2}$$

となる．これより，平等強さとなるには

$$\frac{x^2}{h^2} = c \quad \therefore\ h = \frac{x}{\sqrt{c}}$$

の関係があればよい．また，$x = l$ で $h = h_0$ より $h_0 = l/\sqrt{c}$ となる．以上より，高さ h は $h = h_0 x/l$ となり，図のように直線状に変化させればよい．

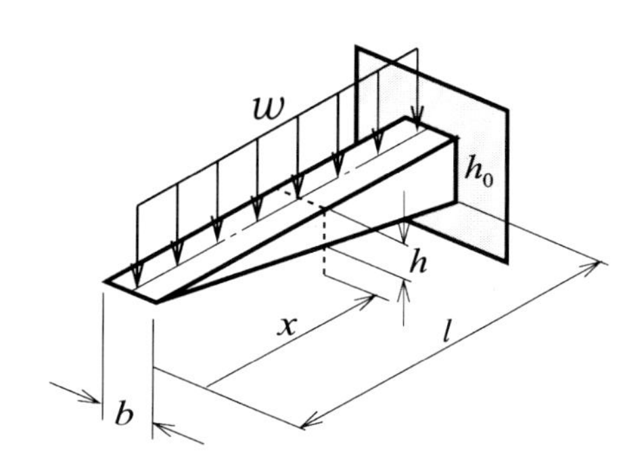

第10章　はりのたわみ 解答

【10.1】 Z：断面係数，I：断面2次モーメントとすると，はりを曲げたときの曲率は $1/(R+d/2)$ となり，式 (9.5) より $1/(R+d/2)=M/EI$ と表される．ここで，曲げモーメント M は $M=\sigma Z$ であるから

$$\frac{1}{R+d/2}=\frac{\sigma Z}{EI}\quad \therefore\ \sigma=\frac{EI}{(R+d/2)Z}$$

となる．ここで， $I=\pi d^4/64,\ Z=\pi d^3/32,\ E=206\text{GPa},\ R=300\text{mm},\ d=5\text{mm}$ を代入して

$$\sigma=\frac{Ed}{2(R+d/2)}=\frac{206\times10^9\times0.005}{2\times(0.3+0.005/2)}=1702.48\times10^6\approx1702\text{MPa}$$

なお，この応力の大きさは，一般の鋼線の許容応力（300MPa∼1GPa程度）を超えているので，塑性変形が生じることが予想される．逆に，塑性変形を起こさない鋼線の太さを求めることも興味深い問題である．

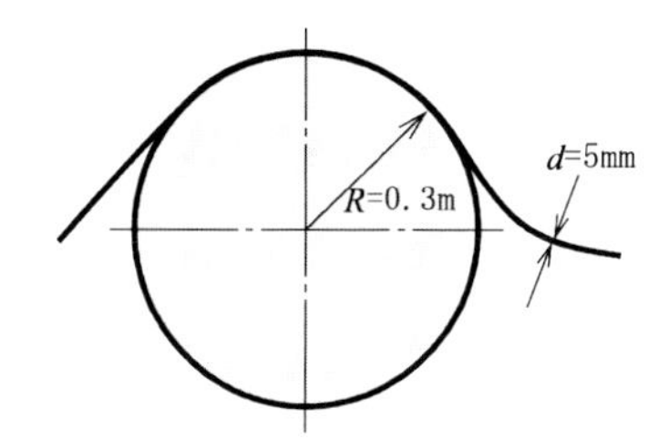

【10.2】 任意位置 x における曲げモーメント M，たわみの微分方程式およびその積分は

$$M=-\frac{w}{6l}x^3,\quad \frac{d^2y}{dx^2}=\frac{w}{6EIl}x^3,\quad \frac{dy}{dx}=\frac{w}{6EIl}\left(\frac{x^4}{4}+C_1\right),\quad y=\frac{w}{6EIl}\left(\frac{x^5}{20}+C_1x+C_2\right)$$

境界条件 $x=l$ で $\dfrac{dy}{dx}=0,\ y=0$ より

$$C_1=-\frac{l^4}{4},\quad C_2=\frac{l^5}{5}$$

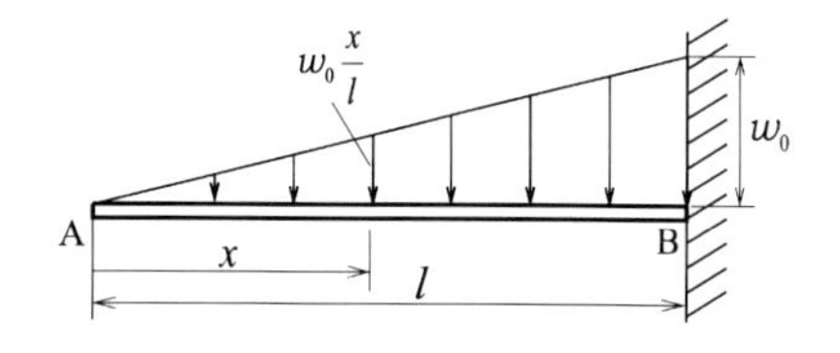

これより，たわみ式は

$$y=\frac{w}{120EIl}(x^5-5l^4x+4l^5)$$

となる．また，点A（$x=0$）で最大たわみを生じ，$y_A=\dfrac{wl^4}{30EI}$ となる．

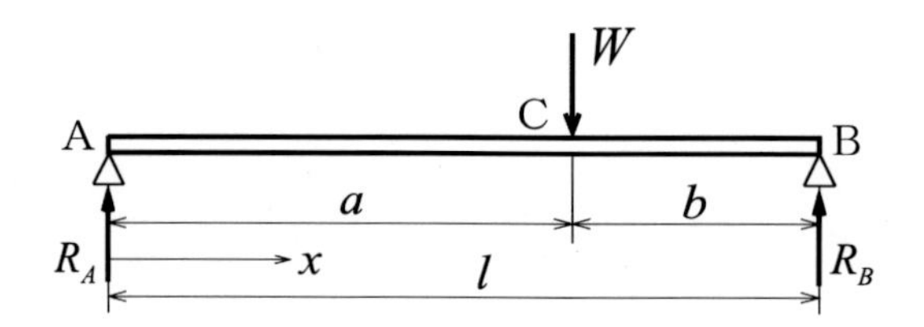

【10.3】 支点反力は，**例題 7.2** を参照して簡単に $R_A = bW/l$, $R_B = aW/l$ と求められる．したがって，$0 \leq x \leq a$ の場合，曲げモーメントおよびたわみの微分方程式は

$$M_1 = \frac{b}{l}Wx,\quad \frac{d^2y_1}{dx^2} = -\frac{bW}{EIl}x,\quad \frac{dy_1}{dx} = -\frac{W}{EIl}\left(\frac{b}{2}x^2 + C_1\right),\quad y_1 = -\frac{W}{EIl}\left(\frac{b}{6}x^3 + C_1x + C_2\right)$$

$a \leq x \leq l$ の場合には

$$M_2 = \frac{a}{l}W(l-x),\quad \frac{d^2y_2}{dx^2} = -\frac{aW}{EIl}(l-x),\quad \frac{dy_2}{dx} = \frac{W}{EIl}\left\{\frac{a}{2}(l-x)^2 + C_3\right\},$$
$$y_2 = -\frac{W}{EIl}\left\{\frac{a}{6}(l-x)^3 + C_3(l-x) + C_4\right\}$$

（このとき，$\frac{dy_2}{dx} = -\frac{aW}{EIl}(lx - x^2/2 + C_3)$，$y_2 = -\frac{aW}{EIl}(lx^2/2 - x^3/6 + C_3x + C_4)$ などと積分してもよいが，$x = l$ の境界条件の処理のときに $C_4 = 0$ とならずに計算が面倒になる．逆に，上のような $(l-x)$ の項を用いた積分を行うと，以下に示すように $C_4 = 0$ となって計算が簡単になる．）

境界条件として，支点 A, B で $y_1 = 0$, $y_2 = 0$ より $C_2 = C_4 = 0$．また，荷重点で左右のたわみ角およびたわみは等しいから, $x = a$ でそれぞれ，$dy_1/dx = dy_2/dx$, $y_1 = y_2$ でなければならない．したがって

$$-\frac{a^2b}{2} - C_1 = \frac{ab^2}{2} + C_3,\quad \frac{a^3b}{6} + aC_1 = \frac{ab^3}{6} + bC_3 \quad \therefore\ C_1 = -\frac{ab}{6}(a+2b),\quad C_3 = -\frac{ab}{6}(2a+b)$$

以上より，たわみ式は

$$y_1 = \frac{bW}{6EIl}x\left\{a(a+2b) - x^2\right\}\cdots(0 \leq x \leq a),$$
$$y_2 = \frac{aW}{6EIl}(l-x)\left\{b(2a+b) - (l-x)^2\right\}\cdots(a \leq x \leq l)$$

と得られる．なお，以上より最大たわみの発生位置（$dy_1/dx = 0$ を満たす x）や最大たわみ $y_{\max}$ を求めることができるが，それらの結果については，付録 A.2.2(1) を参照すること．

【10.4】 上向き支点反力を R_A, R_B とおいて，力のつり合い式および点 A まわりのモーメントつり合い式をたて，R_A, R_B を求めると

$$R_A + R_B = 0,\quad R_Bl + M_B = 0 \quad \therefore\ R_A = \frac{M_B}{l},\quad R_B = -\frac{M_B}{l}$$

となる．（なお，力やモーメントのつり合い式を考えるときの符号は，通常の力学において定義する方向（力は上向きを正，モーメントは反時計まわりを正）により考えること．以後のはりのつり合い式も，すべてこのように扱っている．）

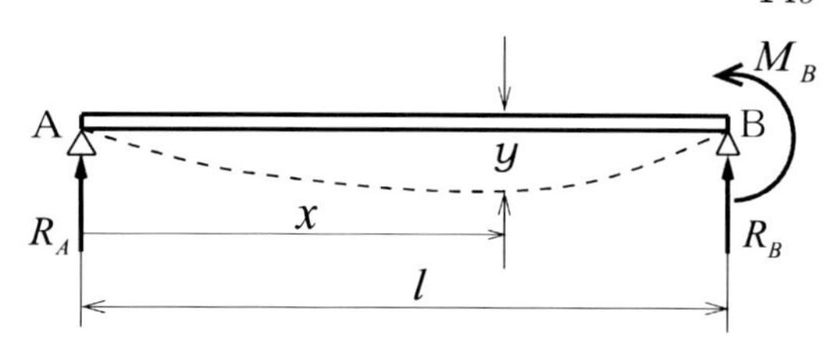

これをたわみの微分方程式に代入すると，EI を曲げ剛性として

$$EI\frac{d^2y}{dx^2} = -M = -R_Ax = -\frac{M_B}{l}x$$

積分してたわみ y を求めると，C_1, C_2 を積分定数として

$$y = -\frac{M_B}{EIl}\left(\frac{x^3}{6} + C_1x + C_2\right)$$

を得る．

また，はりの境界条件は, $x = 0$ および $x = l$ で $y = 0$ であるから，これより C_1, C_2 を求めると

$$C_1 = -\frac{l^2}{6},\ \ C_2 = 0,\ \ \therefore\ y = \frac{M_Bx}{6EIl}(-x^2 + l^2),\ \ \frac{dy}{dx} = \frac{M_B}{6EIl}(-3x^2 + l^2)$$

となる．最大たわみ $y_{\max}$ は，$dy/dx = 0$ の位置，すなわち $x = l/\sqrt{3}$ で生じ，

$$y_{\max} = (y)_{x=l/\sqrt{3}} = \frac{M_Bl^2}{9\sqrt{3}EI}$$

【10.5】 任意位置 x における曲げモーメント M は，流通座標 ξ を導入して，図を参考に

$$M = -\int_0^x (x-\xi)w_0\left(1-\frac{\xi}{l}\right)d\xi = -w_0\int_0^x \left\{x - (1 + x/l)\xi + \xi^2/l\right\}d\xi$$
$$= -\frac{w_0x^2}{2} + \frac{w_0x^3}{6l}$$

この結果より，図の右側のように，M は，台形状の荷重を下向きの等分布荷重 w_0 と上向きの三角形状分布荷重 w_0x/l の和と考えたときに得られる曲げモーメントの和に等しいことがわかる．(**問題 7.5** の解も参照すること．)

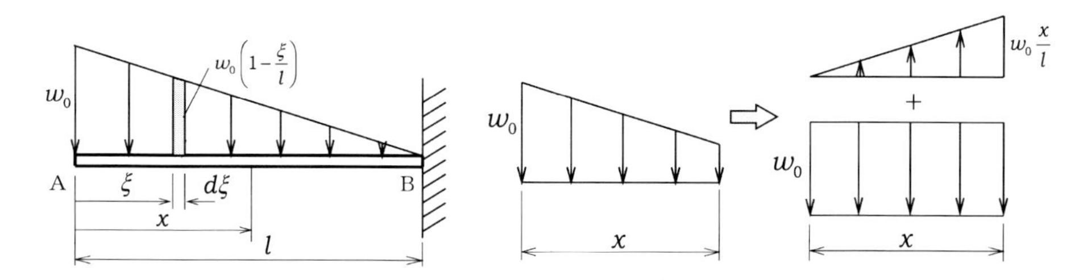

これをたわみの微分方程式に代入すると

$$\frac{d^2y}{dx^2} = -\frac{M}{EI} = \frac{w_0x^2}{2EI} - \frac{w_0x^3}{6EIl}$$

積分してたわみ角 dy/dx およびたわみ y を求めると，C_1, C_2 を積分定数として

$$\frac{dy}{dx} = \frac{w_0x^3}{6EI} - \frac{w_0x^4}{24EIl} + C_1,\ \ y = \frac{w_0x^4}{24EI} - \frac{w_0x^5}{120EIl} + C_1x + C_2$$

を得る．また，はりの境界条件は, $x = l$ で $y = 0$ および $dy/dx = 0$ であるから，これより C_1, C_2 を求めると

$$C_1 = -\frac{w_0 l^3}{8EI},\quad C_2 = \frac{11 w_0 l^4}{120EI}$$

したがって

$$y = \frac{w_0}{120EIl}(-x^5 + 5lx^4 - 15l^4 x + 11l^5),\quad \frac{dy}{dx} = \frac{w_0}{24EIl}(-x^4 + 4lx^3 - 3l^4)$$

となる．最大たわみ $y_{\max}$, 最大たわみ角 $\theta_{\max}$ は，点 A（$x = 0$）で生じ，

$$y_{\max} = (y)_{x=0} = \frac{11 w_0 l^4}{120EI},\quad \theta_{\max} = -\frac{w_0 l^3}{8EI}$$

【10.6】　垂直方向の力のつり合いより，$R_A = R_B$ を考慮して

$$2R_A = w_1 \times \frac{l}{2} \times \frac{1}{2} \times 2 \quad \therefore\ R_A = \frac{w_1 l}{4}$$

任意位置 x（$0 \le x \le l/2$）の曲げモーメント M は

$$M = R_A x - w_1 \frac{2x}{l} \times \frac{x}{2} \times \frac{x}{3} = w_1\left(\frac{l}{4}x - \frac{x^3}{3l}\right) = \frac{w_1}{12l}(3l^2 x - 4x^3)$$

これをたわみの微分方程式に代入すると，区間（$0 \le x \le l/2$）において，EI を曲げ剛性として

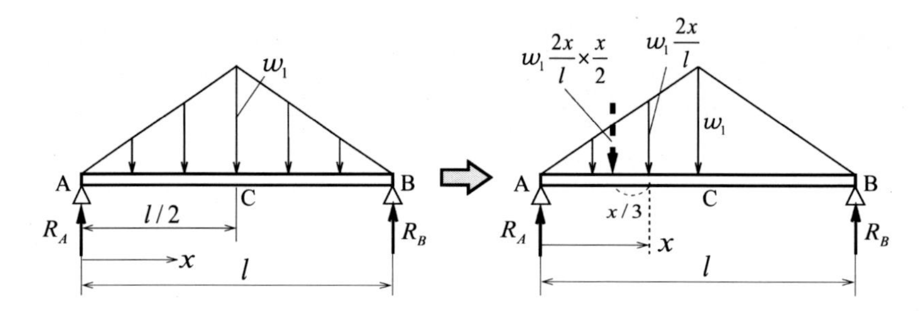

$$\frac{d^2y}{dx^2} = -\frac{M}{EI} = -\frac{w_1}{12EIl}(3l^2 x - 4x^3),\quad \frac{dy}{dx} = -\frac{w_1}{12EIl}\left(\frac{3}{2}l^2 x^2 - x^4 + C_1\right),$$

$$y = -\frac{w_1}{12EIl}\left(\frac{1}{2}l^2 x^3 - \frac{x^5}{5} + C_1 x + C_2\right)$$

前問と同様に与えられた境界条件を利用して積分定数 C_1, C_2 を決定すればよい．ただし，境界条件は，$x = 0$ で $y = 0$, $x = l/2$ で $dy/dx = 0$ であることに注意する．すると，$C_1 = -\frac{5}{16}l^4$, $C_2 = 0$ となる．したがって

$$y = \frac{w_1 x}{960EIl}(5l^2 - 4x^2)^2,\quad y_{\max} = (y)_{x=l/2} = \frac{w_1 l^4}{120EI}$$

【10.7】　区間ごとのせん断力 Q，曲げモーメント M は

$$0 \le x \le a\ :\ Q_1 = P,\ \ M_1 = Px,\quad a \le x \le l\ :\ Q_2 = 0,\ \ M_2 = Px - P(x-a) = Pa$$

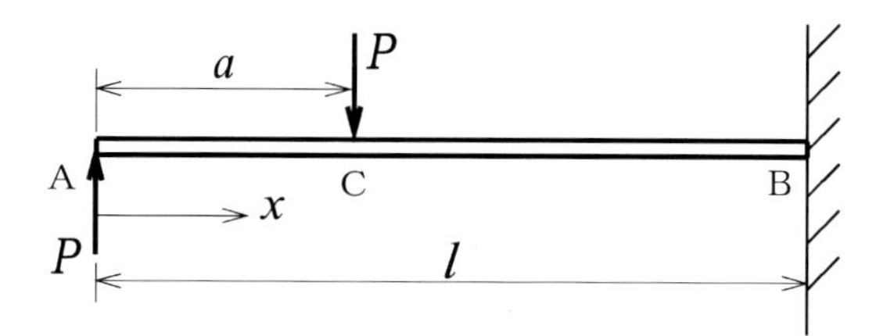

したがって，区間ごとのたわみの微分方程式は

$$0 \leq x \leq a \ : \ \frac{d^2y_1}{dx^2} = -\frac{Px}{EI}, \quad a \leq x \leq l \ : \ \frac{d^2y_2}{dx^2} = -\frac{Pa}{EI}$$

$x = l$ の境界条件を考慮し，上式を積分してたわみ y_1, y_2 を求めると，$C_1 \sim C_4$ を積分定数として

$$y_1 = -\frac{P}{EI}\left(\frac{x^3}{6} + C_1x + C_2\right), \quad y_2 = -\frac{Pa}{EI}\left\{\frac{1}{2}(l-x)^2 - C_3(l-x) + C_4\right\}$$

これらの積分定数は，4 つの条件式 $x = l$ で $y_2 = 0$, $dy_2/dx = 0$, また，$x = a$ で $y_1 = y_2$, $dy_1/dx = dy_2/dx$ より決定できる．すなわち，

$$C_1 = -\frac{a}{2}(2l-a), \ C_2 = \frac{a}{6}(3l^2 - a^2), \ C_3 = 0, \ C_4 = 0$$

これより，

$$y_1 = \frac{P}{6EI}\left\{-x^3 + 3ax(2l-a) - a(3l^2-a^2)\right\}, \quad y_2 = -\frac{Pa}{2EI}(l-x)^2$$

を得る．なお，たわみの積分について，たとえば $y_1 = -\dfrac{Px^3}{6EI} + C_1x + C_2$, $y_2 = -\dfrac{Pax^2}{2EI} + C_3x + C_4$ としてもよいが，このときには $C_1 = Pa/(2EI)(2l-a)$, $C_2 = -Pa/(6EI)(3l^2-a^2)$, $C_3 = Pal/(EI)$, $C_4 = -Pal^2/(2EI)$ となるが，この未定係数の計算がかなり面倒である．ただし，最終的に得られるたわみ y_1, y_2 は上の結果と同じになる．

【10.8】

(1) 点 B まわりのモーメントのつり合い式 $-R_Al - M_0 = 0$ より $R_A = -M_0/l$.（負号は，図とは逆向きを意味する.）また，力のつり合い式 $R_A + R_B = 0$ より，$R_B = M_0/l$

(2) $0 \leq x \leq a$: $M_1 = R_Ax = -M_0x/l$, $a \leq x \leq l$: $M_2 = R_B(l-x) = M_0(l-x)/l$

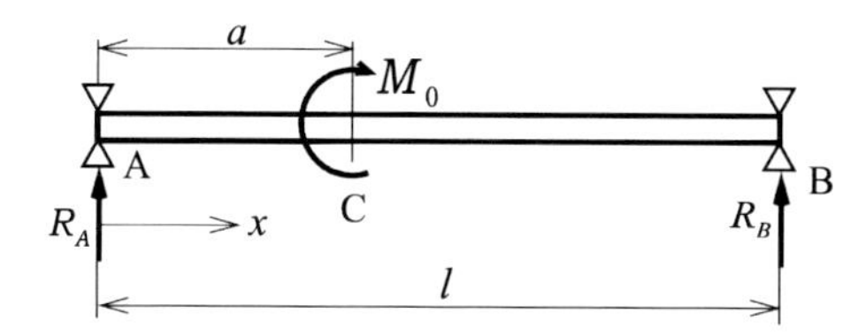

(3)

$$0 \leq x \leq a \ : \ \frac{d^2y_1}{dx^2} = \frac{M_0x}{EIl}, \quad a \leq x \leq l \ : \ \frac{d^2y_2}{dx^2} = -\frac{M_0(l-x)}{EIl}$$

$$y_1 = \frac{M_0x^3}{6EIl} + C_1x + C_2, \quad y_2 = -\frac{M_0(l-x)^3}{6EIl} - C_3(l-x) + C_4$$

(**問題 10.3**，**問題 10.7** と同様に，y_2 に関して上のように $(l-x)$ の項でまとめておくと，$x=l$ の境界条件の処理が楽になる．)

(4) $x=0\ :\ y_1=0,\ \ x=l\ :\ y_2=0,\ \ x=a\ :\ y_1=y_2,\ \ dy_1/dx=dy_2/dx$ の条件より

$$C_1=\frac{3a^2-6al+2l^2}{6EIl}M_0,\quad C_2=0,\quad C_3=-\frac{l^2-3a^2}{6EIl}M_0,\quad C_4=0$$

となり，

$$0\leq x\leq a\ :\ y_1=\frac{M_0x}{6EIl}(3a^2-6al+2l^2+x^2),$$

$$a\leq x\leq l\ :\ y_2=-\frac{M_0}{6EIl}(l-x)\left\{3a^2+x(x-2l)\right\}$$

を得る．

(5)　$y_c=(y_1)_{x=a}$ より $y_c=\dfrac{a(2a^2-3al+l^2)}{3EIl}M_0$ となる．

【10.9】　任意位置 x における断面2次モーメント I は

$$I=\frac{bh^3}{12}=\frac{b_0(x/l)h^3}{12}=\frac{b_0h^3}{12}\cdot\frac{x}{l}=I_0\frac{x}{l},\ I_0=\frac{b_0h^3}{12}$$

と表される．したがって，たわみの微分方程式は，$M=-Wx$ として

$$\frac{d^2y}{dx^2}=-\frac{M}{EI}=\frac{Wx}{EI_0(x/l)}=\frac{Wl}{EI_0}$$

となる．

この式を積分して

$$\frac{dy}{dx}=\frac{Wl}{EI_0}(x+C_1),\quad y=\frac{Wl}{EI_0}\left(\frac{x^2}{2}+C_1x+C_2\right)$$

はりの境界条件, $x=l$ で $y=0$, $dy/dx=0$ を考慮して C_1, C_2 を求めると

$$C_1=-l,\quad C_2=\frac{l^2}{2}$$

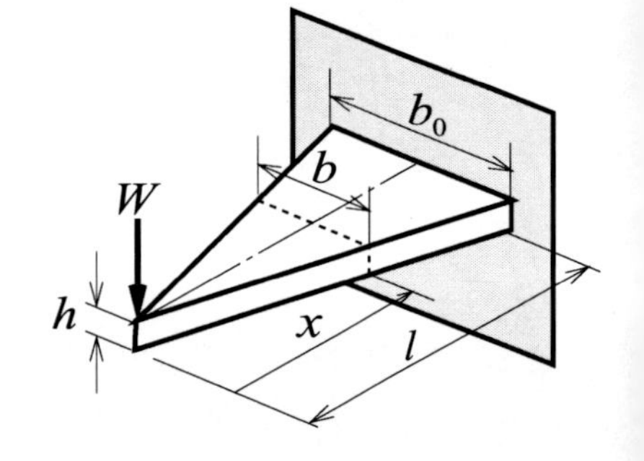

これよりたわみ y, たわみ角 dy/dx は

$$y=\frac{Wl}{2EI_0}(l-x)^2,\quad \frac{dy}{dx}=-\frac{Wl}{EI_0}(l-x)$$

と得られる．最大たわみ $y_{\max}$ は，$x=0$ で生じ

$$y_{\max}=\frac{Wl^3}{2EI_0}=\frac{3}{2}\cdot\frac{Wl^3}{3EI_0}$$

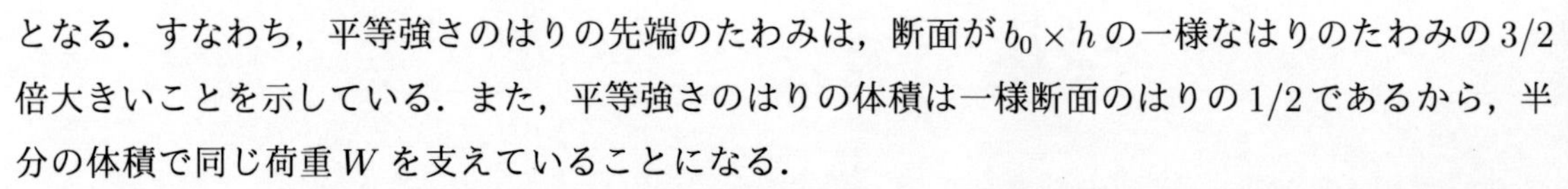

となる．すなわち，平等強さのはりの先端のたわみは，断面が $b_0\times h$ の一様なはりのたわみの 3/2 倍大きいことを示している．また，平等強さのはりの体積は一様断面のはりの 1/2 であるから，半分の体積で同じ荷重 W を支えていることになる．

以上より，同じ荷重を受ける場合，平等強さのはりは，一様断面のはりに比べて少ない体積で大きくたわみながら安全に支えていることになる．これは，単位体積当たりの弾性ひずみエネルギーが大きいことを意味し，平等強さのはりはばねとして優れた特性を有していることがわかる．

第11章　はりの複雑な問題－1 解答

【11.1】　はじめに，分布荷重のみが作用する場合の片持はりの先端のたわみ δ_1 を考える．図のよ

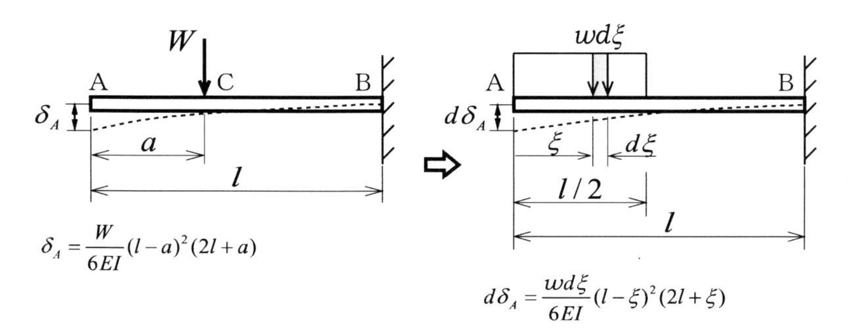

うに，$x = a$ の位置に集中荷重 W を受ける長さ l の片持はりの先端のたわみ δ_A は

$$\delta_A = \frac{W}{6EI}(l-a)^2(2l+a)$$

である（付録 A.2.1(3) を参照．または，この結果を誘導するとよい.）．次に区間 $0 \sim l/2$ に分布荷重 w が作用する場合のはり先端のたわみを考える．流通座標 ξ を考え，微小区間 $d\xi$ の荷重 $wd\xi$ によるはり先端の微小たわみ $d\delta_A$ は，上式より

$$d\delta_A = \frac{wd\xi}{6EI}(l-\xi)^2(2l+\xi)$$

と表される．したがって，この微小たわみの総和をとれば（積分すれば），区間 $0 \sim l/2$ の分布荷重 w によるはり先端のたわみ δ_1 が得られる．すなわち

$$\delta_1 = \frac{w}{6EI}\int_0^{l/2}(l-\xi)^2(2l+\xi)d\xi, \quad (l-\xi \to \eta)$$

$$\therefore\ \delta_1 = \frac{w}{6EI}\int_l^{l/2}\eta^2(3l-\eta)(-d\eta) = \frac{w}{6EI}\left[l\eta^3 - \frac{\eta^4}{4}\right]_{l/2}^{l} = \frac{wl^4}{6EI}\left\{1 - \frac{1}{4} - \left(\frac{1}{8} - \frac{1}{64}\right)\right\}$$

$$= \frac{41wl^4}{384EI}$$

一方，反力 R_A による片持はりの先端のたわみ δ_2 は，式（10.6）より，図のように上向きに $\delta_2 = R_A l^3/(3EI)$ である．

δ_1 と δ_2 を等置すると，点 A が支持点でありそこでのたわみがゼロという，問題に与えられた条件を満足する．したがって，この等式から R_A を求めることができ，

$$\frac{41wl^4}{384EI} = \frac{R_A l^3}{3EI} \quad \therefore\ R_A = \frac{41wl}{128}$$

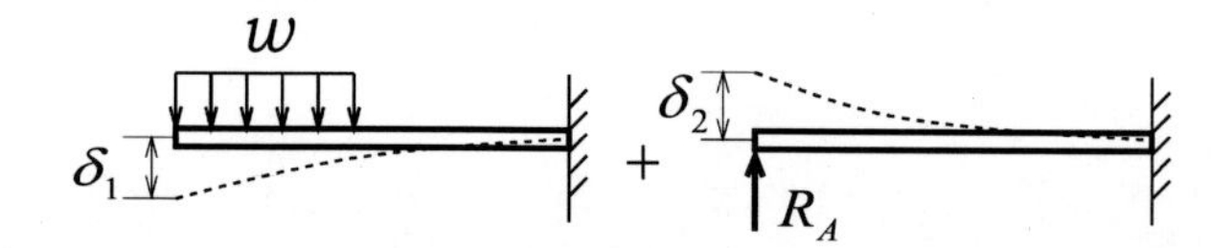

【11.2】　2個の荷重 W_1, W_2 のみが作用する場合の片持はりの先端のたわみ δ_1 は

$$\delta_1 = \frac{W_1 l_1^2}{6EI}(3l - l_1) + \frac{W_2 l_2^2}{6EI}(3l - l_2)$$

（付録 A.2.1(3) を参照．または，この結果を誘導するとよい.）．

一方，反力 R_A による片持はりの先端のたわみ δ_2 は，$\delta_2 = R_A l^3/(3EI)$ である．

δ_1 と δ_2 を等置すると，点 A が支持点でありそこでのたわみがゼロという，問題に与えられた条件を満足する．したがって

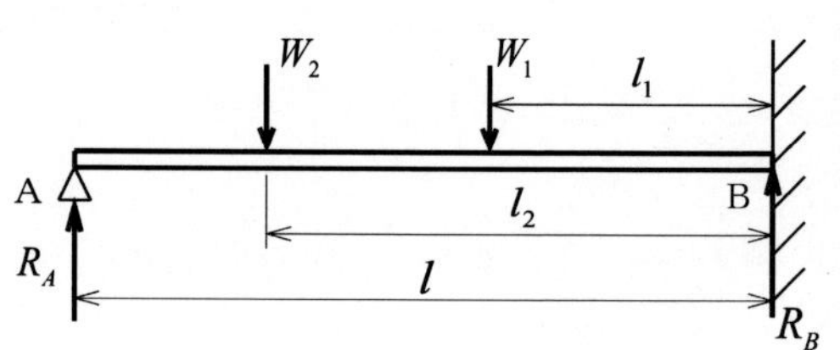

$$\delta_1 = \delta_2 \quad \therefore\ R_A = \frac{1}{2l^3}\left\{W_1 l_1^2(3l - l_1) + W_2 l_2^2(3l - l_2)\right\}$$

支点反力 R_B は力のつり合い式 $W_1 + W_2 = R_A + R_B$ から簡単に求められる．

【11.3】　等分布荷重 w と先端の上向きの反力 P が作用する場合の片持はりの先端のたわみ δ_1 は，$\delta_1 = \dfrac{wl^4}{8EI} - \dfrac{Pl^3}{3EI}$．一方，ばね力 P によるばねの縮み δ_2 は，$\delta_2 = P/k$

ここで，$\delta_1 = \delta_2$ とすると，点 A がばね支点という問題に課せられた条件を満足するとともにばね反力 P を求めることができる．

$$\delta_1 = \delta_2 \quad \therefore\ \ P = \frac{wl^4}{8EI\left\{1/k + l^3/(3EI)\right\}} = \frac{3wl}{8\left\{3EI/(kl^3) + 1\right\}}$$

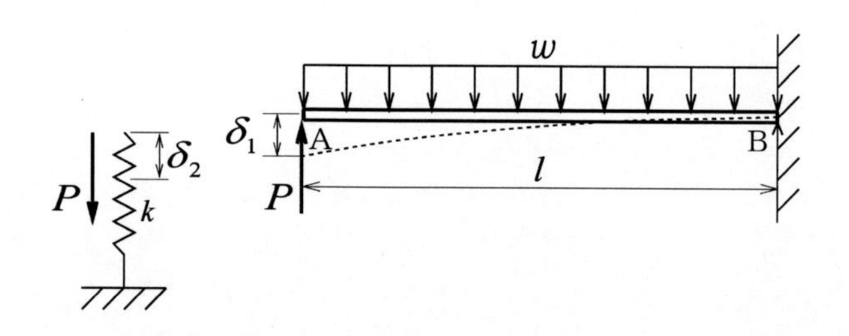

【11.4】　図のように，点 C での反力 R を考え，2つのはり（1），(2) に分けて考える．このとき，はり（1）の点 C のたわみ δ_{C1} がはり（2）の点 C のたわみ δ_{C2} に等しいと考えて解けばよい．

δ_{C1} については，はり（1）の片持はりのたわみ式 $y = \dfrac{W}{6EI}(x^3 - 3l^2x + 2l^3)$（付録 A.2.1(1) を参照）において $x = l/2$ を代入し，また，反力 R による上向きのたわみを考慮して

$$\delta_{C1} = \frac{W}{6EI}\left\{(l/2)^3 - 3l^2(l/2) + 2l^3\right\} - \frac{R(l/2)^3}{3EI} = \frac{5Wl^3}{48EI} - \frac{Rl^3}{24EI}$$

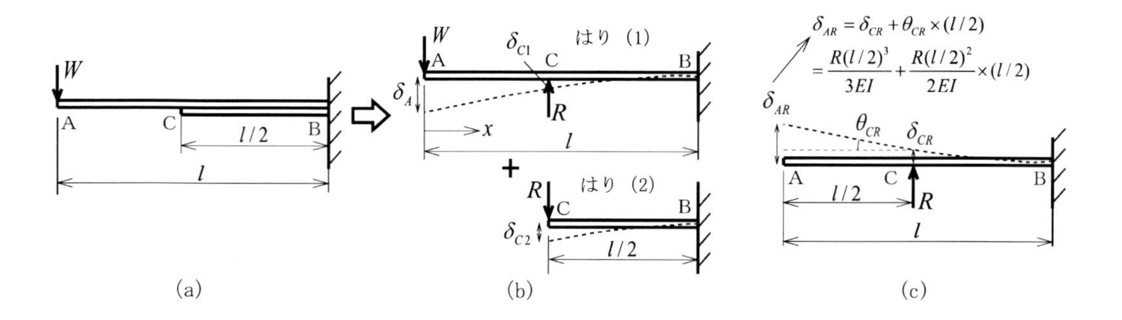

δ_{C2}については，はり（2）を長さ$l/2$の片持はりと考えて，(下向きの）たわみは

$$\delta_{C2} = \frac{R(l/2)^3}{3EI} = \frac{Rl^3}{24EI}$$

そこで，$\delta_{C1} = \delta_{C2}$とおいて

$$\frac{5Wl^3}{48EI} - \frac{Rl^3}{24EI} = \frac{Rl^3}{24EI} \quad \therefore\ R = \frac{5W}{4}$$

と求められる．さらに，板ばねの荷重点のたわみδ_Aについては，$x=0$の下向き荷重Wによるたわみと$x=l/2$の上向き荷重$R=5W/4$によるはりの先端Aのたわみ（図(c)参照）との和を考えればよく

$$\delta_A = \frac{Wl^3}{3EI} - \frac{(5W/4)(l/2)^3}{3EI} - \frac{(5W/4)(l/2)^2}{2EI} \times (l/2) = \left(\frac{1}{3} - \frac{5}{96} - \frac{5}{64}\right)\frac{Wl^3}{EI} = \frac{13Wl^3}{64EI}$$

となる．

【11.5】 対称性から，$R_A = R_B = wl/2$, $M_A = M_B$であり，点Aからxの位置の曲げモーメントは，$M = wlx/2 - wx^2/2 - M_A$である．これを，式（10.5）に代入し，順次積分すれば

$$\frac{d^2y}{dx^2} = \frac{1}{EI}\left(M_A - \frac{wl}{2}x + \frac{wx^2}{2}\right),$$
$$\frac{dy}{dx} = \frac{1}{EI}\left(M_A x - \frac{wl}{4}x^2 + \frac{w}{6}x^3 + C_1\right),$$
$$y = \frac{1}{EI}\left(\frac{M_A}{2}x^2 - \frac{wl}{12}x^3 + \frac{w}{24}x^4 + C_1 x + C_2\right)$$

ここで，C_1, C_2は積分定数，M_Aは固定端Aにおける曲げモーメントであり，境界条件$x=0$で$y=0$, $dy/dx=0$および$x=l$で$dy/dx=0$から決定される．すなわち

$$0 = C_2 \quad \therefore\ C_2 = 0, \quad 0 = C_1 \quad \therefore\ C_1 = 0, \quad 0 = M_A l - \frac{wl^3}{4} + \frac{wl^3}{6} \quad \therefore\ M_A = \frac{wl^2}{12}$$

なお，3番目の境界条件として$x=l$で$y=0$を用いても同じ結果を得る．この結果をたわみおよびたわみ角の式に代入すれば

$$\theta = \frac{dy}{dx} = \frac{w}{12EI}x(l-x)(l-2x), \quad y = \frac{w}{24EI}x^2(l-x)^2$$

最大たわみは，物理的に考えて $x = l/2$ に生じることは明らかであり，その値は

$$y_{\max} = (y)_{x=l/2} = \frac{wl^4}{384EI}$$

となる．

第12章　はりの複雑な問題－2（重ね合わせ法）解答

【12.1】 (1),(2) について，図のように M_A, M_C を負の曲げモーメントと仮定すると，両端のたわみ角は

$$\theta_{A1} = \frac{Wab}{6EIl}(a+2b),\quad \theta_{B1} = -\frac{Wab}{6EIl}(2a+b),$$
$$\theta_{A2} = -\frac{l}{6EI}(2M_A+M_B),\quad \theta_{B2} = \frac{l}{6EI}(M_A+2M_B)$$

となる.（注：付録 A.2.2(3) を参照．または，これらを自ら求めよう.）固定端の条件を満たすため

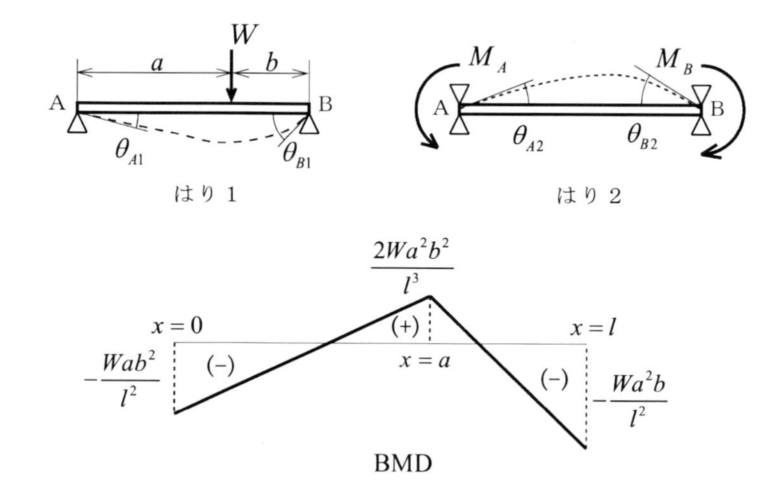

には,

$$\theta_{A1}+\theta_{A2}=0,\quad \theta_{B1}+\theta_{B2}=0$$

これより，$M_A = Wab^2/l^2$,$M_B = Wa^2b/l^2$ を得る.

(3) 両端固定はりの力のつり合い式および点 B まわりのモーメントのつり合い式は

$$R_A+R_B=W,\quad M_A-R_Al+W(l-a)-M_B=0$$

この 2 式から未知反力 R_A, R_B は

$$R_A=\frac{Wb^2(l+2a)}{l^3},\quad R_B=\frac{Wa^2(l+2b)}{l^3}$$

以上より，曲げモーメントは，M_A が負であることを考慮して

$$0 \leq x \leq a:\ M_1 = -M_A + R_A x,\ \ a \leq x \leq l:\ M_2 = -M_A + R_A x - W(x-a)$$

なお，点Cの曲げモーメントは，$M_C = -M_A + R_A a = \dfrac{2Wa^2b^2}{l^3}$ と求められる．

以上より，両端固定はりのBMDは図に示したような直線分布となる．特に，荷重 W がはり中央に作用するときは，$a = b = l/2$ となるから，$M_A = M_B = -\dfrac{Wl}{8}$, $M_C = \dfrac{Wl}{8}$ を得る．

【12.2】　この場合も図のような重ね合わせを行えばよい．それぞれのはりの両端のたわみ角は，$M_A = M_B = M_0$ として

$$\theta_{A1} = -\theta_{B1} = \frac{wl^3}{24EI},\ \ \theta_{A2} = -\theta_{B2} = -\frac{M_0 l}{2EI},$$

となる．(注：付録A.2.2(2), A.2.2(3) を参照するか，これらを求めてみよう．)

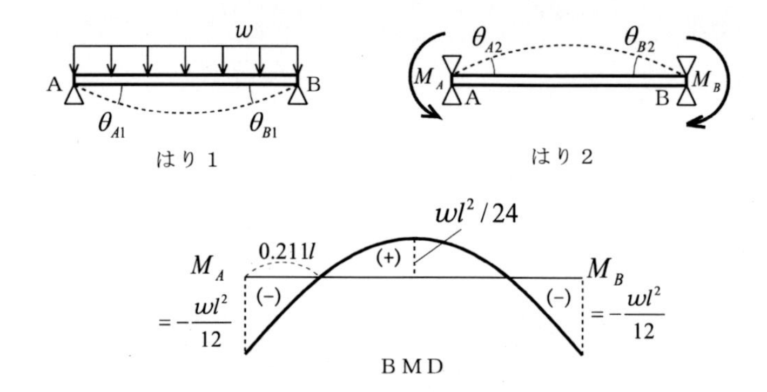

固定端の条件を満たすためには，$\theta_{A1} + \theta_{A2} = 0$．これより，$M_0 = wl^2/12$ を得る．

また，支点反力は $R_A = R_B = wl/2$ と得られるので，任意位置の曲げモーメント M は $M = -\dfrac{wl^2}{12} + \dfrac{wl}{2}x - \dfrac{wx^2}{2} = -\dfrac{w}{12}(6x^2 - 6lx + l^2)$ となる．

はり中央の曲げモーメント M_C は，$M_C = M_{x=l/2} = \dfrac{wl^2}{24}$ となる．曲げモーメントがゼロとなる点（**変曲点**（inflection point）という）は

$$6x^2 - 6lx + l^2 = 0 \quad \therefore\ x = \left(1 \pm \frac{1}{\sqrt{3}}\right)\frac{l}{2} = 0.211l,\ 0.789l$$

したがって，BMDは図のようになる．

【12.3】図の荷重たわみ線図において，接触時の荷重を $P_0(< P)$ とすると，P_0 と δ は，$\delta = \dfrac{P_0 l_2^3}{48EI}$ により関係づけられる．したがって，このときのばね定数 k_2 は $k_2 = 48EI/l_2^3$ と表される．

接触後（図の区間AB）は，2つのはりが一体になって変形するから2つのはりの合成ばね定数は $k = k_1 + k_2 = 48EI/l_1^3 + 48EI/l_2^3$ となる．ここで，k_1 は下側のはりABのばね定数である．荷重が P に達したときのたわみが $y_{\max}$ であるから，図の $P-y$ 関係より

$$\frac{P - P_0}{y_{\max} - \delta} = k \quad \therefore\ y_{\max} = \delta + \frac{P - P_0}{k}$$

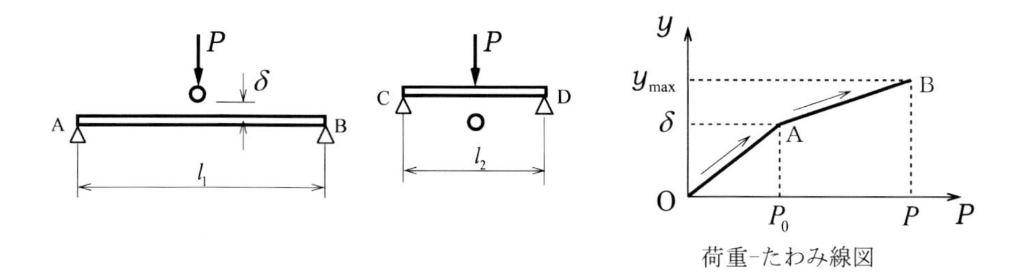

を得る．ここで，$P_0 = \dfrac{48EI}{l_2^3}\delta,\ k = \dfrac{48EI}{l_1^3} + \dfrac{48EI}{l_2^3}$ を代入すると

$$y_{\max} = \delta + \frac{Pl_1^3 l_2^3}{48EI(l_1^3 + l_2^3)} - \frac{l_1^3 l_2^3}{48EI(l_1^3 + l_2^3)} \cdot \frac{48EI}{l_2^3}\delta = \frac{l_2^3}{l_1^3 + l_2^3}\left(\delta + \frac{Pl_1^3}{48EI}\right)$$

となる．

【12.4】 図のように，ばねとはりとの間に作用する力を P とおく．すると，はりのたわみ δ_1 は，式（11.5）より

$$\delta_1 = \frac{(W - P)l^3}{192EI}$$

となる．一方，荷重 P を受けるばねのたわみ δ_2 は，$\delta_2 = P/k$ である．これらのたわみは等しいから

$$\frac{(W - P)l^3}{192EI} = \frac{P}{k} \qquad \therefore P = \frac{W}{1 + 192EI/(kl^3)}$$

この荷重 P を用いると，荷重点のたわみ $y_{\max}$ は

$$y_{\max} = \frac{P}{k} = \frac{Wl^3}{192EI + kl^3}$$

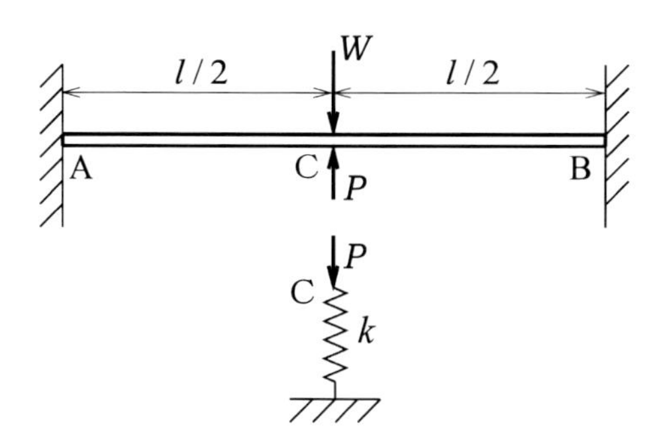

第13章　はりの複雑な問題－3（連続はりほか）解答

【13.1】　はり1の支点Bのたわみ角 $(\theta_B)_1$ は，問題文のヒントの図(a)のたわみ角の値を参考にして

$$(\theta_B)_1 = -\frac{Wl^2}{16EI} - \frac{M_B l}{3EI}$$

となる．ここで，M_B は支点Bに生じる不静定曲げモーメントである．同様に，はり2の支点Bのたわみ角についても

$$(\theta_B)_2 = \frac{Wl^2}{16EI} + \frac{M_B l}{3EI}$$

を得る．したがって，図(b)のように，$(\theta_B)_1 = (\theta_B)_2$ となる（これが，Clapeyronの3モーメント

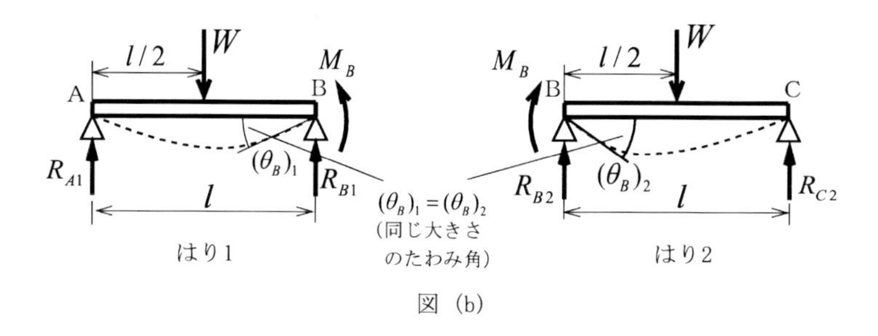

図 (b)

の定理の根幹をなす部分である）から，$M_B = -\dfrac{3}{16}Wl$ を得る．

次に，はり1の点Bまわりのモーメントつり合いを考えて，支点反力 R_{A1}, R_{B1} を求めると

$$-R_{A1}l + \frac{W}{2}l + M_B = 0 \quad \therefore \ R_{A1} = \frac{W}{2} + \left(-\frac{3}{16}W\right) = \frac{5}{16}W,\ R_{B1} = W - \frac{5}{16}W = \frac{11}{16}W$$

同様に，はり2についても点Bまわりのモーメントつり合いを考え

$$R_{C2}l - \frac{W}{2}l - M_B = 0 \quad \therefore \ R_{C2} = \frac{W}{2} + \left(-\frac{3}{16}W\right) = \frac{5}{16}W,\ R_{B2} = W - \frac{5}{16}W = \frac{11}{16}W$$

以上のはり1，はり2の結果を重ね合わせて，支点反力 R_A, R_B, R_C を求めると

$$R_A = R_{A1} = \frac{5}{16}W,\quad R_B = R_{B1} + R_{B2} = \frac{11}{8}W,\quad R_C = R_{C2} = \frac{5}{16}W$$

【13.2】　荷重Wが，それぞれのはりに

$$W = W_S + W_C \cdots\cdots (1)$$

と分配されるものと考えればよい．ここに，W_S：支持はり，W_C：固定はりが受け持つ荷重である．一方，支持はり，固定はりの荷重点のたわみをδ_S, δ_Cとすると，付録A.2.2(1)，式（11.5）より

$$\delta_S = \frac{W_S l^3}{48EI}, \quad \delta_C = \frac{W_C l^3}{192EI}$$

この両者は等しいから

$$\delta_S = \delta_C \quad \therefore \quad \frac{W_S l^3}{48EI} = \frac{W_C l^3}{192EI} \cdots\cdots (2)$$

式（1），(2) より

$$W_S = \frac{W}{5}, \quad W_C = \frac{4W}{5}. \text{したがって} \quad \delta_S = \delta_C = \frac{Wl^3}{240EI}$$

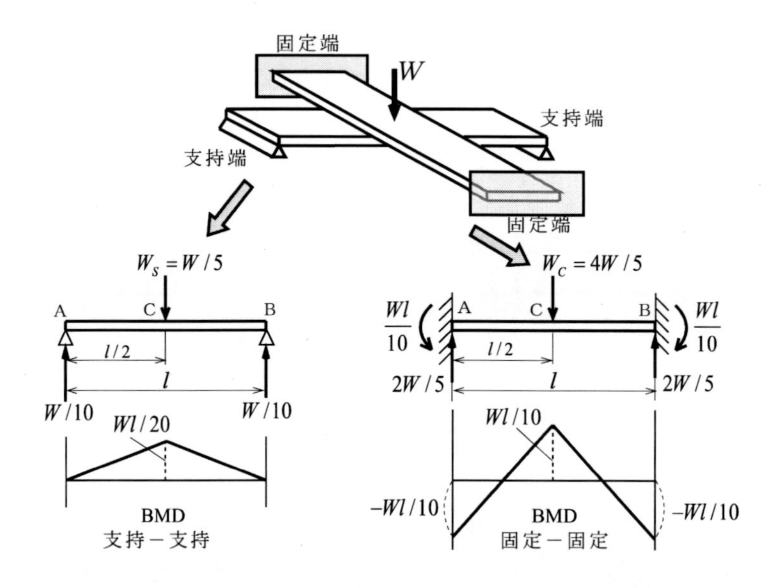

それぞれのはりのBMDは，単純支持はりの結果（**例題7.2**）や**問題12.2**などを参考にすれば，図のようになる．図より，支持－支持はりに比べて，固定－固定はりのほうに2倍の大きさの最大曲げモーメントが生じていることがわかる．

【13.3】　与えられた問題を，図のように先端に曲げモーメントM_Bと集中荷重R_B（下向き）とを受ける片持はりに置き換え，先端のたわみがδ, たわみ角が0になるようにM_B, R_Bを決定する．(以下の式の誘導においては，片持はりの先端BにR_B, M_Bを受けるとき，Bにおけるたわみとたわみ角を既知としている．これらについては，あらかじめ誘導するなり本書の付録A.2.1(1) およびA.2.1(4) を参照すること.）したがって

$$w_{x=l} = \frac{R_B l^3}{3EI} - \frac{M_B l^2}{2EI} = \delta, \quad \theta_{x=l} = \frac{R_B l^2}{2EI} - \frac{M_B l}{EI} = 0$$

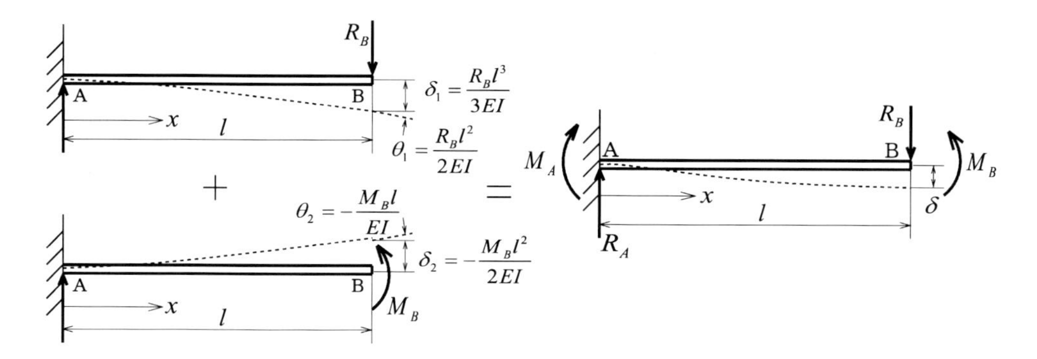

これより，$R_B = 12EI\delta/l^3$, $M_B = 6EI\delta/l^2$ となる．左端の反力 R_A，曲げモーメント M_A を図のように定めると，力および点 A まわりのモーメントつり合いより

$$R_A - R_B = 0, \quad -M_A - R_B l + M_B = 0$$

以上から， $R_A = 12EI\delta/l^3$, $M_A = -6EI\delta/l^2$ を得る．

任意点 x の曲げモーメント M は

$$M = R_A x + M_A = \frac{6EI\delta}{l^2}\left(-1 + 2\frac{x}{l}\right)$$

となり，直線状の分布をなす．

【13.4】　(1) 荷重 $wd\xi$ によるはり中央の微小たわみ：$d\delta_C = \dfrac{wd\xi(l-\xi)}{48EI}\left\{3l^2 - 4(l-\xi)^2\right\}$

(2) 分布荷重全体によるたわみ δ_C は，上式を区間（$l/2 \sim l$）で積分すればよいから

$$\delta_C = \frac{w}{48EI}\int_{l/2}^{l}(l-\xi)\left\{3l^2 - 4(l-\xi)^2\right\}d\xi, \quad \text{ここで}, l-\xi = x \text{ とおいて}$$

$$\delta_C = \frac{w}{48EI}\int_{l/2}^{0} x(3l^2 - 4x^2)(-dx) = \frac{w}{48EI}\left[3l^2x^2/2 - x^4\right]_0^{l/2} = \frac{5wl^4}{768EI}$$

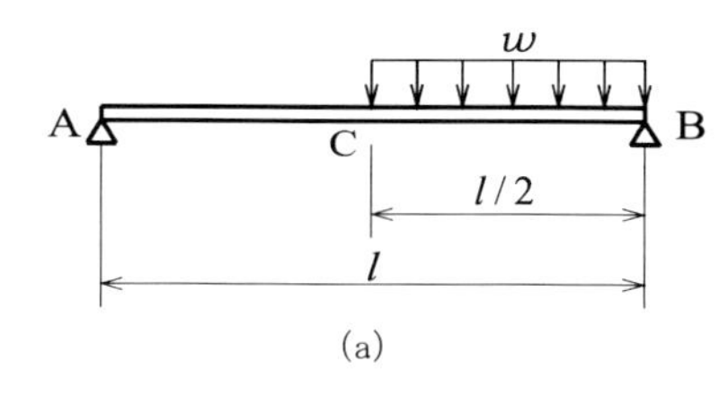

(a)

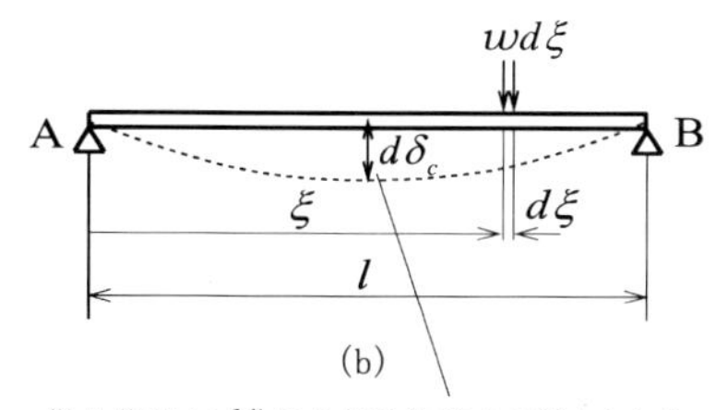

(b)

微小荷重 $wd\xi$ によるはり中央の微小たわみ：$d\delta_c$

第14章　カスティリアノの定理 解答

【14.1】 円錐棒の伸縮に基づくひずみエネルギーUは，式 (14.3) より，断面積Aを$\pi d^2/4$とし，dだけをxの関数と考えて

$$U = \int_0^l \frac{P^2}{2AE}dx = \int_0^l \frac{P^2}{2(\pi d^2/4)E}dx$$
$$= \frac{2P^2}{\pi E}\int_0^l \frac{1}{d^2}dx$$

となる．

(a)　(b)

一方，任意位置xの直径dは，図 (b) より

$$x : \frac{d-d_1}{2} = l : \frac{d_2-d_1}{2} \quad \therefore\ d = d_1 + (d_2-d_1)\frac{x}{l}$$

したがって

$$U = \frac{2P^2}{\pi E}\int_0^l \frac{dx}{\left(d_1 + \dfrac{d_2-d_1}{l}x\right)^2} = \frac{2P^2}{\pi E}\left[-\frac{l}{d_2-d_1}\cdot\frac{1}{d_1+(d_2-d_1)x/l}\right]_0^l$$
$$= \frac{2P^2}{\pi E}\frac{1}{d_2-d_1}\left(\frac{1}{d_1}-\frac{1}{d_2}\right) = \frac{2P^2 l}{\pi E d_1 d_2}$$

【14.2】 区間AC ($0 \le x \le l-l_1$)，区間CB ($l-l_1 \le x \le l$) の曲げモーメントM_1, M_2は，$M_1 = -Wx$, $M_2 = -Wx - W_1(x-l+l_1)$となる．また，ひずみエネルギーUは

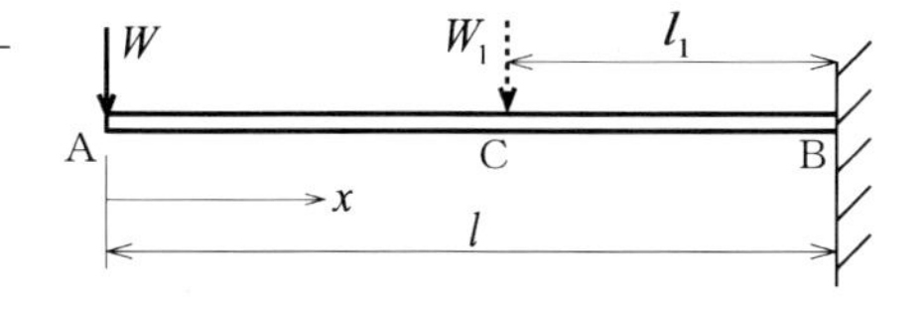

$$U = \frac{1}{2EI}\int_0^{l-l_1} M_1^2 dx + \frac{1}{2EI}\int_{l-l_1}^{l} M_2^2 dx$$

これより，点Cのたわみδ_Cは，W_1が仮想荷重であるので

$$\delta_C = \lim_{W_1\to 0}\frac{\partial U}{\partial W_1} = \lim_{W_1\to 0}\left[\frac{1}{EI}\int_0^{l-l_1} M_1\frac{\partial M_1}{\partial W_1}dx + \frac{1}{EI}\int_{l-l_1}^{l} M_2\frac{\partial M_2}{\partial W_1}dx\right]$$

実際に曲げモーメントの式を代入して計算すると，$\dfrac{\partial M_1}{\partial W_1} = 0$として

$$\delta_C = \frac{1}{EI}\int_{l-l_1}^{l}(-Wx)\Big\{-(x-l+l_1)\Big\}dx = \frac{W}{EI}\left[\frac{x^3}{3}-(l-l_1)\frac{x^2}{2}\right]_{l-l_1}^{l} = \frac{Wl_1^2}{6EI}(3l-l_1)$$

【14.3】　左端からの距離を x とすると，各区間 $(0 \leq x \leq l/2)$, $(l/2 \leq x \leq l)$ における曲げモーメント M_1, M_2 は，$M_1 = R_A x - wx^2/2$,　$M_2 = R_A x - (wl/2)(x - l/4)$ となる．

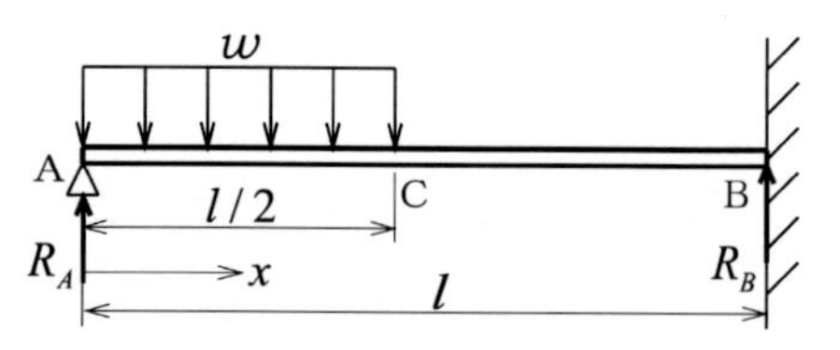

ひずみエネルギーを U とすると，点Aのたわみがゼロであり，$\partial U/\partial R_A = 0$ となるから

$$\frac{1}{EI}\int_0^{l/2} M_1 \frac{\partial M_1}{\partial R_A}dx + \frac{1}{EI}\int_{l/2}^{l} M_2 \frac{\partial M_2}{\partial R_A}dx = 0$$

実際に曲げモーメントの式を代入して計算すると

$$\int_0^{l/2}\left(R_A x - \frac{wx^2}{2}\right)\cdot x \cdot dx + \int_{l/2}^{l}\left\{R_A x - \frac{wl}{2}\left(x - \frac{l}{4}\right)\right\}\cdot x \cdot dx = 0$$

$$\left[\frac{R_A}{3}x^3 - \frac{wx^4}{8}\right]_0^{l/2} + \left[\frac{R_A}{3}x^3 - \frac{wl}{2}\left(\frac{x^3}{3} - \frac{lx^2}{8}\right)\right]_{l/2}^{l} = 0 \quad \therefore\ R_A = \frac{41}{128}wl$$

なお，この結果は，**問題 11.1** の結果と一致する．

【14.4】　図のように，左側固定壁からはりが受ける反力および反モーメントを R_A, M_A（未知数）

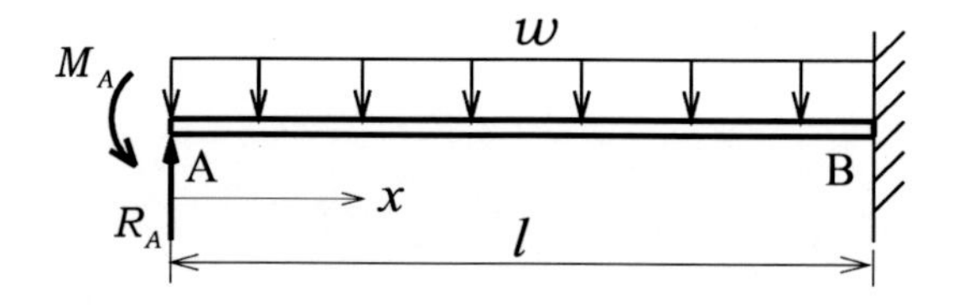

とする．このとき，任意位置 x における曲げモーメントは $M = R_A x - M_A - \dfrac{wx^2}{2}$ となる．はりの左端は固定されているから，$y_A = 0$, $(dy/dx)_A = 0$ である．したがって，カスティリアノの定理を利用すると，ひずみエネルギーを U として

$$y_A = \frac{\partial U}{\partial R_A} = 0 \;=>\; \int_0^l M\frac{\partial M}{\partial R_A}dx = 0,\quad (dy/dx)_A = \frac{\partial U}{\partial M_A} = 0 \;=>\; \int_0^l M\frac{\partial M}{\partial M_A}dx = 0$$

これを実際に計算すると

$$\int_0^l (R_A x - M_A - \frac{wx^2}{2})\cdot x \cdot dx = 0,\quad \int_0^l (R_A x - M_A - \frac{wx^2}{2})\cdot 1 \cdot dx = 0$$

積分を実行して

$$\frac{R_A l^3}{3} - \frac{M_A l^2}{2} = \frac{wl^4}{8},\quad \frac{R_A l^2}{2} - M_A l = \frac{wl^3}{6}$$

となる．この2式から，R_A, M_A を求めると $R_A = \dfrac{wl}{2}$, $M_A = \dfrac{wl^2}{12}$ を得る．

【14.5】 図のように，点 A，点 C に仮想荷重 W_A, W_C を加えると各区間の曲げモーメントは

$$(0 \leq x \leq l) \ : \ M_1 = -W_A(l-x) - W(2l-x) - W_C(3l-x)$$

$$(l \leq x \leq 2l) \ : \ M_2 = -W(2l-x) - W_C(3l-x)$$

$$(2l \leq x \leq 3l) \ : \ M_3 = -W_C(3l-x)$$

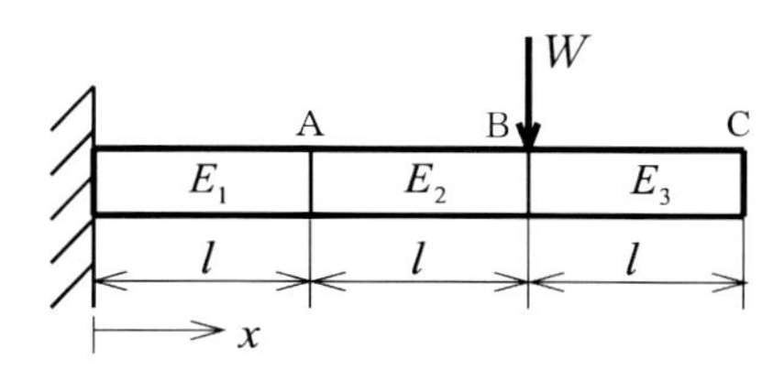

点 A のたわみ y_A を求めるには，カスティリアノの定理を用いて

$$y_A = \lim_{W_A, W_C \to 0} \frac{\partial U}{\partial W_A}$$

$$= \lim_{W_A, W_C \to 0} \left(\frac{1}{E_1 I} \int_0^l M_1 \frac{\partial M_1}{\partial W_A} dx + \frac{1}{E_2 I} \int_l^{2l} M_2 \frac{\partial M_2}{\partial W_A} dx + \frac{1}{E_3 I} \int_{2l}^{3l} M_3 \frac{\partial M_3}{\partial W_A} dx \right)$$

と計算すればよい．実際に計算すると，$\dfrac{\partial M_2}{\partial W_A} = \dfrac{\partial M_3}{\partial W_A} = 0$ として

$$y_A = \frac{1}{E_1 I} \int_0^l \{-W(2l-x)\}\{-(l-x)\} dx = \frac{W}{E_1 I} \int_0^l (2l-x)(l-x) dx = \frac{5Wl^3}{6E_1 I}$$

を得る．ここで，$l - x = t$ と置換積分すると定積分が簡単に求められる．

同様に，点 B，点 C のたわみ y_B, y_C も求められる．ただし，y_B を求める場合は仮想荷重を W_A，W_C を考えなくてよいので，$M_1 = M_2 = -W(2l-x)$, $M_3 = 0$ として

$$y_B = \frac{1}{E_1 I} \int_0^l M_1 \frac{\partial M_1}{\partial W} dx + \frac{1}{E_2 I} \int_l^{2l} M_2 \frac{\partial M_2}{\partial W} dx$$

$$= \frac{1}{E_1 I} \int_0^l \{-W(2l-x)\}\{-(2l-x)\} dx + \frac{1}{E_2 I} \int_l^{2l} \{-W(2l-x)\}\{-(2l-x)\} dx$$

$$= \frac{(E_1 + 7E_2)Wl^3}{3E_1 E_2 I}$$

$$y_C = \lim_{W_A, W_C \to 0} \left(\frac{1}{E_1 I} \int_0^l M_1 \frac{\partial M_1}{\partial W_C} dx + \frac{1}{E_2 I} \int_l^{2l} M_2 \frac{\partial M_2}{\partial W_C} dx + \frac{1}{E_3 I} \int_{2l}^{3l} M_3 \frac{\partial M_3}{\partial W_C} dx \right)$$

$$= \frac{(5E_1 + 23E_2)Wl^3}{6E_1 E_2 I}$$

を得る．

【14.6】 (1) 点 B まわりのモーメントつり合い，力のつり合いより

$$-R_A l + P \times \frac{l}{2} + \frac{wl}{2} \times \frac{l}{4} = 0 \quad \therefore \ R_A = \frac{P}{2} + \frac{wl}{8}, \quad R_A + R_B = P + wl/2 \quad \therefore \ R_B = \frac{P}{2} + \frac{3wl}{8}$$

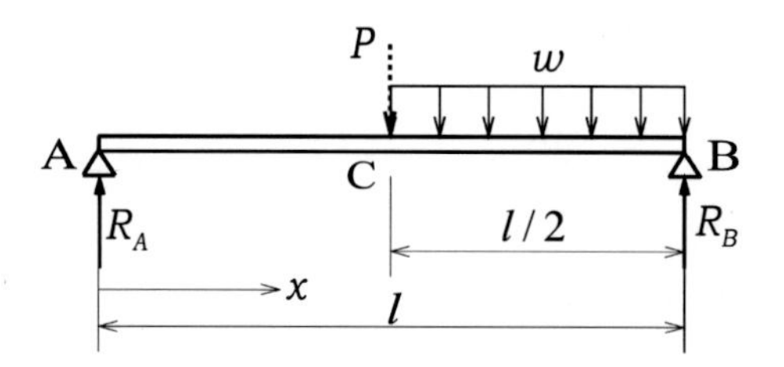

(2) 図より

$$(0 \le x \le l/2) : M_1 = R_A x = \left(\frac{P}{2} + \frac{wl}{8}\right) x,$$

$$(l/2 \le x \le l) : M_2 = R_B(l-x) - \frac{w(l-x)^2}{2} = \left(\frac{P}{2} + \frac{3wl}{8}\right)(l-x) - \frac{w(l-x)^2}{2}$$

(3) カスティリアノ の定理より

$$\begin{aligned}
\delta_C &= \lim_{P\to 0}\frac{\partial U}{\partial P} = \lim_{P\to 0}\left[\frac{1}{EI}\int_0^{l/2} M_1\frac{\partial M_1}{\partial P}dx + \frac{1}{EI}\int_{l/2}^{l} M_2\frac{\partial M_2}{\partial P}dx\right] \\
&= \frac{1}{EI}\int_0^{l/2}\frac{wlx}{8}\cdot\frac{x}{2}dx + \frac{1}{EI}\int_{l/2}^{l}\left\{\frac{3wl(l-x)}{8} - \frac{w(l-x)^2}{2}\right\}\cdot\frac{(l-x)}{2}dx \\
&= \frac{wl^4}{384EI} + \frac{wl^4}{256EI} = \frac{5wl^4}{768EI}
\end{aligned}$$

【14.7】

(1) 節点Aでの力のつり合い式は，水平，垂直方向別に

$$\text{水平方向}: Q + AB\cos 45^\circ + AC = 0,\quad \text{垂直方向}: -P + AB\sin 45^\circ = 0,$$

となる（部材力は引張りと仮定しているので，その部材力ベクトルは節点から遠ざかる向きに作用する）．これより

$$AB = \sqrt{2}P,\quad AC = -Q - P$$

を得る．

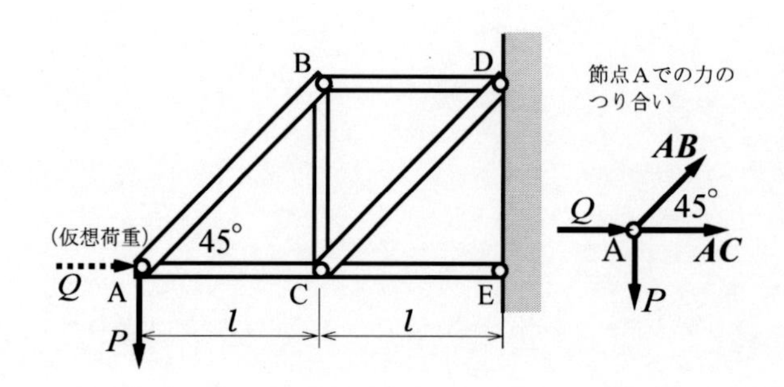

(2) 同様に，節点B，節点Cでの力のつり合い式を立てると

節点Bで 水平方向：$-\sqrt{2}P\cos 45° + BD = 0$, 垂直方向：$-BC - \sqrt{2}P\sin 45° = 0$,

節点Cで 水平方向：$(-Q-P) + CD\cos 45° + CE = 0$, 垂直方向：$-P + CD\sin 45° = 0$,

$\therefore\ BC = -P,\ \ BD = P,\ \ CD = \sqrt{2}P,\ \ CE = -Q-2P$

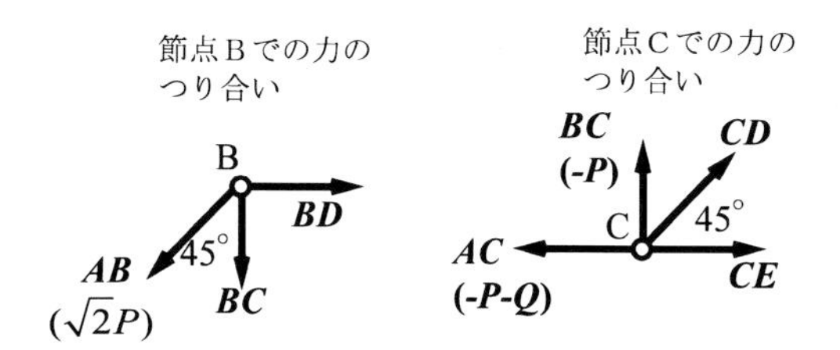

以上のように，外力の作用している節点のつり合いから始めて，隣り合う節点に移って次から次へと部材力を求める手法を**節点法**（method of joints）とよぶ．

(3) ひずみエネルギーUは，以上の部材力から

$$U = 2\times\frac{(\sqrt{2}P)^2\sqrt{2}l}{2AE} + \frac{P^2 l}{2AE} + \frac{(-P)^2 l}{2AE} + \frac{(-Q-P)^2 l}{2AE} + \frac{(-Q-2P)^2 l}{2AE}$$
$$= \frac{(1+2\sqrt{2})P^2 l}{AE} + \frac{(Q+P)^2 l}{2AE} + \frac{(Q+2P)^2 l}{2AE}$$

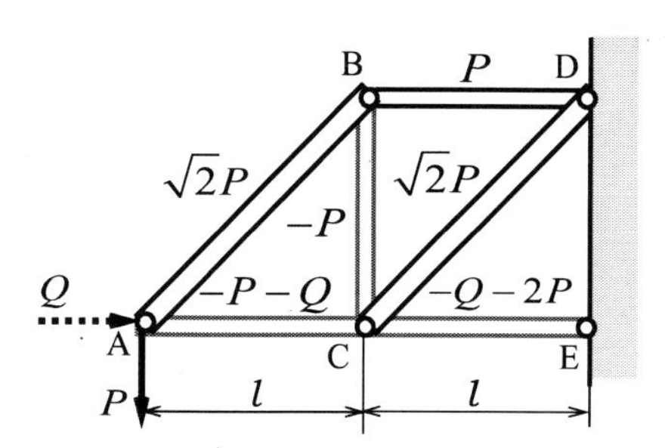

これより，カスティリアノの定理を利用して，節点変位は

$$\delta_V = \lim_{Q\to 0}\frac{\partial U}{\partial P} = \frac{2(1+2\sqrt{2})Pl}{AE} + \frac{Pl}{AE} + \frac{2Pl}{AE} = \left(7+4\sqrt{2}\right)\frac{Pl}{AE}$$
$$\delta_H = \lim_{Q\to 0}\frac{\partial U}{\partial Q} = \lim_{Q\to 0}\left[\frac{(Q+P)l}{AE} + \frac{(Q+2P)l}{AE}\right] = \frac{3Pl}{AE}$$

と得る．なお，$\delta_H/\delta_V \approx 0.24$である．

【切断法について】　トラスの節点力を求める方法として，節点法とは別に**切断法**（method of sections）がある．本問題を例に以下に切断法を説明する．

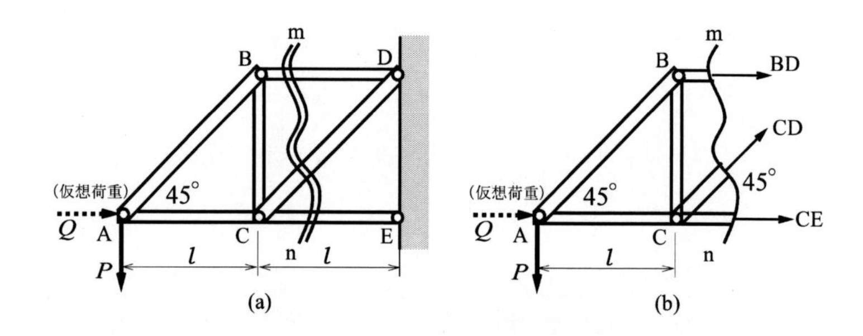

まず，図 (a) のように切断 mn によってトラスを 2 つに切り分ける．次に，図 (b) のような切断による左側に部分を考え，この部分のつり合いを考える．この部分に作用する力は，点 A での外力 P, Q のほかに 3 本の棒の軸力 BD，CD，CE である．これらの軸力は未知であるが，以下のようなつり合い式より求められる．すなわち，たとえば，点 C まわりのモーメントつり合い式を考えると

$$P \times l - BD \times l = 0 \quad \therefore\ BD = P$$

また，垂直方向つり合い式より

$$CD \sin 45^\circ - P = 0 \quad \therefore\ CD = \sqrt{2}P$$

さらに，水平方向つり合い式より

$$BD + CD\cos 45^\circ + CE + Q = 0 \quad \therefore\ CE = -Q - BD - \frac{CD}{\sqrt{2}} = -Q - P - \frac{\sqrt{2}P}{\sqrt{2}} = -Q - 2P$$

を得る．これらは節点法による結果と一致している．

以上の手法を切断法という．この方法は，切断によってトラスの一部を孤立させ，その孤立したトラスに対して切断を含む部材に作用する軸力を外力と見なして解く方法である．切断法によれば，ある特定の棒の軸力を求めることができる．2 次元の問題の場合は，3 つのつり合い式が得られるので，一般には，切断は 3 本の棒を切るようにする必要がある．

第15章　最小仕事の原理ほか 解答

【15.1】 点Cではりを2つに分けて考える．このとき，点Cに生じる力の大きさを R_C とおくと，はりAC，CDの点Cのたわみ δ_1, δ_2 は，**問題11.4** を参照して

$$\delta_1 = \frac{Wl^3}{3EI} + \frac{Wl^2}{2EI} \times l - \frac{R_c(2l)^3}{3EI} = \frac{5Wl^3}{6EI} - \frac{8R_c l^3}{3EI}, \quad \delta_2 = \frac{R_c l^3}{3EI}$$

この δ_1, δ_2 は等しいから，$\delta_1 = \delta_2$．これより $R_c = \dfrac{5W}{18}$，$\delta_1 = \dfrac{5Wl^3}{54EI}$ と得られる．

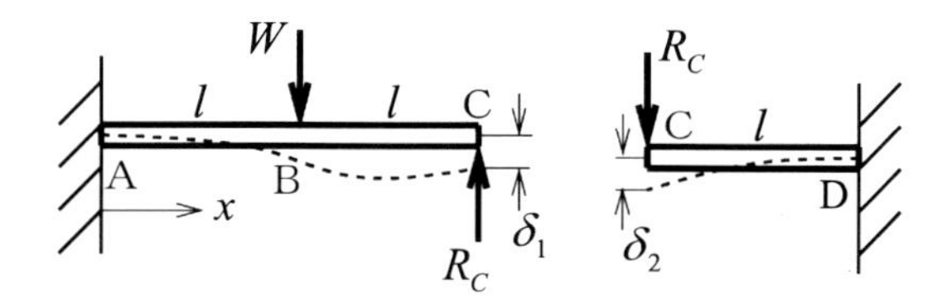

はりACの荷重点のたわみ δ_W は，長さ $2l$ の片持はりACの W によるたわみ $\delta_{W1} = \dfrac{Wl^3}{3EI}$ と R_C によるたわみ δ_{W2} の和である．ここで，一般に，荷重 R_C を受ける長さ l の片持はりの任意点のたわみは，$y = R_C/(6EI)x^2(3l - x)$（x は，はり固定端からの距離，付録A.2.1(1) を参照し，そこでのたわみ式 $y = W/(6EI)(l - x)^2(x + 2l)$ において，$x \to l - x, W \to R_C$ と置換すればよい）である．これを利用すると $\delta_{W2} = \dfrac{1}{6EI} \cdot \left(-\dfrac{5W}{18}\right) \cdot l^2(6l - l) = -\dfrac{25Wl^3}{108EI}$ となる（R_C は上向きなので荷重に負号をつける）．したがって $\delta_W = \dfrac{Wl^3}{3EI} - \dfrac{25Wl^3}{108EI} = \dfrac{11Wl^3}{108EI}$ となる．

【15.2】 **問題15.1** と同様に点Cではりを2つに分けて考える．点Cにおける荷重 W を，図のように $W = W_1 + W_2 \cdots (1)$ と分配する．すると，W_1，W_2 による点Cのたわみ δ_1，δ_2 は

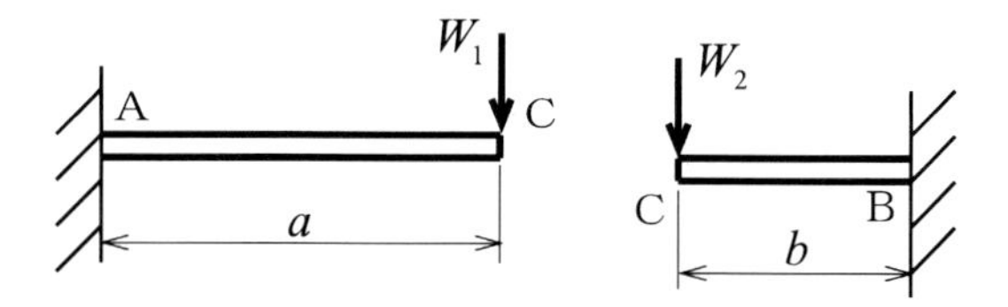

$\delta_1 = \dfrac{W_1 a^3}{3E_1 I_1}$，$\delta_2 = \dfrac{W_2 b^3}{3E_2 I_2}$.　　また，$\delta_1 = \delta_2 \cdots (2)$ であるから，式（1），（2）より

$$W_1 = \frac{E_1 I_1 b^3}{E_2 I_2 a^3 + E_1 I_1 b^3} W, \quad W_2 = \frac{E_2 I_2 a^3}{E_2 I_2 a^3 + E_1 I_1 b^3} W, \quad \delta_C = \delta_1 = \frac{a^3 b^3 W}{3(E_2 I_2 a^3 + E_1 I_1 b^3)}$$

【15.3】　図のように支点Aからの反力，反モーメントをR_A，M_Aとおくと，左端からの任意距離xの位置の曲げモーメントMは

$$M = -M_A + R_A x - \frac{w_0 x^3}{6l}$$

と表される．

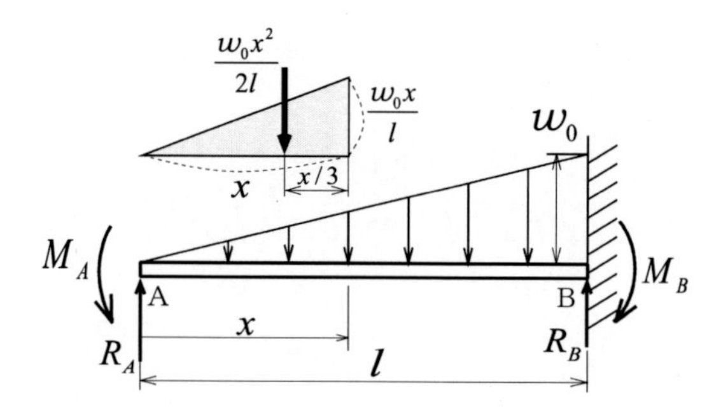

ひずみエネルギーUは$\dfrac{1}{2EI}\displaystyle\int_0^l M^2 dx$で表され，カスティリアノの定理より

$$\frac{\partial U}{\partial R_A} = \frac{1}{EI}\int_0^l M\frac{\partial M}{\partial R_A} = 0,\quad \frac{\partial U}{\partial M_A} = \frac{1}{EI}\int_0^l M\frac{\partial M}{\partial M_A} = 0$$

が成り立つ（固定端Aのたわみおよびたわみ角がゼロなので）．この2つの式を具体的に示すと

$$\int_0^l \left(-M_A + R_A l - \frac{w_0}{6l}x^3\right)\cdot x\cdot dx = 0 \to -15M_A + 10R_A l - w_0 l^2 = 0,$$

$$\int_0^l \left(-M_A + R_A l - \frac{w_0}{6l}x^3\right)dx = 0 \to -24M_A + 12R_A l - w_0 l^2 = 0$$

この2式を連立してR_A, M_Aを求めれば，$R_A = 3w_0 l/20$，$M_A = w_0 l^2/30$を得る．R_B, M_Bは，力のつり合い式$R_A + R_B = w_0 l/2$，および点Bまわりのモーメントつり合い式$M_A - R_A l - M_B + w_0 l^2/6 = 0$より得られ，$R_B = 7w_0 l/20$，$M_B = w_0 l^2/20$となる．

【15.4】

支点A, Bの水平反力をHとおくと図の水平線OAからθの位置の曲げモーメントは

$$M = \frac{P}{2}R(1-\cos\theta) - HR\sin\theta$$

である．また，このアーチの有するひずみエネルギーUは，微小長さdxを$Rd\theta$とおいて

$$U = 2\times\frac{1}{2EI}\int_0^{\pi/2} M^2\cdot Rd\theta$$

である．したがって，カスティリアノの定理より

$$\frac{\partial U}{\partial H} = 0 \ \to\ \int_0^{\pi/2} M\frac{\partial M}{\partial H}\cdot Rd\theta = 0$$

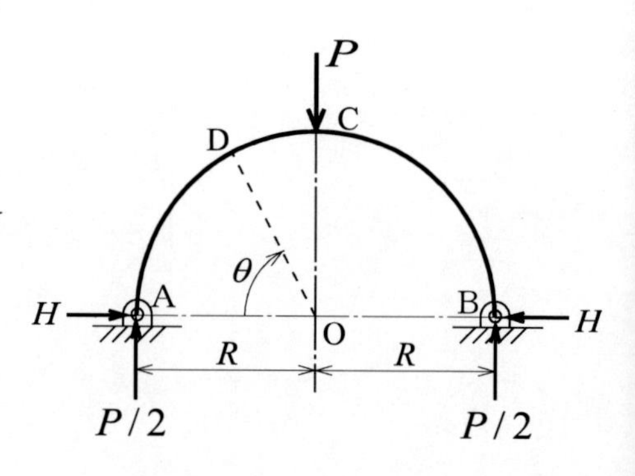

が成り立つ．すなわち

$$\int_0^{\pi/2}\left\{\frac{P}{2}R(1-\cos\theta)-HR\sin\theta\right\}(-R\sin\theta)\cdot Rd\theta=0$$

を得る．H を含む項には付録 A.1（2）の Wallis（ウォリス）積分を用いて計算すると

$$-\frac{PR^3}{2}\left[-\cos\theta+\frac{1}{4}\cos 2\theta\right]_0^{\pi/2}+\frac{\pi}{4}HR^3=0\quad\rightarrow -\frac{PR^3}{4}+\frac{\pi}{4}HR^3=0$$

これより $H=P/\pi\approx 0.318P$ を得る．

【15.5】 水平から測って θ の任意点 C の位置の曲げモーメントは $M=Pr\cos\theta+Qr(1-\sin\theta)$ である．したがって，円弧はりのひずみエネルギーは

$$U=\frac{1}{2EI}\int_0^{\pi/2}M^2rd\theta$$

と求められる．これより，垂直変位 v_A は，Wallis 積分を用いて

$$v_A=\lim_{Q\to 0}\frac{\partial U}{\partial P}=\frac{1}{EI}\lim_{Q\to 0}\int_0^{\pi/2}M\frac{\partial M}{\partial P}rd\theta=\frac{Pr^3}{EI}\int_0^{\pi/2}\cos^2\theta d\theta=\frac{\pi Pr^3}{4EI}$$

と得られる．また，水平変位 u_A は，仮想荷重 Q から

$$u_A=\lim_{Q\to 0}\frac{\partial U}{\partial Q}=\lim_{Q\to 0}\frac{1}{EI}\int_0^{\pi/2}M\frac{\partial M}{\partial Q}rd\theta=\frac{Pr^3}{EI}\int_0^{\pi/2}\cos\theta(1-\sin\theta)d\theta$$
$$=\frac{Pr^3}{EI}\left[\sin\theta+\frac{1}{4}\cos 2\theta\right]_0^{\pi/2}=\frac{Pr^3}{2EI}$$

となる．

【15.6】 点 B の不静定曲げモーメントを M_B として，連続はりを図のように 2 つのはりに分ける．

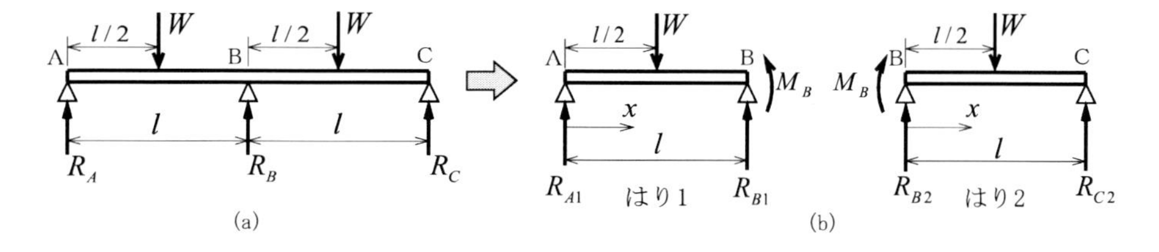

はり 1 の点 B まわりのモーメントつり合いより，支点反力は

$$-R_{A1}l+Wl/2+M_B=0\quad\therefore\ R_{A1}=W/2+M_B/l,\quad R_{B1}=W-R_{A1}=W/2-M_B/l$$

となる．同様に，はり 2 についても $R_{B2}=W/2-M_B/l,\quad R_{C2}=W/2+M_B/l.$

はり 1，2 の区間ごとの曲げモーメントは

はり 1：$(0\le x\le l/2)\cdots M_{11}=R_{A1}x,\quad (l/2\le x\le l)\cdots M_{12}=R_{A1}x-W(x-l/2),$

はり 2：$(0\le x\le l/2)\cdots M_{21}=R_{B2}x+M_B,$

$(l/2\le x\le l)\cdots M_{22}=R_{B2}x+M_B-W(x-l/2)$

最小仕事の原理より，連続はりのひずみエネルギー U の M_B による微分をゼロとおくと

$$\frac{\partial U}{\partial M_B} = \frac{1}{EI}\int_0^{l/2} M_{11}\cdot\frac{\partial M_{11}}{\partial M_B}dx + \frac{1}{EI}\int_{l/2}^{l} M_{12}\cdot\frac{\partial M_{12}}{\partial M_B}dx + \frac{1}{EI}\int_0^{l/2} M_{21}\cdot\frac{\partial M_{21}}{\partial M_B}dx + \frac{1}{EI}\int_{l/2}^{l} M_{22}\cdot\frac{\partial M_{22}}{\partial M_B}dx = 0$$

すなわち

$$\int_0^{l/2}\left(\frac{W}{2}+\frac{M_B}{l}\right)x\cdot\frac{x}{l}dx + \int_{l/2}^{l}\left\{\left(\frac{W}{2}+\frac{M_B}{l}\right)x - W\left(x-\frac{l}{2}\right)\right\}\cdot\frac{x}{l}dx + \int_0^{l/2}\left\{\left(\frac{W}{2}-\frac{M_B}{l}\right)x + M_B\right\}\cdot\left(1-\frac{x}{l}\right)dx + \int_{l/2}^{l}\left\{\left(\frac{W}{2}-\frac{M_B}{l}\right)x + M_B - W\left(x-\frac{l}{2}\right)\right\}\cdot\left(1-\frac{x}{l}\right)dx = 0$$

実際に計算すると

$$\frac{(Wl+2M_B)l}{48}+\frac{(Wl+7M_B)l}{24}+\frac{(Wl+7M_B)l}{24}+\frac{(Wl+2M_B)l}{48}=0 \quad \therefore\ M_B = -\frac{3Wl}{16}$$

または，対称性を利用して，はり1のひずみエネルギーの2倍を U として計算すると，上に示した計算量の半分で解を求めることができる．

【15.7】　重ね板ばねを2つのはりに分けて考え，不静定力 R を含めた形でひずみエネルギーを考える．

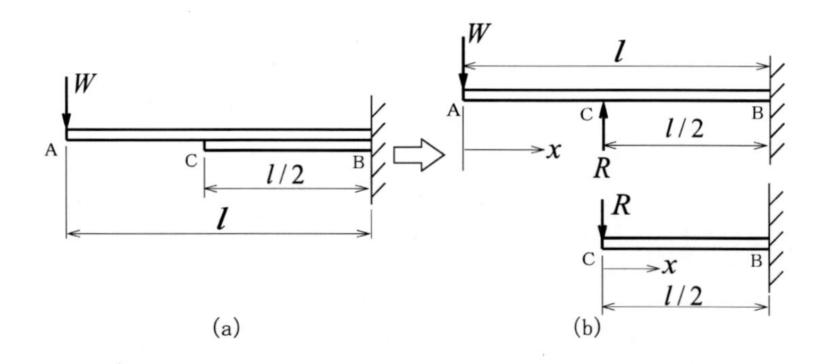

(a)　(b)

すると，それぞれのはりの曲げモーメントは

はり AB：$(0 \le x \le l/2)\cdots M_{11} = -Wx$,　$(l/2 \le x \le l)\cdots M_{12} = -Wx + R(x - l/2)$,

はり CB：$(0 \le x \le l/2)\cdots M_2 = -Rx$

したがって，重ね板ばね全体のひずみエネルギーは

$$U = U_{AB} + U_{CB} = \frac{1}{2EI}\int_0^{l/2} M_{11}^2 dx + \frac{1}{2EI}\int_{l/2}^{l} M_{12}^2 dx + \frac{1}{2EI}\int_0^{l/2} M_2^2 dx$$

R に関して最小仕事の原理を適用すると

$$
\begin{aligned}
&\frac{\partial U}{\partial R} = \frac{1}{EI}\int_{l/2}^{l} M_{12}\frac{\partial M_{12}}{\partial R}dx + \frac{1}{EI}\int_{0}^{l/2} M_{2}\frac{\partial M_{2}}{\partial R}dx = 0, \\
&\rightarrow \int_{l/2}^{l}\left\{-Wx + R\Big(x-\frac{l}{2}\Big)\right\}\Big(x-\frac{l}{2}\Big)dx + \int_{0}^{l/2}(-Rx)\cdot(-x)dx = 0, \\
&\rightarrow \frac{Rl^3}{24} - \frac{5Wl^3}{48} + \frac{Rl^3}{24} = 0
\end{aligned}
$$

これより $R = \dfrac{5W}{4}$ を得る．

荷重点 A のたわみは，全体のひずみエネルギーを W で微分すれば得られる．すなわち，$M_{12} = -Wx + R(x - l/2) = (W/8)(-5l + 2x)$, $M_{22} = -\dfrac{5W}{4}x$ を考慮して

$$
\begin{aligned}
\delta_A &= \frac{\partial U}{\partial W} = \frac{1}{EI}\int_{0}^{l/2} M_{11}\frac{\partial M_{11}}{\partial W}dx + \frac{1}{EI}\int_{l/2}^{l} M_{12}\frac{\partial M_{12}}{\partial W}dx + \frac{1}{EI}\int_{0}^{l/2} M_{22}\frac{\partial M_{22}}{\partial W}dx \\
&= \frac{1}{EI}\int_{0}^{l/2}(-Wx)\cdot(-x)dx + \frac{1}{EI}\int_{l/2}^{l}\frac{W}{64}(-5l+2x)^2dx + \frac{1}{EI}\int_{0}^{l/2}\frac{25W}{16}x^2dx \\
&= \frac{Wl^3}{24EI} + \frac{37Wl^3}{384EI} + \frac{25Wl^3}{384EI} = \frac{13Wl^3}{64EI}
\end{aligned}
$$

以上の結果は，当然，**問題 11.4** の結果と一致している．

第16章　組合せ応力 解答

【16.1】 最大主応力 σ_1 および主応力の方向 α_1 は，式 (16.7)，(16.8) より

$$\sigma_1 = \frac{1}{2}(\sigma_x + \sigma_y) + \sqrt{\frac{(\sigma_x - \sigma_y)^2}{4} + \tau_{xy}^2}, \quad \tan 2\alpha_1 = \frac{2\tau_{xy}}{\sigma_x - \sigma_y}$$

である．これらの式に与えられた値を代入すると

$$\sigma_1 = \frac{1}{2}(50 + 10) + \sqrt{\frac{(50 - 10)^2}{4} + 10^2} = 52.36 \approx 52.4\text{MPa},$$

$$\tan 2\alpha_1 = \frac{2 \times 10}{50 - 10} = 0.5 \quad \therefore \ \alpha_1 = 13.3°$$

モールの応力円は以下の図の通りである．

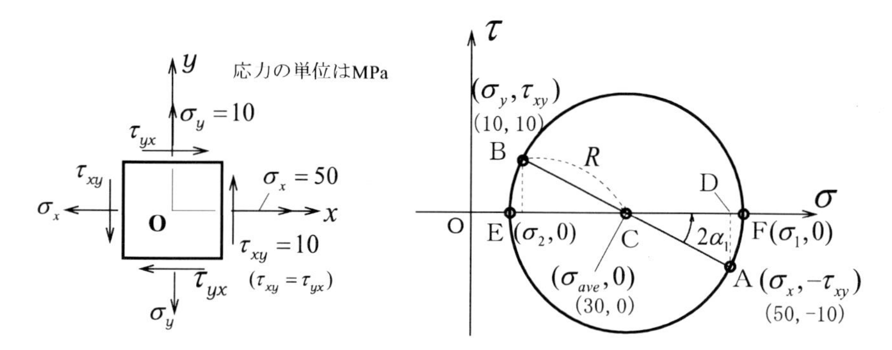

すなわち

$$\text{点 A}: (\sigma_x, -\tau_{xy}) = (50, -10), \quad \text{点 B}: (\sigma_y, \tau_{xy}) = (10, 10),$$

$$\text{点 C}: (\sigma_{ave}, 0) = ((50 + 10)/2, 0) = (30, 0), \quad R = \sqrt{\frac{(50 - 10)^2}{4} + 10^2} = 22.36$$

応力 σ の最大値，すなわち最大主応力 σ_1 は，図の点 F となるから

$$\sigma_1 = \sigma_{ave} + R = 30 + 22.36 \approx 52.4\text{MPa}$$

また，線分 CD の長さは $\sigma_x - \sigma_{ave} = (\sigma_x - \sigma_y)/2$ となるから，図より，

$$\tan 2\alpha_1 = \frac{\overline{DA}}{\overline{CD}} = \frac{\tau_{xy}}{(\sigma_x - \sigma_y)/2} = \frac{2\tau_{xy}}{\sigma_x - \sigma_y} = \frac{2 \times 10}{50 - 10} = 0.5 \quad \therefore \ \alpha_1 = 13.3°$$

が示される．

【16.2】 丸棒の外表面に生じる曲げ応力とせん断応力を σ_b, τ_t とおくと

$$\sigma_b = \frac{M}{Z}, \quad \tau_t = \frac{T}{Z_p}, \quad Z = \frac{\pi d^3}{32}: \text{断面係数}, \quad Z_p = \frac{\pi d^3}{16}: \text{極断面係数}$$

したがって，主応力，主せん断応力は，$\sigma_x = \sigma_b = 32M/(\pi d^3)$, $\sigma_y = 0$, $\tau_{xy} = \tau_t = 16T/(\pi d^3)$ として

$$\sigma_{1,2} = \frac{\sigma_x + \sigma_y}{2} \pm \sqrt{\frac{(\sigma_x - \sigma_y)^2}{4} + \tau_{xy}^2} = \frac{1}{2}\sigma_b \pm \sqrt{\sigma_b^2/4 + \tau_t^2} = \frac{16}{\pi d^3}(M \pm \sqrt{M^2 + T^2}),$$

$$\tau_{1,2} = \pm\sqrt{\frac{(\sigma_x - \sigma_y)^2}{4} + \tau_{xy}^2} = \pm\frac{16}{\pi d^3}\sqrt{M^2 + T^2}$$

与えられた値を代入して最大主応力および最大主せん断応力を求めると

$$\sigma_1 = \frac{16}{\pi \times 0.03^3}(294 + \sqrt{294^2 + 196^2}) = 122.1 \times 10^6\mathrm{N/m^2} \approx 122\mathrm{MPa},$$

$$\tau_1 = \frac{16}{\pi \times 0.03^3}\sqrt{294^2 + 196^2} = 66.65 \times 10^6\mathrm{N/m^2} \approx 66.7\mathrm{MPa}$$

【16.3】 (1) (x, y) 座標から反時計回りに α 回転した座標 (X, Y) における応力成分は，式 (16.4) より

$$\sigma_X = \frac{1}{2}(\sigma_x + \sigma_y) + \frac{1}{2}(\sigma_x - \sigma_y)\cos 2\alpha + \tau_{xy}\sin 2\alpha$$
$$= \frac{1}{2}(70 - 30) + \frac{1}{2}(70 + 30)\cos(2 \times 30^\circ) + 50\sin(2 \times 30^\circ) = 88.3 \text{ [MPa]}$$

$$\tau_{XY} = \frac{1}{2}(\sigma_y - \sigma_x)\sin 2\alpha + \tau_{xy}\cos 2\alpha = \frac{1}{2}(-30 - 70)\sin 60^\circ + 50\cos 60^\circ = -18.3 \text{ [MPa]}$$

ここで得られた負のせん断応力は，時計回りの方向に作用していることを意味している．

最大および最小主応力 σ_1, σ_2 は，式 (16.7) より

$$\sigma_1 = \frac{1}{2}(\sigma_x + \sigma_y) + \sqrt{\frac{(\sigma_x - \sigma_y)^2}{4} + \tau_{xy}^2} = \frac{1}{2}(70 - 30) + \sqrt{\frac{(70 - (-30))^2}{4} + 50^2}$$
$$= 20 + 70.71 \approx 90.7\mathrm{MPa}$$

$$\sigma_2 = \frac{1}{2}(\sigma_x + \sigma_y) - \sqrt{\frac{(\sigma_x - \sigma_y)^2}{4} + \tau_{xy}^2} == \frac{1}{2}(70 - 30) - \sqrt{\frac{(70 - (-30))^2}{4} + 50^2}$$
$$= 20 - 70.71 \approx -50.7\mathrm{MPa}$$

であり，最大せん断応力は，式 (16.9) より

$$\tau_{\max} = \sqrt{\frac{(\sigma_x - \sigma_y)^2}{4} + \tau_{xy}^2} = \sqrt{\frac{(70 - (-30))^2}{4} + 50^2} \approx 70.7\mathrm{MPa}$$

(2) モールの応力円の作成法は，**問題 16.1** と同様である．

また，x 軸より反時計方向に α だけ回転した座標 (X, Y) における応力成分 (σ_X, τ_{XY}) は，モールの応力円では，直径 AB を点 C を中心に 2α だけ回転した直径 DE を描き，点 D を $(\sigma_X, -\tau_{XY})$，点 E を (σ_Y, τ_{XY}) と読み取ればよい．

与えられた量 $\sigma_x = 70\text{MPa}$, $\sigma_y = -30\text{MPa}$, $\tau_{xy} = 50\text{MPa}$ を代入すると

$$点\, A = (70, -50),\quad 点\, B = (-30, 50),\quad \sigma_{ave} = \frac{70-30}{2} = 20,$$
$$R = \sqrt{\frac{(70-(-30))^2}{4} + 50^2} = 70.71$$

また，主応力 σ_1, σ_2（$\sigma_1 > \sigma_2$）は，図の点 F, G となるから

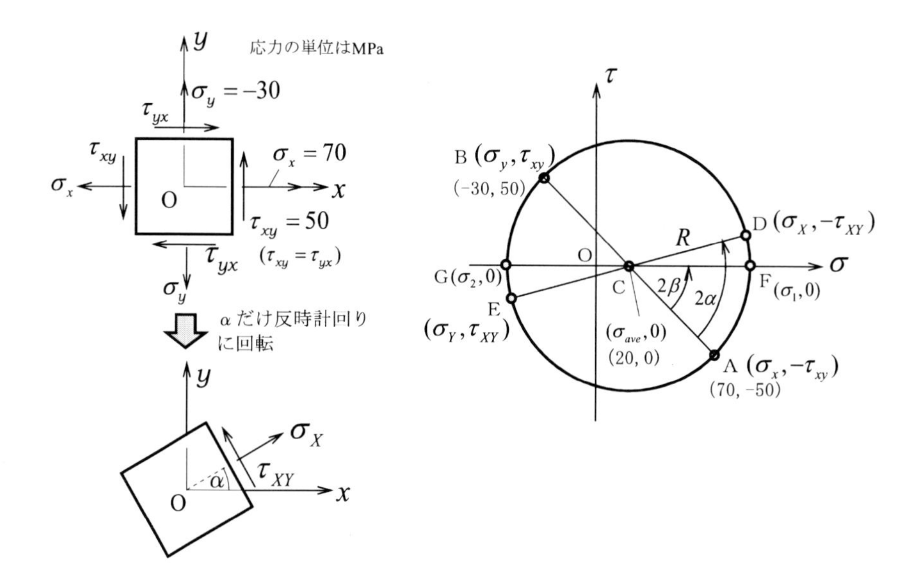

$$\sigma_1 = \sigma_{ave} + R = 20 + 70.71 \approx 90.7\text{MPa},\quad \sigma_2 = \sigma_{ave} - R = 20 - 70.71 \approx -50.7\text{MPa}$$

と得られる．主応力の方向 2β の大きさは，図より，

$$\tan 2\beta = \frac{\tau_{xy}}{\sigma_x - \sigma_{ave}} = \frac{2\tau_{xy}}{\sigma_x - \sigma_y} = \frac{2 \times 50}{70 - (-30)} = 1 \quad \therefore\ 2\beta = \frac{\pi}{4} = 45^\circ$$

である．反時計方向に $\alpha(=30^\circ)$ 傾いた斜面の応力 σ_X, τ_{XY} は，図の点 D より求められ

$$\sigma_X = \sigma_{ave} + R\cos(2\alpha - 2\beta) = 20 + 70.71 \times \cos(60^\circ - 45^\circ) \approx 88.3\text{MPa},$$
$$-\tau_{XY} = R\sin(2\alpha - 2\beta) = 70.71 \times \sin 15^\circ \approx 18.3\text{MPa} \quad \therefore\ \tau_{XY} = -18.3\text{MPa}$$

また，最大せん断応力は，$\tau_{\max} = R = 70.17\text{MPa}$ である．

【16.4】 はじめに球殻の切断面において，内圧による力の z 方向の合力を求める．このためには，問題の図の斜線部について，z 方向の合力を求め，その合力を θ について積分をすればよい．ここで，斜線部の面積 dA は，$r\cos\theta$ が円状帯板の半径なので

$$dA = rd\theta \times 2\pi r\cos\theta = 2\pi r^2 \cos\theta d\theta$$

となる．

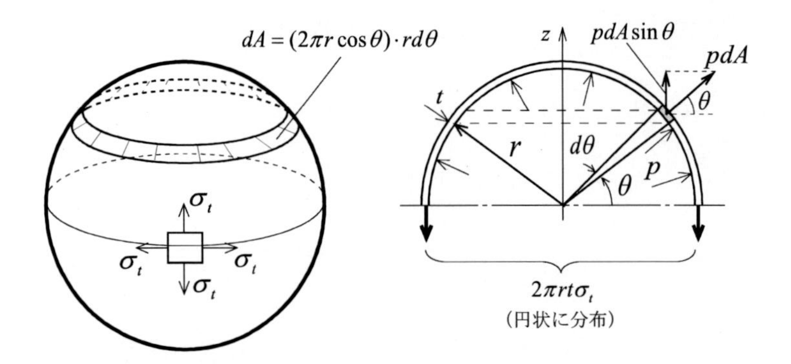

一方，この帯状部分に作用する内圧 p による力は pdA であるが，この力の z 方向成分は $pdA\sin\theta$ となる．

したがって，この z 方向成分の力の和（すなわち積分）と，球の切断面（面積は $2\pi rt$）に作用する応力 σ_t に基づく下向きの力 $2\pi rt\sigma_t$ とがつり合うから

$$\int_0^{\pi/2} p(2\pi r^2\cos\theta d\theta)\cdot\sin\theta = 2\pi rt\sigma_t$$

となる．なお，θ の積分範囲は $0\sim\pi/2$ でよいことに注意しよう．ここで，左辺は

$$2\pi r^2 p\int_0^{\pi/2}\sin\theta\cos\theta d\theta = \pi r^2 p\left[-\frac{1}{2}\cos 2\theta\right]_0^{\pi/2} = \pi r^2 p$$

となるから

$$\pi pr^2 = 2\pi rt\sigma_t \quad \therefore\ \sigma_t = \frac{pr}{2t}$$

球殻の直径を $d=2r$ とおけば，この結果は式（16.12）と一致していることがわかる．

【16.5】 棒の表面の最大曲げ応力 σ_b，最大せん断 τ_t は，$m=d_i/d_0$ として

$$\sigma_b = \frac{M}{Z} = \frac{32M}{\pi d_0^3(1-m^4)},\quad \tau_t = \frac{T}{Z_p} = \frac{16T}{\pi d_0^3(1-m^4)}\cdots(1)$$

となる．一方，最大主応力 σ_1，最小主応力 σ_2 は

$$\sigma_1 = \frac{1}{2}(\sigma_x+\sigma_y)+\frac{1}{2}\sqrt{(\sigma_x-\sigma_y)^2+4\tau_{xy}^2} = \frac{1}{2}\sigma_b+\frac{1}{2}\sqrt{\sigma_b^2+4\tau_t^2},$$
$$\sigma_2 = \frac{1}{2}(\sigma_x+\sigma_y)-\frac{1}{2}\sqrt{(\sigma_x-\sigma_y)^2+4\tau_{xy}^2} = \frac{1}{2}\sigma_b-\frac{1}{2}\sqrt{\sigma_b^2+4\tau_t^2}$$

である．

したがって，棒の最大せん断応力 τ_1 は

$$\tau_1 = \frac{\sigma_1-\sigma_2}{2} = \frac{1}{2}\sqrt{\sigma_b^2+4\tau_t^2}\cdots(2)$$

と求められる．したがって，式（1）を式（2）に代入し，$\tau_1\to\tau_a$ として d_0 を求めると

$$d_0 = \left(\frac{16\sqrt{M^2+T^2}}{\pi\tau_a(1-m^4)}\right)^{1/3}$$

$$Z = \frac{\pi(d_0^4 - d_i^4)}{32d_0} = \frac{\pi d_0^3(1-m^4)}{32},$$

$$Z_p = \frac{\pi(d_0^4 - d_i^4)}{16d_0} = \frac{\pi d_0^3(1-m^4)}{16} = 2Z, \quad m = \frac{d_i}{d_0}$$

与えられた数値を実際に代入して

$$d_0 = \left(\frac{16 \times \sqrt{600^2 + 800^2}}{\pi \times 50 \times 10^6 \times (1 - 0.5^4)}\right)^{1/3} = \left(1.0865 \times 10^{-4}\right)^{1/3} = 0.04772\text{m} \approx 47.7\text{mm}$$

【16.6】 薄肉円筒の円周応力 σ を引張り強さ σ_u に，また，内圧 p を Sp に置き換えて，式 (16.15) を用いると

$$\sigma_u = \frac{Spd}{2t} \quad \therefore\ t = \frac{Spd}{2\sigma_u} = \frac{4 \times 2.5 \times 2}{2 \times 784} = 0.012755\text{m} \approx 12.8\text{mm}$$

【16.7】 球殻の関係式 (16.12) , (16.13) , (16.14) を用いればよく

$$\sigma = \frac{pr}{2t} = \frac{2 \times 10^6 \times 0.1}{2 \times 0.0025} = 40 \times 10^6\text{N/m}^2 = 40\text{MPa},$$

$$dr = \frac{(1-\nu)pr^2}{2Et} = \frac{(1-0.3) \times 2 \times 10^6 \times 0.1^2}{2 \times 206 \times 10^9 \times 0.0025} = 1.359 \times 10^{-5}\text{m} \approx 0.0136\text{mm},$$

$$\frac{dV}{V} = \frac{3(1-\nu)pr}{2Et} = \frac{3 \times (1-0.3) \times 2 \times 10^6 \times 0.1}{2 \times 206 \times 10^9 \times 0.0025} = 4.0777 \times 10^{-4} \approx 0.0408\%$$

第17章　柱の座屈 解答

【17.1】　オイラーの座屈荷重 P_{cr} は，式（17.9）より

$$P_{cr} = C\frac{\pi^2 EI}{l^2} = \frac{\pi^2 EI}{l_0^2},\ \left(l_0 = \frac{l}{\sqrt{C}}\right)\cdots\cdots(1)$$

と表される．ここで，C は柱の支持条件に応じて決まる端末係数である．したがって，同一材料で中実柱と中空柱との座屈荷重を等しくするには断面 2 次モーメントが同じ大きさ

$$\frac{\pi d^4}{64} = \frac{\pi(D^4 - d^4)}{64}$$

である必要がある．これより，$d/D = (1/2)^{1/4}$=0.841 となる．

【17.2】　$I_z = \pi d^4/64, P_{cr} = SP$, C=4 を**問題 17.1** の式 (1) に代入すると

$$SP = \frac{4\pi^3 Ed^4}{64l^2} \quad \therefore\ d = \left(\frac{16SPl^2}{\pi^3 E}\right)^{1/4}$$

与えられた値 P=98kN, E=206GPa, l=2m, S=5 を代入すると

$$d = \left(\frac{16\times 5\times 98\times 10^3\times 2^2}{\pi^3\times 206\times 10^9}\right)^{1/4} = 0.04707\text{m} \approx 47.1\text{mm}$$

【17.3】　問題では l=20d, E=98GPa が与えられ, 両端回転端なので端末係数は C=1 である．したがって，相当長さ l_0 は l に等しく，$\lambda_0 = \lambda$ である．また，断面 2 次半径は，$k = \sqrt{I/A} = \sqrt{(\pi d^4/64)/(\pi d^2/4)} = d/4$ より，細長比は $\lambda = l/k = 20d/(d/4) = 80$ となる．

オイラーの座屈応力は，式（17.10）より

$$\sigma_{cr} = C\frac{\pi^2 E}{\lambda^2} = 1\cdot\frac{\pi^2\times 98\times 10^9}{80^2} = 151.13\times 10^6\text{N/m}^2 \approx= 151\text{MPa}$$

ランキンの座屈荷重は，図 17-3，式（17.11）を参照して

$$\sigma_{cr} = \frac{\sigma_0}{(1+a\lambda_0^2)} = \frac{549}{(1+80^2/1600)} = 109.8\text{N/mm}^2 \approx 110\text{MPa}$$

【17.4】　部材 AC の圧縮荷重を P_1, 部材 BC の圧縮荷重を P_2 とし，点 C において力のつり合い式を考えると

$$P_1 = P\cos\theta,\quad P_2 = P\sin\theta$$

を得る．そこで，両部材ともに座屈を開始するときが，許容し得る最も大きな P となるから

$$P\cos\theta = \frac{\pi^2 EI}{l_1^2},\quad P\sin\theta = \frac{\pi^2 EI}{l_2^2}$$

が成り立つ．したがって，$l_2 = \sqrt{3}l_1$ の関係を上式に代入し，P を消去すると $\tan\theta = 1/3$ すなわち $\theta = 18.43°$ を得る．

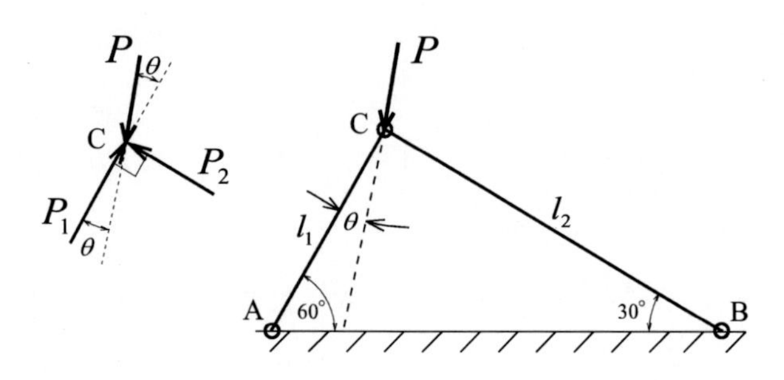

【17.5】　両端回転端の柱のオイラーの座屈応力 σ_{cr} は，式（17.9）において C=1 として

$$\sigma_{cr} = \frac{P_{cr}}{A} = \frac{1}{A}\frac{\pi^2 EI}{l^2}$$

により得られる．

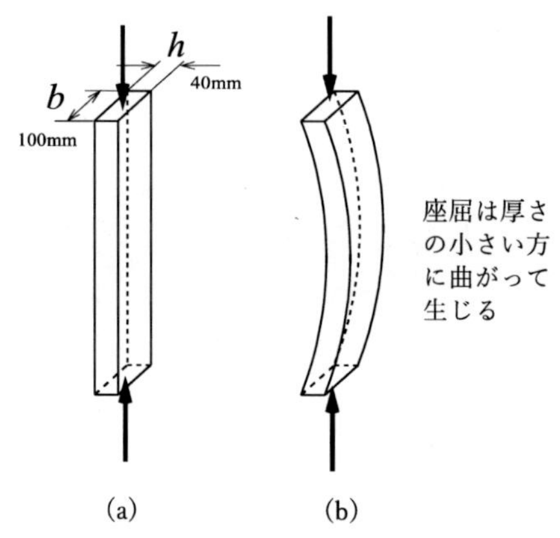

ここで，$A = bh$, $I = bh^3/12$ であるが，b=0.1m, h=0.04m である．したがって，

$$\sigma_{cr} = \frac{1}{0.04\times 0.1}\frac{\pi^2\times 206\times 10^9\times(0.1\times 0.04^3)}{3^2}$$
$$= 30.12\times 10^6\mathrm{N/m^2} = 30.12\mathrm{MPa}$$

なお，問題文でも注意しているが，座屈は，断面2次モーメント I の小さい側（図のように厚さの小さい方）に生じるので，b=0.04m, h=0.1m の断面と考えて計算してはいけない．

【17.6】　節点Cにおける垂直方向のつり合い式より

$$-P + P_{BC}\cos 45° = 0 \quad \therefore\ P_{BC} = \sqrt{2}P\ (\text{圧縮力})\cdots(1)$$

を得る．

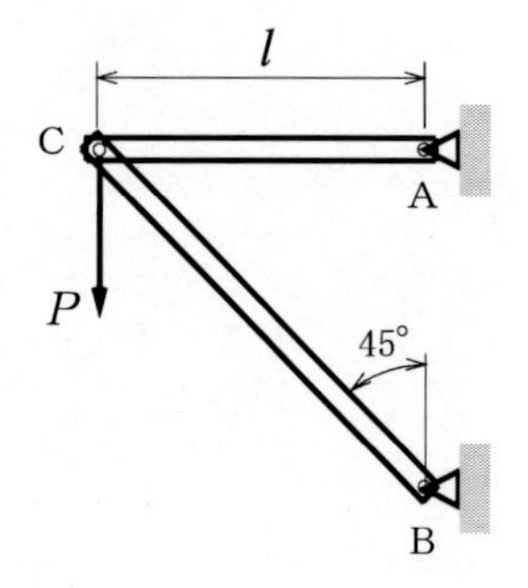

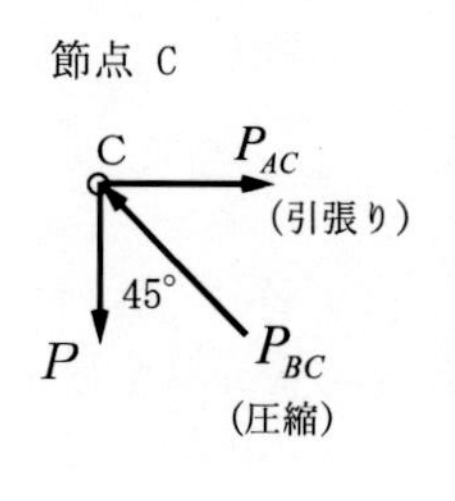

一方，部材BCの座屈荷重は，オイラーの式を用いて，$l_{BC} = \sqrt{2}l$ として

$$P_{cr} = \pi^2\frac{EI}{l_{BC}^2} = \pi^2\frac{E(\pi d^4)/64}{2l^2}$$
$$= \frac{\pi^3 Ed^4}{128l^2}\cdots(2)$$

式 (1) と式 (2) を等しくすると，荷重 P による座屈が部材 BC に生じると考えられ，

$$\sqrt{2}P = \frac{\pi^3 E d^4}{128 l^2} \quad \therefore\ d = \left(\frac{128\sqrt{2}Pl^2}{\pi^3 E}\right)^{1/4} \cdots (3)$$

となる．P=2kN, l=1m, E=72GPa を代入して直径 d を計算すると

$$d = \left(\frac{128\sqrt{2} \times 2 \times 10^3 \times 1^2}{\pi^3 \times 72 \times 10^9}\right)^{1/4} = \left(1.6217 \times 10^{-7}\right)^{1/4} = 0.02007\text{m} \approx 20.1\text{mm}$$

安全率 $S = 3$ を考慮するときは，座屈荷重を $P_{cr} \to P_{cr}/S$ と評価する（あるいは，負荷荷重 P を SP と評価する）ことになるから，式（3）は $d = \left(\frac{128\sqrt{2}SPl^2}{\pi^3 E}\right)^{1/4}$ となる．これより

$$d = \left(\frac{128\sqrt{2} \times 3 \times 2 \times 10^3 \times 1^2}{\pi^3 \times 72 \times 10^9}\right)^{1/4} = \left(4.865 \times 10^{-7}\right)^{1/4} = 0.02641\text{m} \approx 26.4\text{mm}$$

を得る．当然のことであるが，安全率を考慮すると直径は太くなる．

【17.7】 柱が上部剛性壁に接するまでの温度上昇分を ΔT_1 とおくと，$\alpha \Delta T_1 l = \delta$ が成立する．これより

$$\Delta T_1 = \frac{\delta}{\alpha l} = \frac{0.3}{1.16 \times 10^{-5} \times 5000} = 5.172\,℃$$

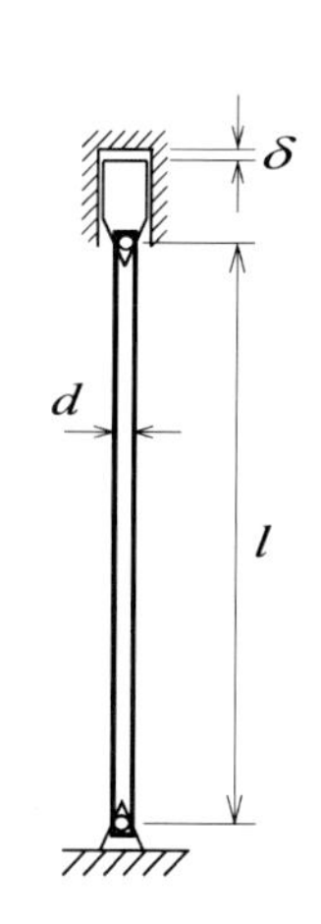

次に，剛性壁に接触後の温度上昇分を ΔT_2 とすると，この温度上昇分により生じる軸圧縮力 P_2 がオイラーの座屈荷重 P_{cr} に達したときに座屈が生じると考えればよい．一方，λ を熱膨張による伸び，A を断面積とすると $P_2 = AE\lambda/l = (AE/l) \cdot \alpha \Delta T_2 l = \alpha \Delta T_2 AE$ であり，$P_{cr} = \frac{\pi^2 EI}{l^2}$ となる．これより

$$\alpha \Delta T_2 AE = \frac{\pi^2 EI}{l^2} \quad \therefore\ \Delta T_2 = \frac{\pi^2 I}{\alpha A l^2} = \frac{\pi^2 \times \pi(d^4/64)}{\alpha(\pi d^2/4)l^2} = \frac{\pi^2 d^2}{16\alpha l^2}$$

与えられた数値を代入して実際に計算すると

$$\Delta T_2 = \frac{\pi^2 \times 0.03^2}{16 \times 1.16 \times 10^{-5} \times 5^2} = 1.914\,℃$$

したがって，座屈するときの温度は

$$T = 20 + \Delta T_1 + \Delta T_2 = 20 + 5.172 + 1.914 = 27.086 \approx 27.1\,℃$$

となる．

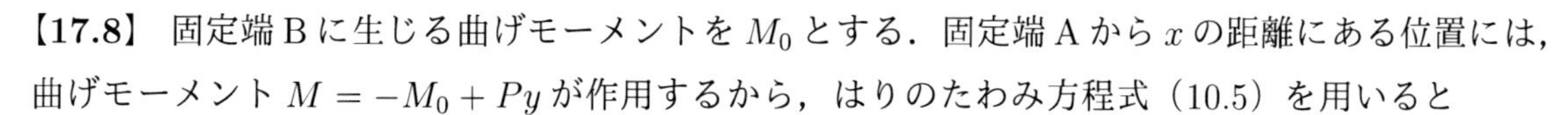

【17.8】 固定端 B に生じる曲げモーメントを M_0 とする．固定端 A から x の距離にある位置には，曲げモーメント $M = -M_0 + Py$ が作用するから，はりのたわみ方程式（10.5）を用いると

$$\frac{d^2 y}{dx^2} = -\frac{M}{EI} = \frac{1}{EI}(M_0 - Py)$$

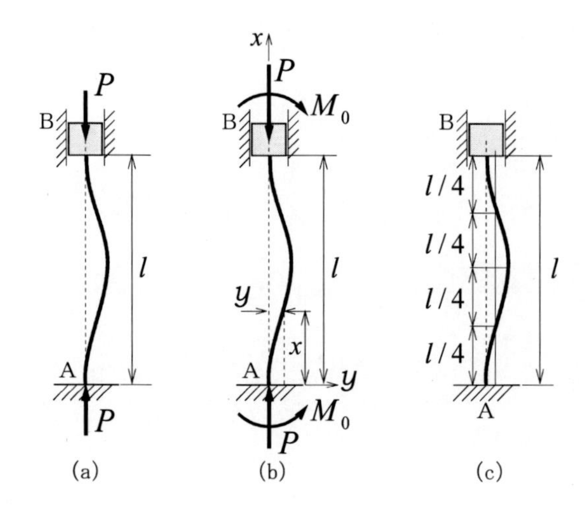

ここで，$\alpha^2 = P/(EI)$ を導入し，上式を書き換えると

$$\frac{d^2y}{dx^2} + \alpha^2 y = \frac{M_0}{EI}$$

この式の解は，17.1節と同様に一般解と特殊解の和より

$$y = c_1 \sin \alpha x + c_2 \cos \alpha x + \frac{M_0}{P}$$

となる．

$x = 0$ で $y = 0$, $dy/dx = 0$ の境界条件より

$$c_2 + \frac{M_0}{P} = 0, \quad c_1 = 0 \quad \therefore\ y = \frac{M_0}{P}(1 - \cos \alpha x)$$

さらに，$x = l$ で $y = 0$ の条件を上式に代入すると

$$1 - \cos \alpha l = 0$$

となる．これより

$$\cos \alpha l = 1 \quad \therefore\ \alpha l = 2n\pi\ (n = 0, 1, 2, 3, \cdots)$$

$n = 1$ のときの P を P_{cr} とおくと，$\alpha^2 = P_{cr}/(EI)$ であるから

$$P_{cr} = 4\frac{\pi^2 EI}{l^2}$$

となる．これは，片持はり形状の座屈荷重（式（17.7）参照）$\dfrac{\pi^2 EI}{4l^2}$ に比べて16倍の大きさである．これは，図(c)に示すように，両端固定の柱は，一端固定で他端自由の4つの柱から成り立っていることからも理解できる．

第18章　薄肉曲がりはりのたわみ 解答

【18.1】　図の φ の位置における曲げモーメントは

$$M = RP(1 + \cos\varphi)$$

したがって，カスティリアノの定理より，荷重点の垂直変位 δ_B は以下のように求められる．

$$\delta_B = \frac{\partial U}{\partial P} = \frac{R}{EI}\int_0^{\pi} M\frac{\partial M}{\partial P}d\varphi = \frac{R}{EI}\int_0^{\pi} PR^2(1+\cos\varphi)^2 d\varphi = \frac{PR^3}{EI}\int_0^{\pi}(1+\cos\varphi)^2 d\varphi$$

ここで，付録 A.1（2）の Wallis（ウォリス）積分を参照して

$$\int_0^{\pi}(1+\cos\varphi)^2 d\varphi = \int_0^{\pi}\left(2\cos^2\frac{\varphi}{2}\right)^2 d\varphi = 4\int_0^{\pi/2}\cos^4\theta\cdot(2d\theta) = 8\frac{3\cdot 1}{4\cdot 2}\cdot\frac{\pi}{2} = \frac{3\pi}{2}$$

であるから，$\delta_B = \dfrac{3\pi PR^3}{2EI}$ を得る．

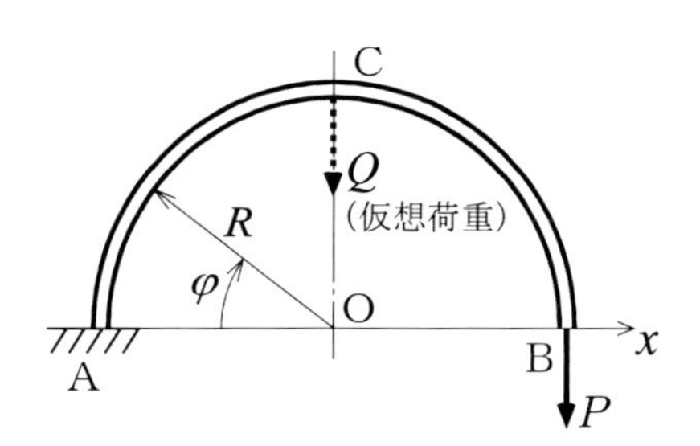

点 C の変位 δ_C を求めるには，点 C に下向きに仮想荷重 Q を加えて考察すればよい．このときの曲げモーメントは

$$(0 \le \varphi \le \pi/2)\ :\ M_1 = RP(1+\cos\varphi) + QR\cos\varphi,\quad (\pi/2 \le \varphi \le \pi)\ :\ M_2 = RP(1+\cos\varphi)$$

である．したがって，カスティリアノの定理から

$$\begin{aligned}\delta_C &= \lim_{Q\to 0}\frac{\partial U}{\partial Q} = \frac{1}{EI}\lim_{Q\to 0}\left[\int_0^{\pi/2} M_1\frac{\partial M_1}{\partial Q}Rd\varphi + \int_{\pi/2}^{\pi} M_2\frac{\partial M_2}{\partial Q}Rd\varphi\right]\\ &= \frac{PR^3}{EI}\int_0^{\pi/2}(1+\cos\varphi)\cos\varphi d\varphi = \left(1+\frac{\pi}{4}\right)\frac{PR^3}{EI}\end{aligned}$$

を得る．

なお，これらの垂直変位の比をとると $(\delta_C/\delta_B) \approx 0.38$ となる．

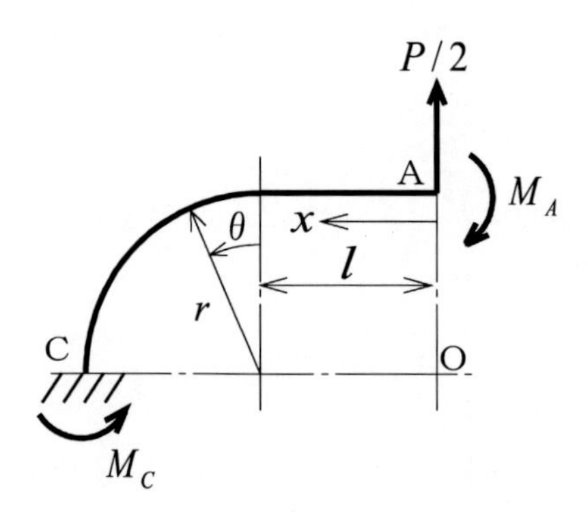

【**18.2**】　対称性を考慮して，図のように1/4を切り出して考える．点Aに作用する曲げモーメントをM_Aとおく．

直線部と円弧部の曲げモーメントをM_1, M_2とすると

$$M_1 = \frac{P}{2}x - M_A \ \ (0 \le x \le l) \cdots (1) \ \ M_2 = -M_A + \frac{P}{2}(l + r\sin\theta) \cdots (2) \ \ (0 \le \theta \le \pi/2)$$

点Aのたわみ角はゼロであり，カスティリアノの定理より$\partial U/\partial M_A = 0$となるから

$$\frac{1}{EI}\int_0^l M_1 \frac{\partial M_1}{\partial M_A}dx + \frac{r}{EI}\int_0^{\pi/2} M_2 \frac{\partial M_2}{\partial M_A}d\theta = 0$$

この式に（1），(2）を代入して実際に計算すると

$$\frac{P}{4}l^2 - M_A l + r\left(-\frac{\pi}{2}M_A + \frac{\pi}{4}Pl + \frac{1}{2}Pr\right) = 0$$

これをM_Aについて解くと

$$M_A = \frac{l^2 + \pi lr + 2r^2}{2(2l + \pi r)}P$$

M_Cは，点Cまわりのモーメントつり合い式

$$M_C + \frac{P}{2}(r + l) - M_A = 0$$

より，

$$M_C = -\frac{l^2 + 2lr + (\pi - 2)r^2}{2(2l + \pi r)}P$$

と得られる．ここで，M_Cに負号がついているので，図とは逆向きに作用していることがわかる．

【**18.3**】　AB間の間隔の増加量δ_{AB}は，カスティリアノの定理を利用して

$$\delta_{AB} = 2\frac{\partial U}{\partial (P/2)} = 4\frac{\partial U}{\partial P}$$

となる．ここで，荷重点ABの増加量を考えているために，Uの微分量を2倍している．M_1, M_2は，**問題18.2**の結果から

$$M_1 = \left(-\frac{l^2 + \pi rl + 2r^2}{2l + \pi r} + x\right)\frac{P}{2}, \quad M_2 = \frac{l^2 - 2r^2 + r(2l + \pi r)\sin\theta}{2(2l + \pi r)}P$$

となる．この結果を用いて

$$\delta_{AB}=4\left\{\frac{1}{EI}\int_0^x M_1\frac{\partial M_1}{\partial P}dx+\frac{1}{EI}\int_0^{\pi/2} M_2\frac{\partial M_2}{\partial P}rd\theta\right\}$$

と表されるが，これを実際に計算すると

$$\delta_{AB}=\frac{2l^4+4\pi rl^3+24r^2l^2+6\pi r^3l+3(\pi^2-8)r^4}{12EI(2l+\pi r)}P$$

を得る．（長く忍耐強い計算が必要だが，計算力の向上には格好の問題である）

【18.4】　点Cからの距離を x とおくと，区間 $0\leq x\leq l$ の曲げモーメント M_1 は $M_1=-Wx$. さらに円弧部の曲げモーメント M_2 は，$M_2=-W(l+R\sin\theta)$. したがって，ひずみエネルギー U は

$$U=\frac{1}{2EI}\int_0^l M_1^2dx+\frac{1}{2EI}\int_0^{\pi/2} M_2^2Rd\theta$$

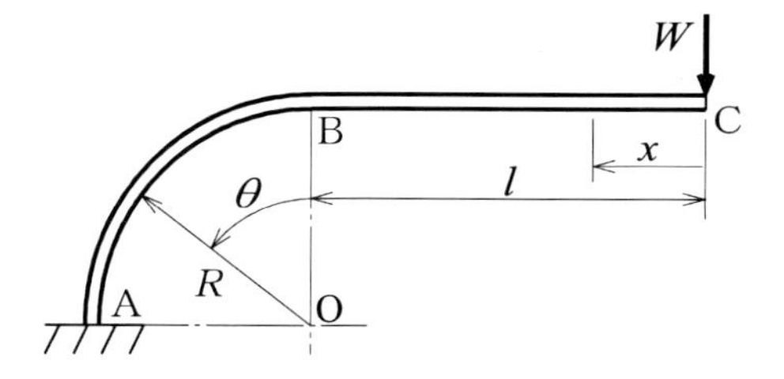

これより，荷重点の変位 δ_c は，カスティリアノの定理より

$$\begin{aligned}\delta_c&=\frac{\partial U}{\partial W}=\frac{1}{EI}\int_0^l Wx^2dx+\frac{1}{EI}\int_0^{\pi/2} W(l+R\sin\theta)^2Rd\theta\\&=\frac{Wl^3}{3EI}+\frac{\pi WR}{4EI}(2l^2+8lR/\pi+R^2)\end{aligned}$$

【18.5】　図のように，面外荷重 W による曲げモーメントの腕の長さが $R\sin\varphi$，ねじりモーメントの腕の長さが $R(1-\cos\varphi)$ であるので，任意位置Cの曲げモーメント M およびねじりモーメント T は

$$M=WR\sin\varphi,\quad T=WR(1-\cos\varphi)$$

となる．ここで，図の2重矢印は回転にともなってねじの進む方向を示している．

したがって，ひずみエネルギー U は，曲げおよびねじり変形から成り，円弧はりの直径を d とすると

$$U=\frac{1}{2EI}\int_0^{\pi/2} M^2Rd\varphi+\frac{1}{2GI_p}\int_0^{\pi/2} T^2Rd\varphi,\quad I=\frac{\pi d^4}{64},\ I_p=\frac{\pi d^4}{32}=I/2$$

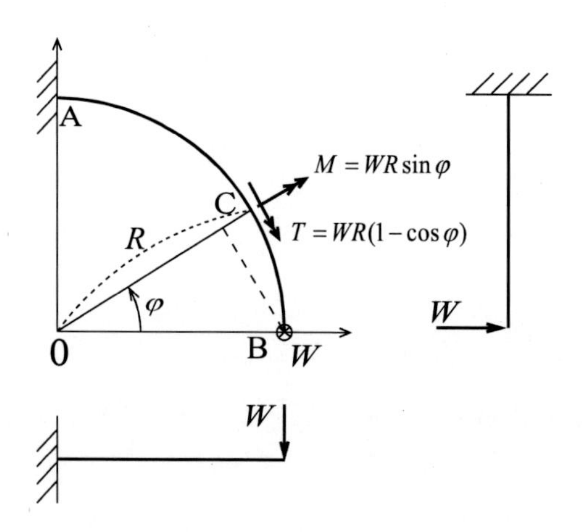

となる．ここで，GI_p はねじり剛性である．ν をポアソン比とすると，$2G(1+\nu)=E$ の関係を考慮して，荷重点のたわみ δ_B は

$$\delta_B = \frac{\partial U}{\partial W} = \frac{R}{EI}\int_0^{\pi/2} M\frac{\partial M}{\partial W}d\varphi + \frac{R}{GI_p}\int_0^{\pi/2} T\frac{\partial T}{\partial W}d\varphi$$
$$= \frac{WR^3}{EI}\int_0^{\pi/2}\sin^2\varphi\,d\varphi + \frac{WR^3}{GI_p}\int_0^{\pi/2}(1-\cos\varphi)^2 d\varphi = \left\{\frac{\pi}{4} + (1+\nu)\left(\frac{3\pi}{4}-2\right)\right\}\frac{WR^3}{EI}$$

ここで，付録A.1（2）のWallis（ウォリス）積分

$$\int_0^{\pi/2}(1-\cos\varphi)^2 d\varphi = \int_0^{\pi/2}(1-2\cos\varphi+\cos^2\varphi)d\varphi = \frac{\pi}{2} - 2\Big[\sin\varphi\Big]_0^{\pi/2} + \frac{1}{2}\cdot\frac{\pi}{2} = \frac{3\pi}{4} - 2,$$
$$\int_0^{\pi/2}\sin^2\varphi d\varphi = \frac{1}{2}\cdot\frac{\pi}{2} = \frac{\pi}{4}$$

を利用している．

【18.6】　圧力 p による θ の位置の曲げモーメント M_p は，流通座標 φ を導入すると，図より，

$$M_p = \int_0^{\theta} pRd\varphi \times R\sin(\theta-\varphi) = pR^2\int_0^{\theta}\sin(\theta-\varphi)d\varphi = pR^2\Big[\cos(\theta-\varphi)\Big]_0^{\theta} = pR^2(1-\cos\theta)$$

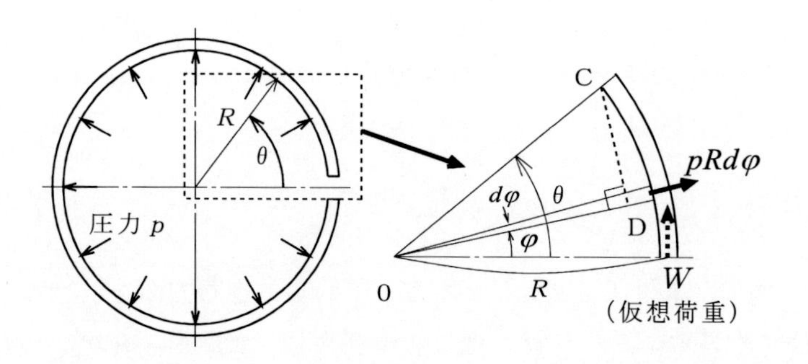

また，切り欠き部での仮想荷重 W による点Cの曲げモーメントは $WR(1-\cos\theta)$ である．したがって，点Cの全曲げモーメントは $M = pR^2(1-\cos\theta) + WR(1-\cos\theta)$ となる．これより，切

れ目の開き量 δ_y は，$(\partial U/\partial W)_{W\to 0}$ を2倍して得られる．

$$\therefore\quad \delta_y = 2\times\lim_{W\to 0}\frac{\partial U}{\partial W} = \lim_{W\to 0}\frac{2R}{EI}\int_0^{\pi} M\frac{\partial M}{\partial W}d\theta = \frac{2pR^4}{EI}\int_0^{\pi}(1-\cos\theta)^2 d\theta$$

ここで，倍角の公式および付録A.1（2）のWallis（ウォリス）積分を利用して

$$\int_0^{\pi}(1-\cos\theta)^2 d\theta = \int_0^{\pi}\left(2\sin^2\frac{\theta}{2}\right)^2 d\theta = 8\int_0^{\pi/2}\sin^4 t dt = 8\cdot\frac{3\cdot 1}{4\cdot 2}\cdot\frac{\pi}{2} = \frac{3\pi}{2}$$

となるから，$\delta_y = \dfrac{3\pi pR^4}{EI}$ を得る．

【18.7】　（1）水平からの角度を θ とすると，点Cの曲げモーメントは

$$M = M_A - \frac{P}{2}a(1-\cos\theta)\cdots(1)$$

と表される．したがって，円輪のひずみエネルギーは，1/4円輪の4倍と考えて

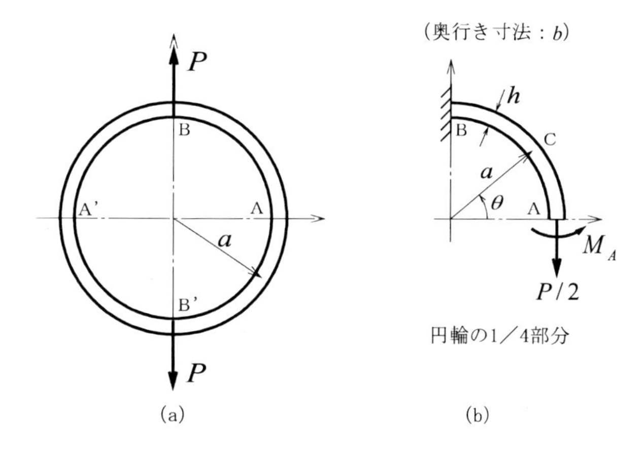

$$U = \frac{4}{2EI}\int_0^{\pi/2} M^2 a d\theta = \frac{2a}{EI}\int_0^{\pi/2} M^2 d\theta$$

点Aのたわみ角がゼロであるから，これを用いて不静定量 M_A を求めればよい．すなわち

$$\frac{\partial U}{\partial M_A} = 0 \quad\to\quad \int_0^{\pi/2}\left\{M_A - \frac{P}{2}(1-\cos\theta)\right\}d\theta = 0 \quad\therefore\ M_A = \left(\frac{1}{2}-\frac{1}{\pi}\right)Pa = 0.182Pa$$

を得る．なお，点Bの曲げモーメント M_B は，$M_B = (M)_{\theta=\pi/2} = M_A - Pa/2 = -Pa/\pi = -0.318Pa$ となる．また，以上の結果を式（1）に代入すれば

$$M = \left(-\frac{1}{\pi}+\frac{1}{2}\cos\theta\right)Pa$$

となる．

（2）荷重点変位（BB′の拡がり）は，Wallis（ウォリス）積分を用いて

$$u_B = \frac{\partial U}{\partial P} = \frac{4a}{EI}\int_0^{\pi/2} M\frac{\partial M}{\partial P}a d\theta = \frac{4Pa^3}{EI}\int_0^{\pi/2}\left(-\frac{1}{\pi}+\frac{1}{2}\cos\theta\right)^2 d\theta$$

$$= \frac{4Pa^3}{EI}\left\{\left[\frac{\theta}{\pi^2}-\frac{1}{\pi}\sin\theta\right]_0^{\pi/2} + \frac{1}{4}\int_0^{\pi/2}\cos^2\theta\ d\theta\right\} = \left(\frac{\pi}{4}-\frac{2}{\pi}\right)\frac{Pa^3}{EI} = 0.149\frac{Pa^3}{EI}$$

と求められる．

(3) 曲げモーメントの大きさは，点Aで $0.182Pa$，点Bで $-0.318Pa$ をとるので，この2点での応力 σ_A，σ_B を計算して最大応力を評価すればよい．すなわち，点Aの引張り力 $P/2$ を考慮し，円輪の平均半径 a=175mm，矩形断面寸法 b=60mm，h=12mm を代入すると

$$\sigma_A = \frac{P/2}{A} + \frac{M_A}{Z} = \frac{P/2}{0.06 \times 0.012} + \frac{0.182P \times 0.175}{0.06 \times 0.012^2/6} = 694.444P + 22118P = 22812P,$$

$$\sigma_B = \frac{|M_B|}{Z} = \frac{0.318P \times 0.175}{0.06 \times 0.012^2/6} = 38646P$$

となる．これより，点Bに最大応力が生じていることがわかる．したがって，許容応力 σ_a=140MPa を代入して，許容負荷荷重 P_a は

$$P_a = \frac{\sigma_a}{38646} = \frac{140 \times 10^6}{38646} = 3623\text{N} \approx 3.62\text{kN}$$

と得られる．

【18.8】　(1) 点Aに作用する水平力を Q，曲げモーメントを M_A とし，水平からの角度を θ とすると，点Cの曲げモーメントは

$$M = M_A - \frac{P}{2}a(1-\cos\theta) + Qa\sin\theta \cdots (1)$$

と表される．したがって，円輪のひずみエネルギーは，1/4円輪の4倍と考えて

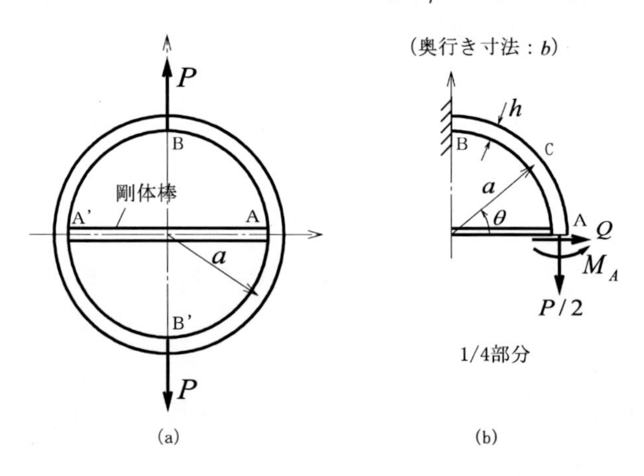

$$U = \frac{4}{2EI}\int_0^{\pi/2} M^2 a d\theta = \frac{2a}{EI}\int_0^{\pi/2} M^2 d\theta$$

点Aでたわみ角がゼロであり，また，水平方向変位もゼロであるから，これらの条件を用いて不静定量 M_A，Q を求めればよい．すなわち

$$\frac{\partial U}{\partial M_A} = 0 \quad \rightarrow \quad \int_0^{\pi/2} \left\{ M_A - \frac{P}{2}(1-\cos\theta) + Qa\sin\theta \right\} \cdot 1 \cdot d\theta = 0,$$

$$\frac{\partial U}{\partial Q} = 0 \quad \rightarrow \quad \int_0^{\pi/2} \left\{ M_A - \frac{P}{2}(1-\cos\theta) + Qa\sin\theta \right\} \cdot (a\sin\theta) \cdot d\theta = 0$$

を得る．これらの式を実際に計算すると

$$4aQ + 2\pi M_A = (\pi - 2)Pa, \quad \pi aQ + 4M_A = Pa$$

これより Q, M_A を求めると

$$Q = \frac{4-\pi}{\pi^2 - 8}P = 0.459P, \quad M_A = \frac{\pi^2 - 2\pi - 4}{2(\pi^2 - 8)}Pa = -0.111Pa$$

となる．この結果を式（1）に代入して点Cの曲げモーメント M を求めると

$$M = \left(-\frac{\pi - 2}{\pi^2 - 8} + \frac{1}{2}\cos\theta + \frac{4-\pi}{\pi^2 - 8}\sin\theta\right)Pa$$

このとき，点Bの曲げモーメント M_B は，$M_B = (M)_{\theta=\pi/2} = -2(\pi - 3)/(\pi^2 - 8)Pa = -0.151Pa$ となる．なお，荷重点変位（BB′の拡がり）は，Wallis 積分を用いて

$$u_B = \frac{\partial U}{\partial P} = \frac{4a}{EI}\int_0^{\pi/2} M\frac{\partial M}{\partial P}ad\theta = \frac{4Pa^3}{EI}\int_0^{\pi/2}\left(-\frac{\pi - 2}{\pi^2 - 8} + \frac{1}{2}\cos\theta + \frac{4-\pi}{\pi^2 - 8}\sin\theta\right)^2 d\theta$$
$$= \frac{\pi^3 - 20\pi + 32}{4(\pi^2 - 8)}\frac{Pa^3}{EI} = 0.0233\frac{Pa^3}{EI}$$

と求められる．これは，剛体棒がないときの変位（$= 0.149Pa^3/(EI)$）に比べて15.7%の大きさである．つまり，剛体棒の挿入により，円輪の荷重方向の拡がりが約84%抑制されたことを意味している．

(2) 曲げモーメントの大きさは，点Aで $-0.111Pa$，点Bで $-0.151Pa$ をとるので，この2点での応力 σ_A，σ_B を計算して最大応力を評価すればよい．すなわち，点Aの引張り力 $P/2$ を考慮し，円輪の平均半径 a=175mm，矩形断面寸法 b=60mm，h=12mm を代入すると

$$\sigma_A = \frac{P/2}{A} + \frac{|M_A|}{Z} = \frac{P/2}{0.06 \times 0.012} + \frac{0.111P \times 0.175}{0.06 \times 0.012^2/6} = 694.444P + 13490P = 14184P,$$
$$\sigma_B = \frac{|M_B|}{Z} = \frac{0.151P \times 0.175}{0.06 \times 0.012^2/6} = 18351P$$

となる．これより，点Bに最大応力が生じていることがわかる．

したがって，許容応力 σ_a=140MPa を代入して，許容負荷荷重 P_a は

$$P_a = \frac{\sigma_a}{18351} = \frac{140 \times 10^6}{18351} = 7629\text{N} \approx 7.63\text{kN}$$

と得られる．

これは，剛体棒のないときの値（$P_a = 3.62$kN）に比べて，約2.1倍大きい．なお，**問題18.7**および本問題における曲げモーメント

$$M_1 = \left(-\frac{1}{\pi} + \frac{1}{2}\cos\theta\right)Pa,$$
$$M_2 = \left(-\frac{\pi - 2}{\pi^2 - 8} + \frac{1}{2}\cos\theta + \frac{4-\pi}{\pi^2 - 8}\sin\theta\right)Pa$$

と θ の関係を図に示す．この図より，剛体棒が挿入されると曲げモーメントの分布が緩やかな変化となることがわかる．

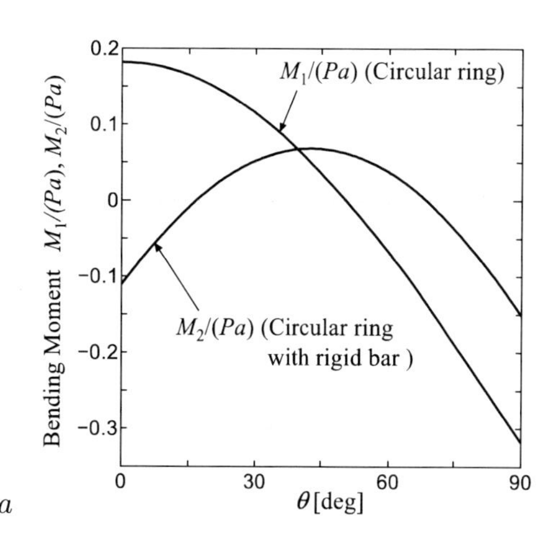

【参　考　文　献】

1) 中原一郎，材料力学（上），(下），養賢堂，1978.
2) 黒木，友田，材料力学第3版新装版，森北出版，2014.
3) 金沢，山田，高橋，竹鼻，小林，岡村，材料力学演習1, 2，培風館，1992.
4) 渥美，鈴木，三ケ田，材料力学 I, II SI版，森北出版，1991.
5) 西村編著，ポイントを学ぶ材料力学，丸善，1997.
6) 西村編著，例題で学ぶ材料力学，丸善，1997.
7) 斎藤，平井，詳解材料力学演習（上）（下），共立出版，1995.
8) 柴田，大谷，駒井，井上，材料力学の基礎，培風館，1997.
9) S. Timoshenko, D. H. Young, Elements of Strength of Materials 5th Ed., Van Nostland Co. 1972.
10) 渡辺編著，演習・材料力学，培風館，2005.
11）臺丸谷，小林，基礎から学ぶ材料力学第2版，森北出版，2015.
12）小泉監修，笠野，原，水口著，基礎材料力学，養賢堂，1990.
13）中原，渋谷，土田，笠野，辻，井上，弾性学ハンドブック，朝倉書店，2002.
14）日本機械学会，材料力学，丸善，2018.
15）有光，図解でわかるはじめての材料力学，技術評論社，2022.
16）堀辺，例題で学ぶ材料力学，森北出版，2022.

本書の執筆にあたっては，上記の教科書を参考にした．各著者に深く謝意を表したい．

付 録A

A.1　数学公式

(1) 三角関数

$$\sin^2\alpha+\cos^2\alpha=1,\quad 1+\tan^2\alpha=\sec^2\alpha,\quad 1+\cot^2\alpha=\mathrm{cosec}^2\alpha$$

$$\sin 2\alpha=2\sin\alpha\cos\alpha,\quad \cos 2\alpha=\cos^2\alpha-\sin^2\alpha=2\cos^2\alpha-1=1-2\sin^2\alpha,$$

$$\sin 3\alpha=3\sin\alpha-4\sin^3\alpha,\quad \cos 3\alpha=4\cos^3\alpha-3\cos\alpha,$$

$$\sin(\alpha\pm\beta)=\sin\alpha\cos\beta\pm\cos\alpha\sin\beta$$

$$\cos(\alpha\pm\beta)=\cos\alpha\cos\beta\mp\sin\alpha\sin\beta$$

$$\tan(\alpha\pm\beta)=\frac{\tan\alpha\pm\tan\beta}{1\mp\tan\alpha\tan\beta}$$

$$\sin\alpha+\sin\beta=2\sin\frac{\alpha+\beta}{2}\cos\frac{\alpha-\beta}{2},\quad \sin\alpha-\sin\beta=2\cos\frac{\alpha+\beta}{2}\sin\frac{\alpha-\beta}{2}$$

$$\cos\alpha+\cos\beta=2\cos\frac{\alpha+\beta}{2}\cos\frac{\alpha-\beta}{2},\quad \cos\alpha-\cos\beta=-2\sin\frac{\alpha+\beta}{2}\sin\frac{\alpha-\beta}{2}$$

(2) 積分公式

$$\int x^n dx=\frac{1}{n+1}x^{n+1}(n\neq-1),\quad \int\frac{1}{x}dx=\log x$$

$$\int\cos^2\theta d\theta=\frac{\theta}{2}+\frac{1}{4}\sin 2\theta,\quad \int_0^{\pi/2}\cos^2\theta d\theta=\frac{\pi}{4},\quad \int_0^{\pi}\cos^2\theta d\theta=\frac{\pi}{2}$$

$$\int\sin^2\theta d\theta=\frac{\theta}{2}-\frac{1}{4}\sin 2\theta,\quad \int_0^{\pi/2}\sin^2\theta d\theta=\frac{\pi}{4},\quad \int_0^{\pi}\sin^2\theta d\theta=\frac{\pi}{2}$$

$$\int\sin\theta\cos\theta d\theta=-\frac{1}{4}\cos 2\theta,\quad \int_0^{\pi/2}\sin\theta\cos\theta d\theta=\frac{1}{2},\quad \int_0^{\pi}\sin\theta\cos\theta d\theta=0$$

$$\text{(i)}\quad \int_0^{\pi/2}\sin x dx=\int_0^{\pi/2}\cos x dx=1,$$

$$\text{(ii)}\quad \int_0^{\pi/2}\sin^n x dx=\int_0^{\pi/2}\cos^n x dx=\begin{cases}\dfrac{n-1}{n}\cdot\dfrac{n-3}{n-2}\cdots\dfrac{1}{2}\cdot\dfrac{\pi}{2}, & (n=2,4,6,\cdots)\\[2ex] \dfrac{n-1}{n}\cdot\dfrac{n-3}{n-2}\cdots\dfrac{2}{3}, & (n=3,5,7\cdots)\end{cases}$$

ここで，(ii) の定積分を **Wallis（ウォリス）積分**という．

(3) 展開式

$$(1 \pm x)^{-1} = 1 \mp x + x^2 \mp x^3 + \cdots (x^2 \leq 1)$$

$$(1 \pm x)^{1/2} = 1 \pm \frac{x}{2} - \frac{1 \cdot 1}{2 \cdot 4}x^2 \pm \frac{1 \cdot 1 \cdot 3}{2 \cdot 4 \cdot 6}x^3 \pm \cdots (x^2 \leq 1)$$

$$(1 \pm x)^{-1/2} = 1 \mp \frac{x}{2} + \frac{1 \cdot 3}{2 \cdot 4}x^2 \mp \frac{1 \cdot 3 \cdot 5}{2 \cdot 4 \cdot 6}x^3 \mp \cdots (x^2 < 1)$$

$$\sin x = x - \frac{1}{3!}x^3 + \frac{1}{5!}x^5 - \cdots (x^2 < \infty)$$

$$\cos x = 1 - \frac{1}{2!}x^2 + \frac{1}{4!}x^4 - \cdots (x^2 < \infty)$$

$$e^{\pm x} = 1 \pm \frac{x}{1!} \pm \frac{x^2}{2!} \pm \frac{x^3}{3!} \pm \cdots$$

A.2　各種はりのたわみおよびたわみ角

1. 片持ちはりのたわみ，たわみ角

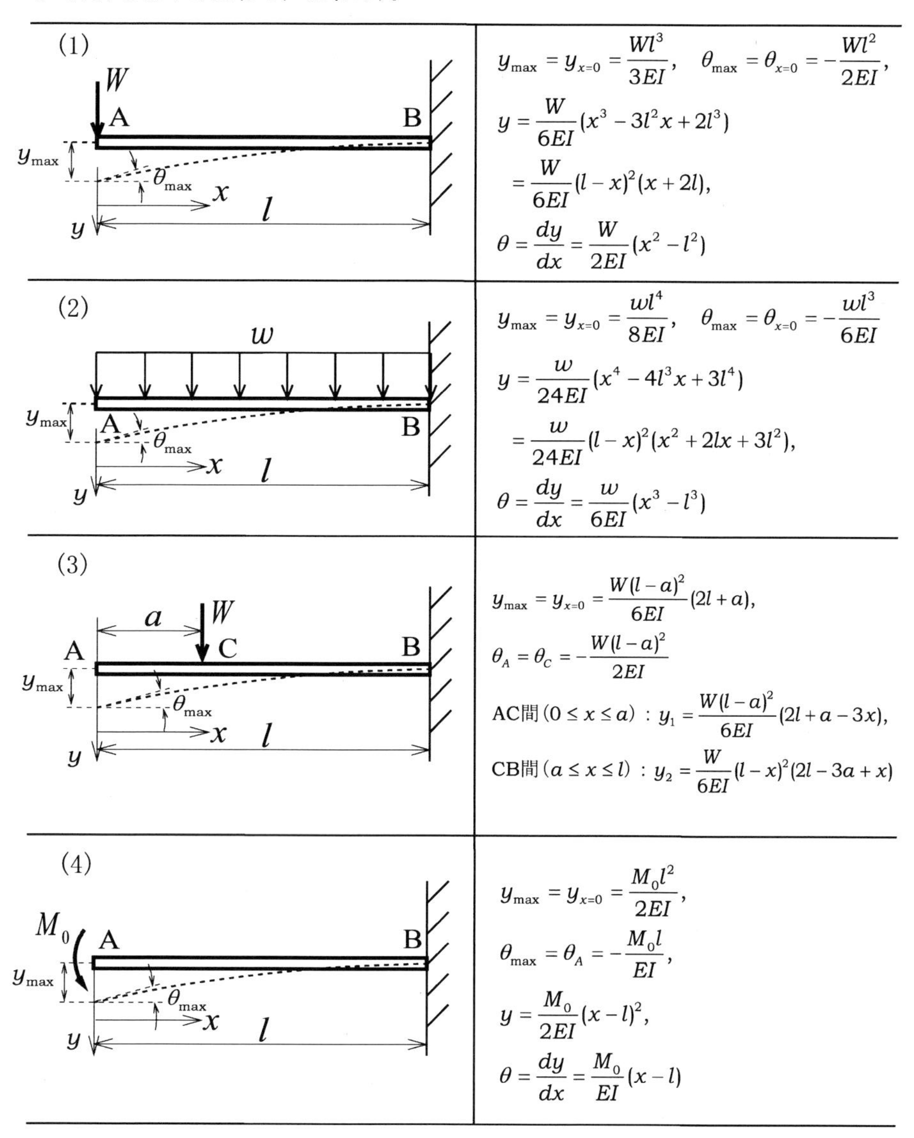

図	式
(1)	$y_{max}=y_{x=0}=\dfrac{Wl^3}{3EI},\quad \theta_{max}=\theta_{x=0}=-\dfrac{Wl^2}{2EI},$ $y=\dfrac{W}{6EI}(x^3-3l^2x+2l^3)$ $=\dfrac{W}{6EI}(l-x)^2(x+2l),$ $\theta=\dfrac{dy}{dx}=\dfrac{W}{2EI}(x^2-l^2)$
(2)	$y_{max}=y_{x=0}=\dfrac{wl^4}{8EI},\quad \theta_{max}=\theta_{x=0}=-\dfrac{wl^3}{6EI}$ $y=\dfrac{w}{24EI}(x^4-4l^3x+3l^4)$ $=\dfrac{w}{24EI}(l-x)^2(x^2+2lx+3l^2),$ $\theta=\dfrac{dy}{dx}=\dfrac{w}{6EI}(x^3-l^3)$
(3)	$y_{max}=y_{x=0}=\dfrac{W(l-a)^2}{6EI}(2l+a),$ $\theta_A=\theta_C=-\dfrac{W(l-a)^2}{2EI}$ AC間 $(0\le x\le a)$：$y_1=\dfrac{W(l-a)^2}{6EI}(2l+a-3x),$ CB間 $(a\le x\le l)$：$y_2=\dfrac{W}{6EI}(l-x)^2(2l-3a+x)$
(4)	$y_{max}=y_{x=0}=\dfrac{M_0l^2}{2EI},$ $\theta_{max}=\theta_A=-\dfrac{M_0l}{EI},$ $y=\dfrac{M_0}{2EI}(x-l)^2,$ $\theta=\dfrac{dy}{dx}=\dfrac{M_0}{EI}(x-l)$

2. 両端支持はりのたわみ，たわみ角

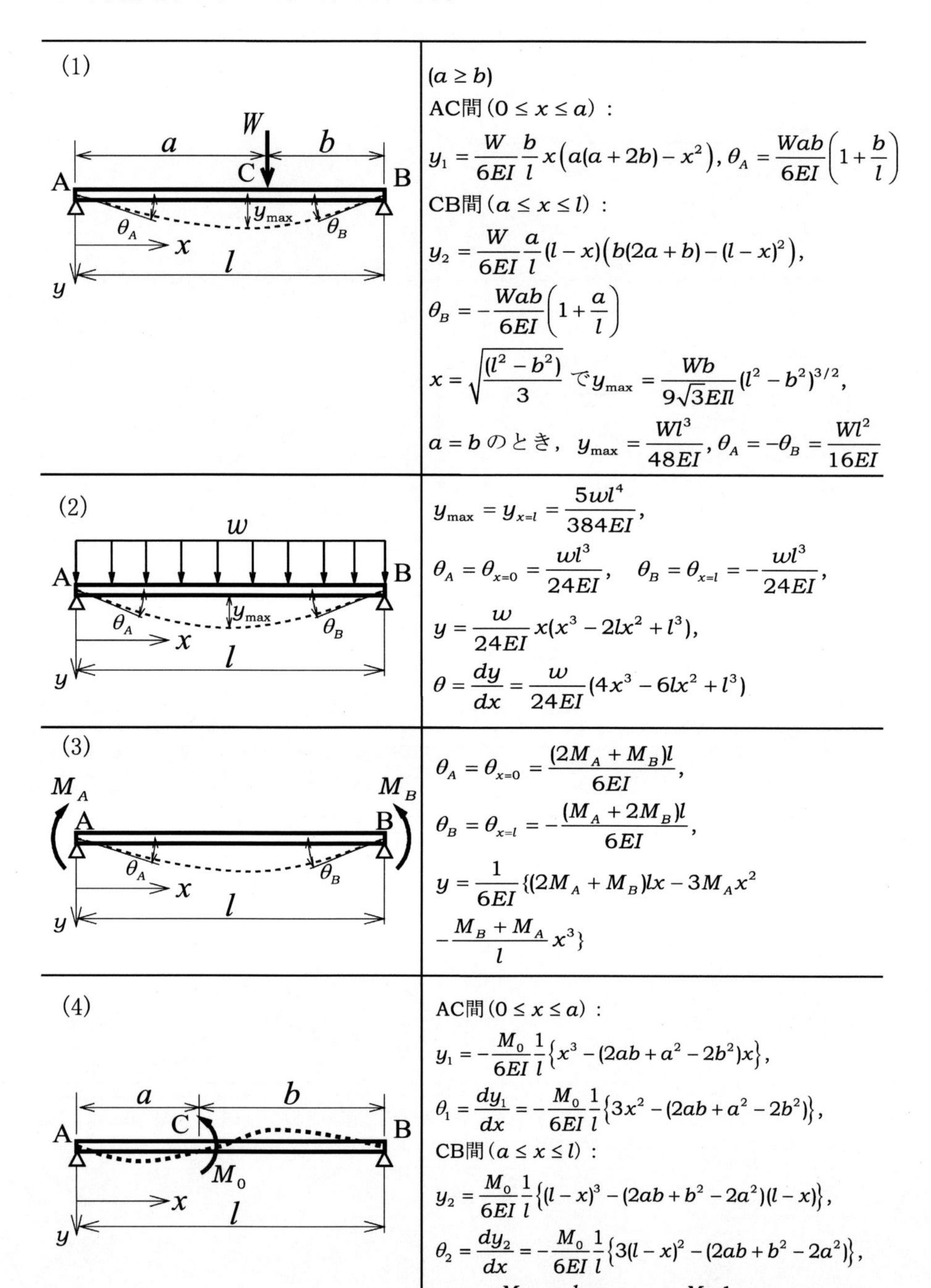

図	たわみ，たわみ角
(1)	$(a \geq b)$ AC間 $(0 \leq x \leq a)$： $y_1 = \frac{W}{6EI}\frac{b}{l}x\left(a(a+2b)-x^2\right),\ \theta_A = \frac{Wab}{6EI}\left(1+\frac{b}{l}\right)$ CB間 $(a \leq x \leq l)$： $y_2 = \frac{W}{6EI}\frac{a}{l}(l-x)\left(b(2a+b)-(l-x)^2\right),$ $\theta_B = -\frac{Wab}{6EI}\left(1+\frac{a}{l}\right)$ $x = \sqrt{\frac{(l^2-b^2)}{3}}$ で $y_{\max} = \frac{Wb}{9\sqrt{3}EIl}(l^2-b^2)^{3/2},$ $a=b$ のとき，$y_{\max} = \frac{Wl^3}{48EI},\ \theta_A = -\theta_B = \frac{Wl^2}{16EI}$
(2)	$y_{\max} = y_{x=l} = \frac{5wl^4}{384EI},$ $\theta_A = \theta_{x=0} = \frac{wl^3}{24EI},\quad \theta_B = \theta_{x=l} = -\frac{wl^3}{24EI},$ $y = \frac{w}{24EI}x(x^3-2lx^2+l^3),$ $\theta = \frac{dy}{dx} = \frac{w}{24EI}(4x^3-6lx^2+l^3)$
(3)	$\theta_A = \theta_{x=0} = \frac{(2M_A+M_B)l}{6EI},$ $\theta_B = \theta_{x=l} = -\frac{(M_A+2M_B)l}{6EI},$ $y = \frac{1}{6EI}\{(2M_A+M_B)lx - 3M_Ax^2$ $-\frac{M_B+M_A}{l}x^3\}$
(4)	AC間 $(0 \leq x \leq a)$： $y_1 = -\frac{M_0}{6EI}\frac{1}{l}\left\{x^3-(2ab+a^2-2b^2)x\right\},$ $\theta_1 = \frac{dy_1}{dx} = -\frac{M_0}{6EI}\frac{1}{l}\left\{3x^2-(2ab+a^2-2b^2)\right\},$ CB間 $(a \leq x \leq l)$： $y_2 = \frac{M_0}{6EI}\frac{1}{l}\left\{(l-x)^3-(2ab+b^2-2a^2)(l-x)\right\},$ $\theta_2 = \frac{dy_2}{dx} = -\frac{M_0}{6EI}\frac{1}{l}\left\{3(l-x)^2-(2ab+b^2-2a^2)\right\},$ $y_{x=a} = \frac{M_0}{3EI}\frac{a-b}{l}ab,\ \theta_{x=a} = \frac{M_0}{3EI}\frac{1}{l}(ab-a^2-b^2)$

A.3　各種断面の断面積，断面 2 次モーメント，断面係数，断面 2 次半径

断面形状	断面積：A	断面2次モーメント：I	断面係数：Z	断面2次半径：k^2
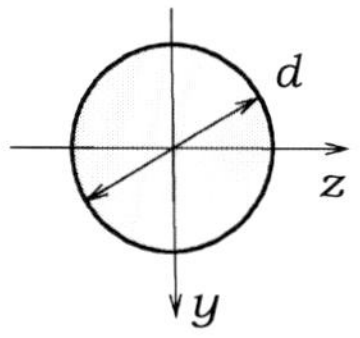	$\dfrac{\pi d^2}{4}$	$I_z = I_y = \dfrac{\pi d^4}{64}$	$Z_1 = Z_2 = \dfrac{\pi d^3}{32}$	$\dfrac{d^2}{16}$
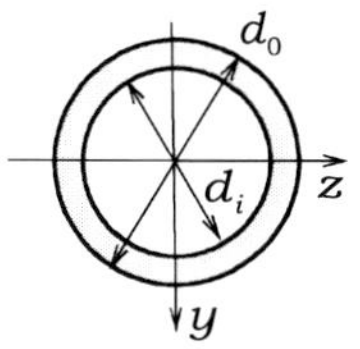	$\dfrac{\pi(d_0^2 - d_i^2)}{4}$	$I_z = I_y = \dfrac{\pi(d_0^4 - d_i^4)}{64}$	$Z_1 = Z_2 = \dfrac{\pi(d_0^4 - d_i^4)}{32 d_0}$	$\dfrac{d_0^2 + d_i^2}{16}$
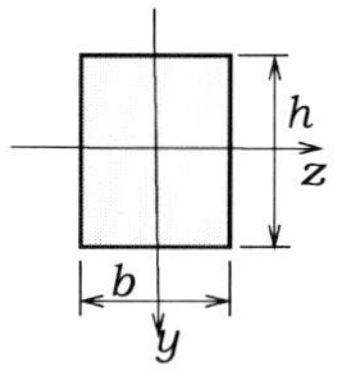	bh	$I_z = \dfrac{bh^3}{12}$, $I_y = \dfrac{hb^3}{12}$	$Z_{z1} = Z_{z2} = \dfrac{bh^2}{6}$, $Z_{y1} = Z_{y2} = \dfrac{hb^2}{6}$	$\dfrac{h^2}{12}$, $\dfrac{b^2}{12}$
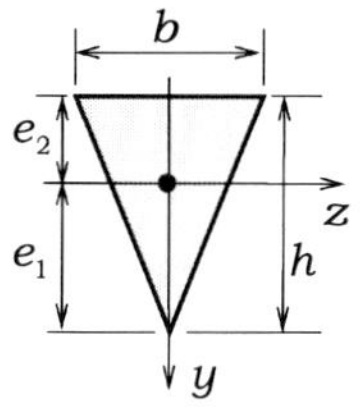	$\dfrac{bh}{2}$	$I_z = \dfrac{bh^3}{36}$	$e_1 = \dfrac{2h}{3}$, $e_2 = \dfrac{h}{3}$, $Z_1 = \dfrac{I_z}{e_1} = \dfrac{bh^2}{24}$, $Z_2 = \dfrac{I_z}{e_2} = \dfrac{bh^2}{12}$	$\dfrac{h^2}{18}$
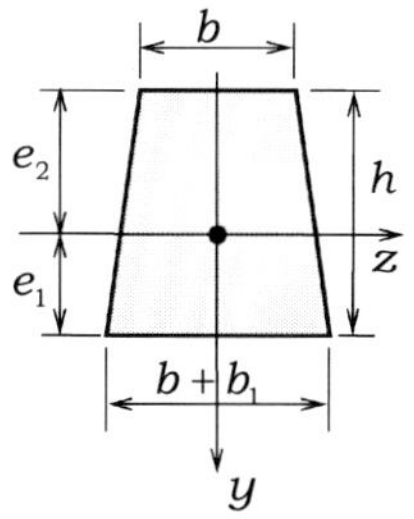	$\dfrac{(2b + b_1)h}{2}$	$I_z = \dfrac{6b^2 + 6bb_1 + b_1^2}{36(2b + b_1)} h^3$	$e_1 = \dfrac{3b + 2b_1}{3(2b + b_1)} h$, $e_2 = \dfrac{3b + b_1}{3(2b + b_1)} h$, $Z_1 = \dfrac{I_z}{e_1}$, $Z_2 = \dfrac{I_z}{e_2}$	$\dfrac{6b^2 + 6bb_1 + b_1^2}{18(2b + b_1)^2} h^2$
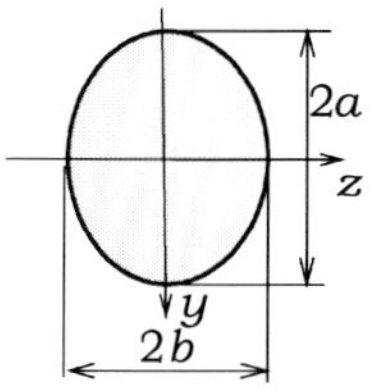	πab	$I_z = \dfrac{\pi a^3 b}{4}$, $I_y = \dfrac{\pi ab^3}{4}$	$Z_1 = \dfrac{\pi a^2 b}{4}$, $Z_2 = \dfrac{\pi ab^2}{4}$	$\dfrac{a^2}{4}$

A.4 付表 1 各種工業材料の機械的性質（常温）

材 料	縦弾性係数	横弾性係数	ポアソン比	降伏応力	引張強さ
	E[GPa]	G[GPa]	ν	σ_y[MPa]	σ_B[MPa]
低炭素鋼 *1	206	79	0.30	195 以上	330〜430
中炭素鋼 *2	205	82	0.25	275 以上	490〜610
高炭素鋼 *3	199	80	0.24	834 以上	1079 以上
高張力鋼 (HT80)	203	73	0.39	834	865
ステンレス鋼 *4	197	73.7	0.34	284	578
ねずみ鋳鉄	74〜128	28〜39			147〜343
球状黒鉛鋳鉄	161	78	0.03	377〜549	350〜1076
インコネル 600	214	75.9	0.41	206〜304	270〜895
無酸素銅 *5	117			231.4	270.7
7/3 黄銅－H	110	41.4	0.33	395.2	471.7
ニッケル（NNC）	204	81	0.26	10〜21	41〜55
アルミニウム *6	69	27	0.28	152	167
ジュラルミン *7	69			275	427
超ジュラルミン *8	74	29	0.28	324	422
チタン	106	44.5			
チタン合金	109	42.5	0.28	1100	1170
ガラス繊維 (S)	87.3				2430
炭素繊維 *9	392.3				2060
塩化ビニール（硬）	2.4〜4.2				41〜52
エポキシ樹脂	2.4				27〜89
ヒノキ *10	8.8				71
コンクリート *11	20				2, 30
けい石レンガ *12					25〜34
アルミナ *12	260〜400		0.23〜0.24		$2\sim4\times10^3$
マグネシウム合金	45	16		250	345

(参考書：材料力学，日本機械学会，丸善（2018）)

＊1 (0.2%C 以下)JIS No.G3101 種別：一般構造用圧延鋼材 記号：SS330
＊2 (0.25∼0.45%C 以下）JIS No.G3101 種別：一般構造用圧延鋼材記号：SS490
＊3 （0.6%C 以上)JIS No.G4801 種別：ばね鋼鋼材 3 種 記号：SUP3
＊4 オーステナイト系ステンレス鋼（SUS304）
＊5 無酸素銅（C1020-1/2H）
＊6 アルミニウム（A1100-H18）
＊7 ジュラルミン（A2017-T4）
＊8 超ジュラルミン（A2024-T4）
＊9 炭素繊維 トレカ M-40 直径 0.8μm
＊10 曲げヤング率, 曲げ強さ
＊11 引張強さ（2MPa）と圧縮強さ（30MPa）
＊12 圧縮強さ

A.5 付表 2 ギリシャ文字

大文字	小文字	発音（英語）	読み方
A	α	alpha	アルファ
B	β	beta	ベータ
$\varGamma$	γ	gamma	ガンマ
$\varDelta$	δ	delta	デルタ
E	ε	epsilon	イプシロン
Z	ζ	zeta	ジータ，ゼータ
H	η	eta	イータ，エータ
$\varTheta$	θ	theta	シータ，テータ
I	ι	iota	イオタ
K	κ	kappa	カッパ
$\varLambda$	λ	lambda	ラムダ
M	μ	mu	ミュー
N	ν	nu	ニュー
$\varXi$	ξ	xi	グザイ，クシー
O	o	omicron	オミクロン
$\varPi$	π	pi	パイ
P	ρ	rho	ロー
$\varSigma$	σ	sigma	シグマ
T	τ	tau	タウ
$\varUpsilon$	υ	upsilon	ウプシロン
$\varPhi$	ϕ, φ	phi	ファイ
X	χ	chi	カイ
$\varPsi$	ψ	psi	プサイ，プシー
$\varOmega$	ω	omega	オメガ

材料力学では，以下のギリシャ文字がそれぞれの物理量を表すのに習慣的に用いられている．

- σ：垂直応力， τ：せん断応力
- ε：垂直ひずみ，γ：せん断ひずみ
- λ：伸び，δ：変位
- ν：ポアソン比

索引

■やらわ行■

著者略歴

堀辺 忠志（ほりべ ただし）
(tadashi.horibe.mech@vc.ibaraki.ac.jp, tadashihoribe@gmail.com)
1980 年 東京大学大学院工学系研究科船用機械工学専攻修士課程修了
1980 年 茨城工業高等専門学校機械工学科助手
1991 年 茨城工業高等専門学校機械工学科助教授
2000 年 茨城大学工学部機械工学科助教授
2009 年 茨城大学工学部機械工学科教授
2022 年 現在，茨城大学名誉教授（博士（工学）），
芝浦工業大学，東京都市大学および茨城大学非常勤講師
著書，訳書
1) Visual Basic でわかるやさしい有限要素法の基礎，森北出版 (2008)，単著.
2) たわみやすいはりの大変形理論（F. Fay 著），三恵社 (2019)，堀辺訳.
3) 例題で学ぶ材料力学，森北出版（2022），単著.

問題で学ぶ材料力学

2021年 9月 22日　初 版 発 行
2022年 9月 14日　初版第2刷発行

著 者　堀辺　忠志

発行所　株 式 会 社　三 恵 社
〒462-0056 愛知県名古屋市北区中丸町2-24-1
TEL 052 (915) 5211
FAX 052 (915) 5019
URL http://www.sankeisha.com

ISBN978-4-86693-382-5